Copyright © 2021 Ler Editorial

Texto de acordo com as normas do novo acordo ortográfico da língua portuguesa (Decreto Legislativo Nº 54 de 1995).

Todos os direitos reservados. Proibida a reprodução total ou parcial, de qualquer forma ou por qualquer meio, mecânico ou eletrônico, incluindo fotocópia e gravação, sem a expressa permissão da editora.

Editora – Catia Mourão
Capa – Joice Dias
Diagramação – Catia Mourão
Revisão – Catia Mourão

T448f

Tigre, Priscila
   Fúria / Priscila Tigre. - 1. ed. - Rio de Janeiro : Ler, 2021.
   244 p. ; 23 cm. (Trilogia corrompidos ; 1)

   ISBN 978-65-86154-41-2

   1. Romance brasileiro. I. Título. II. Série.

21-74228   CDD: 869.3
                               CDU: 82-31(81)

Meri Gleice Rodrigues de Souza - Bibliotecária - CRB-7/6439
03/11/2021   04/11/2021

Foi feito o depósito legal.
Direitos de edição:

Ler Editorial

FÚRIA

TRILOGIA CORROMPIDOS 1

PRISCILA TIGRE

1ª Edição
Rio de Janeiro — Brasil

SUMÁRIO

007	PRÓLOGO
009	CAPÍTULO 1
015	CAPÍTULO 2
021	CAPÍTULO 3
028	CAPÍTULO 4
034	CAPÍTULO 5
042	CAPÍTULO 6
049	CAPÍTULO 7
055	CAPÍTULO 8
062	CAPÍTULO 9
068	CAPÍTULO 10
073	CAPÍTULO 11
079	CAPÍTULO 12
086	CAPÍTULO 13
092	CAPÍTULO 14
099	CAPÍTULO 15
107	CAPÍTULO 16
113	CAPÍTULO 17
119	CAPÍTULO 18
125	CAPÍTULO 19
132	CAPÍTULO 20
140	CAPÍTULO 21
147	CAPÍTULO 22
154	CAPÍTULO 23
161	CAPÍTULO 24
167	CAPÍTULO 25
174	CAPÍTULO 26
181	CAPÍTULO 27
188	CAPÍTULO 28
196	CAPÍTULO 29
202	CAPÍTULO 30
208	CAPÍTULO 31
217	CAPÍTULO 32
222	CAPÍTULO 33
230	CAPÍTULO 34
238	EPÍLOGO
243	AGRADECIMENTOS

Deixe-me amar o solitário para fora de você.
Deixe-me amar a dor pela qual você está passando.
Eu acho que me salvei ao salvar você.

Let Me Love The Lonely – James Arthur

PRÓLOGO

Apolo Mendanha

Meu celular não para de vibrar em cima da mesa da cozinha, continuo ignorando-o. Não tenho condições de me levantar para atender, a bebedeira da noite passada foi pesada e cobrou seu preço.

Foda!

Preciso parar de tentar camuflar minha raiva com álcool. Apesar de que só assim para não querer fazer uma merda das grandes...

De repente, o telefone residencial começa com o toque insuportável que parece perfurar meu crânio. Quem é o filho da puta que decidiu me torturar? Escuto o bipe da secretária eletrônica, logo em seguida a voz irritante de Eleonor preenche o apartamento. Lá vamos nós com mais alguma exigência ridícula e sem fundamento.

— Apolo, precisamos que volte para o Brasil. Aconteceu... — Faz uma pausa. Eu me apoio devagar nos cotovelos para prestar atenção, porque, para eles cogitarem me levarem embora sem ter terminado o curso, deve ser algo muito sério. — Aconteceu uma tragédia. Sinto dizer que Lisa e Mônica foram mortas.

Aquela frase parece explodir nos meus ouvidos. Um piiii incômodo encobre qualquer outro ruído ou palavra dita. De tudo o que Eleonor contou, a única notícia que me impacta é Lisandra. Minha irmã caçula, a única daquela família disfuncional que tem meu total afeto. E tiraram isso de mim. Arrancaram meu único ponto de apoio entre os Mendanha.

Desembarco no Brasil no automático. Não falei com ninguém, não lembro o que fiz após o telefonema, só sei que peguei o primeiro voo que me trouxesse ao lugar que menos tenho vontade de estar. Assim que entro na mansão, muitas das lembranças ruins se manifestam; ignorando-as, subo para o quarto da minha irmã. Ali, isolado da bagunça que está a casa, consigo sentir meu luto, sentir em cada canto o quanto é difícil dizer adeus sem ter o feito de fato. Eu a abandonei porque não aguentava mais, eu a deixei aqui, e olha no que deu!

Aperto com força a correntinha com a letra do seu nome, que a presenteei anos atrás, e consigo vislumbrar com exatidão seu sorriso de satisfação por eu ter me lembrado do aniversário. Lisandra era a luz nessa imensa escuridão que é nossa família. Porra!

Apoio as mãos na penteadeira, baixando a cabeça entre os braços. Que merda aconteceu? Como permitiram isso? Para que temos tanto dinheiro, se não conseguimos proteger quem importa?

— Inferno! — grito antes de jogar no chão tudo o que ela guardava com tanto carinho.

Lisandra não vai precisar de mais nada dessas merdas fúteis. O que adiantou o lunático progenitor tentar encarcerar a garota se no fim não impediu sua morte?

O restante passa num borrão: o velório; os pêsames das pessoas que nem a conheciam, que só apareceram por causa do status imprestável do meu pai. Falando nele, Ícaro Mendanha permanece impassível ao lado do caixão das duas. Ora olha para sua esposa, ora para a filha. Deve estar pensando no quanto foi negligente com ambas. Filho da puta abusivo do caralho!

Enfio as mãos nos bolsos da calça social preta enquanto Ícaro finalmente me nota. Não temos uma boa relação. Na verdade, somos mais inimigos do que companheiros, mas ele é família, e devemos proteger a família, mesmo que não haja qualquer vontade nisso. Com uma calma calculada, meu pai vem até mim e coloca a mão em meu ombro. Um gesto de aparência, para manter a mentira de que somos unidos.

— Não há necessidade em dizer o que é preciso fazer, não é, Apolo? Elas eram da família, precisamos encontrar quem fez isso, quem fodeu com a gente. — A autoridade está mais do que enfática em sua voz. — Não tenho muito, consegui apenas um nome: Felipo. Seja útil uma vez na sua vida e o encontre.

Dito isso, ele sai para fingir sofrer a perda. Não ligo para sua ofensa, acostumei-me com elas desde pequeno.

A partir disso, não chego mais perto dos caixões. Permaneço no canto, em silêncio, só matutando sobre o que houve, sobre esse desfecho trágico, que até agora ninguém fez questão de me explicar. Algumas horas depois enterro minha irmã e mãe. Aguento o teatro mórbido o máximo que consigo, então rumo para um hotel. Não tem como ficar sob o mesmo teto que o todo-poderoso filho da puta.

Nesse mesmo dia, à noite, enquanto encho a cara de conhaque, faço uma promessa a Lisandra: vou vingar sua morte, nem que para isso seja necessário acabar com meio mundo.

CAPÍTULO 1

Apolo Mendanha

E—ncontramos, senhor.
Essa frase faz com que eu freie o movimento de levar o copo com conhaque à boca. Estou de pé, em frente à enorme janela da minha sala, praticamente no topo do mundo de uma das maiores cidades do país. É daqui que dirijo os negócios da família, passado de geração em geração.

Com uma calma calculada me viro para a porta, Jonas espera com paciência pelas minhas palavras. Sua postura reta, com as mãos em frente ao corpo, demonstra o profissionalismo que busco em cada um dos meus empregados.

— Onde?

É só o que preciso saber.

— Não muito longe daqui.

Meneio a cabeça para deixar claro que ouvi.

— Sigam com o plano.

Com esse comando, ele se retira. Finalmente encontrei o que procurava, foram dois anos caçando uma pista. A merda poderia ter sido mais fácil se eu tivesse pelo menos um sobrenome, mas tive de começar da porra do zero. E não nego que burlei muitos ideais para ter o prazer de destruir quem me tirou quase tudo. Com punhos de ferro, mantive-me inabalável mesmo quando quis sucumbir ao desespero. Aprendi a duras penas como ser frio, calculista e a não confiar em ninguém. Tenho certeza de que causo mais medo do que inspiro respeito, não que isso seja ruim, gosto da sensação de conforto pela reação das pessoas a mim. Assim, quem entra no meu caminho sabe que: ou sai por vontade própria ou é arrancado dele.

Termino de beber meu drinque e solto o copo sobre a mesa para dar seguimento aos documentos enviados pelo financeiro. Prefiro estar a par de cada detalhe, não se constrói um império acreditando em tudo o que dizem. Desde que meu pai enlouqueceu, perdendo qualquer vestígio de sanidade, eu assumi a MV Têxtil. De 2017 para cá, nós crescemos consideravelmente em relação às demais empresas do seguimento e estamos, aos poucos, adentrando o mercado de exportação. Apesar de que a maior fortuna vem de dentro, gerando mais dinheiro e consequentemente mais emprego. Antes tínhamos apenas a confecção do fio; com a ampliação resolvemos implantar o trabalho completo. Hoje, as roupas saem da fábrica prontas para o vestuário. Nosso foco principal é *jeans wear* e *homewear*, *looks* que têm uma rotatividade grande e um retorno ótimo.

Tenho uma equipe eficaz de desenvolvimento e consulta do mercado, aliado ao meu bom gerenciamento e jogadas invasivas, a MV se tornou uma empresa com potencial acima da média.

Procuro me concentrar nos papéis para não pensar em como almejo colocar as mãos nos malditos que ousaram ferrar com a minha família. Quando Lisandra, minha irmã, foi morta pelo seu namorado marginal, não satisfeito o filho da puta invadiu a mansão onde morávamos e assassinou minha mãe a sangue frio. Passei os últimos vinte e quatro meses caçando qualquer indício que me levasse ao desgraçado. Eu tinha somente um nome: Felipo. Porém, sabia que era questão de tempo, porque não há nada que o dinheiro não compre, inclusive informações.

O celular toca, atendo após verificar o número no visor.

— Apolo.

— *Estamos perto da casa, antes de dar mais um passo quero te atualizar sobre o que descobrimos.*

— Prossiga.

— *Felipo foi morto um ano atrás, só resta a irmã e uma criança que ainda não sabemos se tem parentesco com ele.*

Pelo inferno!

A ideia era acabar com Felipo com as minhas próprias mãos, não esperava por esse empecilho. Ele não está mais vivo. Por outro lado, deixou alguns brinquedinhos para que eu possa me divertir. Preciso estudar uma aproximação, nada muito abrupto, porque dessa vez meu interesse é destruir sem pressa a raça de marginais que o filho da puta largou para trás.

— Vamos mudar a abordagem. Investigue sobre a garota. Quero tudo que tiver, o mais rápido possível. Depois veremos como agir.

— Como quiser, senhor.

— Como tem tanta certeza de que ela não sabe? — pergunto num tom ameaçador para Jonas, na frente dos demais homens que o ajudam com a segurança.

Para a puta que pariu com educação nessas horas. Até pode ser que a garota não saiba da parte podre do Felipo, mas isso está parecendo ensaiado demais. Ela mora quase embaixo do meu nariz e eu passei dois anos à caça deles. Porra!

— Ela parecia prestes a desmaiar, senhor. Achou que éramos os donos do casebre, suplicou para que não a colocássemos na rua.

Então a garota não tem para onde ir. Jogar com um ser sem muitos benefícios ou opções é chance certa de vitória. Felipo deve estar ardendo no inferno, mesmo de lá vai saber que não deveria mexer comigo.

— Vocês deram a entender que não era quem ela pensava?

— Não. Resolvemos guardar essa informação como uma carta na manga.

Ótimo! Gosto de quem sabe como aproveitar as circunstâncias.

— Fizeram bem. Vou repensar minhas opções, depois conversamos.

Dispenso-os com um aceno de mão. Assim que a porta é fechada abro o documento que Jonas me enviou um pouco antes de chegar aqui.

A suposta irmã de Felipo tem vinte anos, mal terminou o ensino médio, nunca teve a carteira registrada. O nome da bendita é Lívia. E não tem mais nada sobre a vida medíocre que a delinquente leva.

— Será como esmagar uma mosca.

Lívia Nascimento

João Pedro me abraça apertado com seus bracinhos minúsculos.

— Tô com medo, Nana.

— Tá tudo bem, pequeno. Tudo bem.

Essa frase é dita mais para me manter nos eixos do que por ser verdade. Eu não conheço os homens que vieram aqui, mas tenho certeza de que não são do bem. Meu irmão foi morto porque devia muito dinheiro, esse foi um dos motivos que me fizeram pegar JP e sair do nosso antigo bairro. O problema é que não dá para ficar em paz, porque essa gente não se importa de quem será cobrado, desde que a dívida seja paga. Por isso fiquei desesperada quando esses brutamontes apareceram do nada, arrombando minha porta, exigindo saber quem morava aqui. Eu sabia que eles não eram proprietários dessa casa porque o terreno é invadido, contudo, se tem algo que aprendi por crescer em uma família desestruturada e envolvida com o tráfico, foi encenar muito bem.

Meus pais foram os primeiros a serem presos por não agirem de acordo com a lei. Isso exigiu do meu único irmão uma responsabilidade que não estava preparado. Felipo era estudioso, eu me lembro. E, como ficou sozinho para cuidar de uma criança, ele precisou se virar como dava. No nosso mundo, onde nem o governo nem os mais favorecidos se importam, nossa única saída é recorrer ao meio que conhecemos. Na maioria dos casos, infelizmente, buscamos ajuda no que é errado.

Desvio meus olhos da rua por onde o carro escuro segue e foco no menino franzino, magro demais para os seus três anos. Afago seus cabelo negro, tentando amenizar o susto que o coitadinho levou.

— Que tal lavar o rosto para que possamos dar um pulo no restaurante do seu Mário? Talvez ele tenha purê de batatas.

Ele logo muda sua postura acuada para uma serelepe. Meu estômago ronca à mínima menção de comida.

— O *monsto* tá na sua barriga.

— É, ele está! — Rio.

Nossa situação aqui é precária. Tenho noção de que coloco João Pedro em risco pessoal e social, mesmo assim prefiro dar meus pulos para nos manter do que entregá-lo para o sistema. Pode ser egoísmo, mas esse garotinho é meu único parente. Nada vai nos separar, não enquanto estiver viva para impedir.

Em menos de vinte minutos estamos saindo da estrutura frágil de madeira, de um cômodo só, com um banheiro mal construído, onde moramos. JP é falante, inteligente demais para sua idade, então vamos o caminho todo tagarelando sobre assuntos aleatórios.

— E eu quero ser *astonauta* quando crescer — diz assim que chegamos ao nosso destino.

— Não duvido que será, pequeno.

— Aí vou viajar lá pro espaço igual a...

— Olha o que temos aqui! — Seu Mário aparece na porta dos fundos, interrompendo a conversa. — Hoje o cardápio tem um toque especial — cantarola, fazendo com que o menino bata palmas de alegria.

Mário foi um presente divino, acredito eu. Em uma noite fria, estávamos revirando o lixo para encontrar algo comestível, quando a luz se acendeu. Recordo-me de que abracei João Pedro, receosa em sermos escorraçados, já que metade dos comerciantes da região odeia que mexam nos baldes de lata desgastada. Contrariando a maioria, ele nos chamou para entrar e nos serviu a comida mais deliciosa que tive o prazer de comer.

A partir disso fomos convidados a aparecer todos os dias para o almoço, e saímos daqui com o jantar garantido também. O restante ganhamos dos vizinhos que se dispõem a ajudar ou junto os trocados que recebo quando consigo alguma faxina; o que é difícil, pois preciso levar João Pedro comigo. Sei que tenho idade e saúde para ter um trabalho fixo, porém, onde deixaria o pequeno? João Pedro nem registrado é, não posso procurar uma creche, eles descobririam e nos afastariam. Por reflexo aperto sua mãozinha por baixo da mesa reservada para nós no canto da cozinha. Mário não cansa de falar que é necessário um local confortável para que a digestão seja feita corretamente.

— O que foi? — Os olhos de um azul intenso fitam os meus.

Meu coração se comprime com a pergunta sussurrada, ele é tão novo e sabe que não deve fazer escândalo ao menor sinal de perigo.

— Nada. Só fiquei com vontade de segurar seus dedinhos.

Ele sorri e, sem me soltar, continua a refeição. Às vezes, eu me pego questionando se as coisas seriam diferentes caso meus pais não tivessem feito tanta merda. Em outras fico com raiva da minha família, por não terem sequer pensado em como eu ficaria se não tivesse mais ninguém para me apoiar. A porcaria do mundo é injusto, porque os erros alheios sempre respingam em quem está por perto. JP é um exemplo de que algumas pessoas nascem para enfrentar batalhas das quais não estão preparadas. Eu amo esse menino, sou apaixonada pelo seu jeito de enxergar bondade em qualquer lugar, só não sei como avisá-lo de que já fui assim, só tive que acordar mais cedo do que deveria.

Coloco a sacola com nosso jantar dentro da bolsa que trouxe, nos despedimos do seu Mário e voltamos para o calor insuportável que faz hoje. O sol parece brincar com a nossa pele, alastrando sua quentura de forma desconfortável. Pego o boné que está pendurado na alça da mochila e encaixo na cabeça do João Pedro. Antes de irmos embora, passo em uma lojinha de bugigangas para saber se tenho serviço essa semana. Lourdes, a dona, adora que JP venha junto; os dois ficam mexendo nos artefatos antigos, que são visivelmente de segunda linha, enquanto limpo o pequeno estabelecimento.

— Pode vir amanhã, meu anjo. Acho que consegui outro bico para você com o seu Yakoshi, do mercadinho da esquina. Ele ficou de confirmar ainda hoje.

— Agradeço pela confiança, dona Lourdes. Vai nos ajudar muito.

— Posso vir junto, tia? — JP pergunta, mesmo sabendo a resposta.

— Lógico. Preciso do meu ajudante mais dedicado para organizar o catálogo dos novos pedidos.

— Eba!

Dou risada da empolgação exagerada. Para melhorar ainda mais o seu humor, a senhora simpática lhe dá um chocolate. Agradecemos e saímos com a promessa de voltar no dia seguinte. Pegamos a rua de chão, a poeira vira uma cortina a cada carro que passa ao nosso lado. Observo meus tênis velhos e o chinelo desgastado do João Pedro. As lágrimas chegam a vir por causa da tristeza de não saber como melhorar nosso estado, obrigo-as a se manterem quietas.

Não adianta de nada lamentar.

— Calor, né, Nana?

Ergo meus olhos para o menino, que passa as costas da mão na testa, limpando o suor. Não seguro o sorriso ao ver que há vestígios de chocolate até na sua bochecha.

— Está sim, pequeno. Estamos quase chegando.

Nossa casa fica próxima ao córrego, um pouco afastada das demais residências em volta. Esse era um ponto de drogas antigamente, quem me contou desse lugar foi meu irmão, ele fazia questão de reforçar para onde eu deveria ir caso acontecesse algo. Nossa moradia não é bonita, na verdade, parece mais um amontoado de madeira velha, com frestas grandes entre elas, mas é o que temos por enquanto. A árvore, que fica ao lado do barraco, entra na minha linha de visão, fazendo meus passos pararem; por instinto coloco JP às minhas costas.

— Nana?

— Fique quietinho — peço para poder raciocinar sem entrar em pânico.

O carro que veio aqui mais cedo e outro veículo muito luxuoso estão parados ali, em frente à minha porta. Alguns curiosos encaram com demasiada atenção o que acontece, é raro os ricaços virem até esse bairro. Meio perdida, sem saber como agir, permaneço parada, respirando fora de ritmo.

E se eles nos matarem?

Pior, e se nos torturarem porque fugimos sem pagar a dívida do Felipo?

Tantas cenas perpassam minha mente que fico travada, meus músculos parecem solidificados. Um dos homens nos nota e se aproxima com cautela. Não há esconderijo, só pó, grama e o rio imundo que transborda a cada tempestade.

— Preciso que me acompanhe — decreta ao chegar perto o bastante.

João Pedro se encolhe atrás de mim.

— O que querem? Não tenho dinheiro. Deixe-nos em paz!

Chego a virar para pegar o menino e correr, mas sou impedida pelo puxão doloroso no meu braço. Um grito esganiçado sai entredentes, deixando claro que doeu.

— Me larga!

Começo a me debater. JP arregala os olhinhos claros, petrificado de medo. Um metal frio é pressionado nas minhas costelas, gelando cada pelo do meu corpo. Não tive muito contato com armas, mesmo assim sei que estou sob a mira de uma.

— Agora, garota.

Quero mandar João Pedro fugir, quero gritar para que não o machuquem. Antes que qualquer atitude seja tomada, o homem nos obriga a caminhar para o que parece nosso fim.

CAPÍTULO 2

Apolo Mendanha

Observo Jonas arrastar os dois marginais até a frente do casebre, que parece prestes a despencar. Enquanto lia o relatório entregue pelos seguranças, pensei e repensei como agir. Nunca fui bom em esperar a hora certa, sou mais do tipo movido pelo ódio. E relembrar o que aconteceu desperta em mim a pior ira que o ser humano pode ter: vingança.

Minha família tem muito dinheiro, mas não deixamos de ser fodidos por isso. Meu pai me ensinou desde cedo que sentimentos não beneficiam em nada, o que realmente conta é o poder que você exerce sobre os demais. Isso foi um dos pontos que nos tornou quase desconhecidos, apesar dos laços de sangue. Nosso relacionamento consistia em reuniões, rendimentos e contratos.

Lisandra foi o mais perto de uma confidente que tive. Minha irmã era o tipo de bem com a vida, sempre sorrindo, cheia de sonhos. Quando fui para a França concluir meu MBA, deixei uma adolescente cursando Psicologia e voltei para enterrar uma mulher que teve seu caminho ceifado pelas mãos de um inconsequente filho da puta.

No mesmo dia, minha mãe foi morta, não que ela fosse exemplo de amor incondicional, longe disso. Mônica era submissa ao extremo em relação ao marido e relapsa por completo no que dizia aos filhos. Mas, por mais ferrado que pudesse ser nosso elo familiar, não posso deixar que um bando de merdinhas saia vitorioso dessa história. Eles quase nos derrubaram com a sucessão de fatos. Levou Ícaro, meu pai, à loucura. A empresa despencou e se não fosse por mim estaríamos falidos. Então, nada mais justo do que pagar na mesma moeda.

Jonas empurra a garota e o menino para dentro da casa e, com um aceno, indica que posso descer. Após a tragédia que permeia os Mendanha, eu adotei algumas medidas de proteção. Os seguranças não andam comigo para cima e para baixo, o papel deles é vigiar a mansão e cumprir as tarefas que peço vez ou outra.

Desço do meu Maserati Levante, abotoo o terno e com passos calculados adentro o aposento imundo. Literalmente horrendo. É um único cômodo, onde a cama de casal divide espaço com duas cadeiras, pia e o fogão enferrujado. O odor forte de mofo arde em minhas narinas. Só tem uma janela nesse cubículo e está encoberta com um lençol.

Puta que pariu! Esses malditos mortos de fome. Foco minha atenção na criatura insignificante que mantém a criança entre os braços. Ela parece pronta para a briga, os olhos — quase grandes demais para o rosto fino — são ferinos. Duas fendas nem um pouco ameaçadoras para mim. As roupas largas e sujas deixam-na ainda menor.

Tenha piedade, meu resquício de compaixão pede.

Como resposta, friso os lábios em completa irritação. O filho da puta do Felipo que pensasse antes de fazer a lambança. Abaixo um pouco a cabeça para fitar o moleque maltrapilho, que não deve ter mais que três anos. Ele permanece encarando o chão, seu desespero é perceptível daqui, parece emanar em ondas. Volto-me para a garota. Talvez deixe o menino ir, ela não escapa. Não mesmo!

— Quem é você? — Minha voz autoritária reverbera com asco.

A marginal se encolhe, fazendo com que a alça da bolsa escorregue do ombro, parando na dobra do braço para em seguida despencar no piso. Mesmo com medo, a tal Lívia não esconde a ferocidade com que me olha. Eu poderia bater palmas para a sua coragem, se ela não fosse inútil.

— Você invade minha casa e quer saber quem sou? Essa pergunta é minha. Não tenho nada que possam querer. Por favor, vão embora!

Percorro seus traços com calma, tentando passar toda a raiva que está para explodir e que, com certeza, é direcionada a sua maldita família. No caso, ela.

— Você não tem nada que alguém possa querer, garota. Se fosse esperta responderia sem titubear porque, para mim, é fácil dar fim à sua raça e a do menino.

Em desafio, a bendita esconde o moleque atrás de si. Como se isso o protegesse de algo. Sorrio de leve.

— Acha mesmo que consegue me parar, caso eu deseje matar os dois? — Enfio as mãos nos bolsos da calça social. — Não tenho dúvidas de que ninguém daria falta, não é? Nesse fim de mundo, seriam somente mais dois corpos sem identificação.

Agora, sim, gosto do que vejo: a ousadia dando lugar à realidade. Acompanho o movimento da sua garganta engolindo em seco.

— Já que esclarecemos os pontos. Diga quem é você.

— Lívia. Lívia Nascimento.

— Isso eu sei. — O choque dela não passa despercebido. — Quero saber o que faz aqui, nesse muquifo onde seu irmão vendia drogas.

A garota parece prestes a cair no chão com as minhas palavras.

— Voc... Você conhece Felipo?

Estou fervendo por dentro, quase arrancando com as próprias mãos a porcaria da verdade. Se a maldita é irmã dele, como não sabe quem sou? Não engulo esse showzinho patético.

Lívia Nascimento

Qualquer tentativa de demonstrar segurança está se esvaindo rápido. Eles vieram cobrar a dívida.

João Pedro aperta minha mão com força, sinto seu corpinho tremer contra o meu. Não sei como posso salvá-lo. Será que se eu implorar pela vida dele, esses monstros se compadecem? Deus, quero cair de joelhos e chorar. Gritar e ter a sorte de um salvador aparecer. Quero suplicar misericórdia, mesmo sabendo que não vai surtir efeito. O brutamontes que nos arrastou está bem no meio da porta, com as mãos em frente ao corpo, um perfeito cão de guarda sarnento.

Com os lábios tremendo, sem que eu possa controlar, volto para o olhar amedrontador do homem parado à nossa frente. Quando ele entrou foi como se todo o ar fosse drenado e recolocado para fora com um peso sufocante. Não entendo da vida dos poderosos, mas se eu fosse descrever um exemplo usaria esse cara.

Ele não afirma que conhece Felipo, não mexe um músculo, só me analisa de forma desconfortável. A crueldade pulsa dele, como uma serpente pronta para dar o bote.

— Sabe quem sou, garota? — indaga.

A palavra "garota" soa depreciativa, maldosa. Eu tenho consciência de que somos pobres, contudo, a repulsa que não é camuflada em cada gesto, é difícil de compreender.

— Não... — A falha na entonação denuncia meu estado de pânico.

Mais minutos de silêncio e escrutínio. Esse homem não parece um dos traficantes para os quais Felipo repassava. Eles não são controlados, tampouco calmos, descobri isso só pelas conversas que escutava de trás da porta. Nunca tive acesso a esse meio, por mais perto que estivesse. Meu irmão evitou ao máximo que os erros dele e dos nossos pais chegassem a mim. Pena que não adiantou de nada. JP e eu estamos pagando pelas decisões incorretas que cada um tomou.

— Tem certeza? Ou esse é só um joguinho que o filho da puta do seu irmão te ensinou?

Dizem que algumas pessoas travam perante o perigo eminente, outras agem para depois medirem as consequências. Devo me encaixar na segunda categoria, porque o ataque sai antes mesmo que eu possa controlá-lo.

— Olha aqui... senhor, não sei quem é ou o que quer. Então, não venha me insultar nem manchar a imagem do meu irmão, você não nos conhece. Nós somos simples, mas não somos ratos de esgoto para que nos trate como bem entende. Vou pedir novamente. Saiam. Da. Minha. Casa.

Aperto o maxilar com tanta força por causa da raiva que corre livre pelas minhas veias, que uma pontada de dor me obriga a aliviar a pressão.

Felipo não era o mais correto, porém, era bom. Meu irmão me criou, se estou viva é graças a ele. Após a morte da sua esposa, Felipo surtou, afundou-se nas drogas que deveria vender. Ficou devendo para um pessoal da pesada, comprou arma, bebia em excesso, não dormia direito. Ficou irreconhecível, pelo menos para mim.

Só percebo que estou indo na direção do meu alvo, porque JP está puxando minha mão. Meus ouvidos param de apitar e consigo ouvir seu pedido angustiado.

— Não, Nana, não!

Viro-me para ele e me abaixo para ficar da sua altura. O pequeno chora baixinho, sem ruído, só lágrimas. Sem demora, puxo-o para que tenha pelo menos uma parcela de segurança que meu abraço pode lhe oferecer. Pego o ursinho velho em cima do amontoado de roupas que ganhamos e coloco entre nós, João Pedro se apressa em segurá-lo com firmeza.

— Vai ficar tudo bem, querido. Não precisa se preocupar.

Beijo seu cabelo, enquanto acarinho suas costas com a mão.

— Ele é assustador — sussurra perto da minha orelha.

— É sim, mas nós vamos sair dessa. Lembra da vez em que entrou água aqui...

— Muita água — enfatiza.

— Verdade, muita água. — Sorrio mediante sua inocência. — Eu disse que salvaria o Pituco e salvei, não é?

Pituco é o nome que deu para o urso, o único presente que ganhou da mãe antes que a perdesse.

— Salvou, Nana.

— Então acredite em mim quando digo que vamos ficar bem, tá bom?

Sua cabecinha balança para cima e para baixo em concordância.

— Qual seu parentesco com o moleque?

Reteso meus nervos. Tinha até me esquecido de que estamos na presença de que parece um animal feroz, louco para devorar sua presa. Não respondo sua inquisição, permaneço de costas para ele, o que é muito idiota, já que aparento ser o motivo de toda sua desgraça. Quero rir, apesar da situação, porque só temos dois finais cabíveis aqui: morte ou virarmos brinquedos desses brutamontes. Não sei qual me aterroriza mais. Até parece um sonho, daqueles pesadelos onde você não consegue acordar. Um roteiro cruel criado pela sua mente para te levar ao pico mais alto do medo.

— Nana.

Foco nos olhinhos azuis intensos que estão cravados nos meus, pedindo sem som que o salve do que está por vir.

Apolo Mendanha

Puta que pariu!
Os olhos do menino são idênticos aos da Lisandra. Não é possível. Meu pai não mencionou nada sobre um suposto filho da minha irmã com o marginal. Porra!
A garota continua sem responder, de costas para mim. Viro o rosto para Jonas buscando alguma resposta para a pergunta que não verbalizei. Ele está impassível, preparado para atender qualquer comando que for designado. Pela primeira vez em muito tempo me pego perdido.
Não é isso, não pode ser mais fodido do que eu imaginava.
Lisandra não deixaria de registrar a criança, eu sabia do seu fraco para a maternidade. Apesar de que, para proteger o filho, ela faria qualquer coisa. E conhecendo a família que tinha estava mais do que certa em ficar no anonimato. Ícaro teria matado o moleque assim que ficasse ciente da sua existência.
Percebendo que o estou encarando, Jonas dá um passo em minha direção. Balanço a cabeça, ainda aturdido, indicando que não precisa. Ele assente, colocando-se na posição anterior. Todos os momentos — a forma abrupta com que fiquei sabendo do envolvimento nocivo de Lisandra, a decepção por não terem me contado antes, a dor que camuflei quando vi minha irmã caçula dentro do caixão — vêm como uma rajada de vento carregando o que pega pela frente. Com brusquidão agarro o braço já vermelho da garota e a ergo, obrigando-a a parar de me ignorar.

— Responda o caralho da pergunta! — rosno.

Suas pupilas dilatam e a cor em volta, que não percebi ser tão exótica, parece clarear o cômodo. Só que não é medo de mim que reflete ali, é fúria.

— Você pode me matar, pode até me levar e fazer o que quiser comigo, mas deixe o pequeno em paz. É só um bebê. É só o que tenho.
— Sua voz embarga no final.

Continuo sério, sem vestígios de pena. Eles tinham caminhos melhores para seguir e preferiram trilhar o pior. Por que não foram trabalhar ao invés de se meter com quem não deve? Qual a porra do problema desses favelados que pensam que não precisam buscar melhoria? Que viver de doação, mendigar comida é o suficiente?

— É só o que tem porque seus familiares são uns filhos da puta parasitas. Não me venha com choro fingido, garota. Lide com os seus atos.

— Que atos? — grita bem na minha cara. — Eu não fiz nada. Eles fizeram. Só estou seguindo em frente, droga!

Delinquente dos infernos! Odeio gente que se faz de vítima. Eu trabalhei com afinco para ter o que tenho hoje, por que esses abutres não fazem o mesmo?

Solto uma risada sem vestígios de humor, minha paciência está por um fio.

— Vivendo de pedir na rua? Isso que considera seguir em frente? Você só pode ser burra, porra!

Com um puxão, ela se afasta. As mãos em punho deixam-na ainda mais ridícula. Se Felipo estivesse vivo pouparia muito do meu tempo. Era só torturar o desgraçado, depois matar. Serviço feito, alma lavada. Mas não, o covarde tinha que morrer e deixar uma irmã imbecil para me estressar.

— O que o moleque é seu? — inquiro mais uma vez, apertando o ponto entre as sobrancelhas.

Se essa garota não disser, vou arrancar dela o que quero saber. E não será bonito.

— Ele é filho do meu irmão.

Não tenho mais dúvida da verdade, mesmo assim preciso confirmar.

— Filho dele com quem?

Cravo o olhar nela. Novamente preciso aguardar que a idiota assimile o que ouviu para pensar na resposta que vai dar.

— Fala — grunho.

Ela abraça o próprio corpo, assustada. O menino continua agarrado no urso sujo, sem desviar sua atenção do chão.

— Lisa é a mãe dele. Ela foi morta.

— O nome completo, eu quero a porra do nome inteiro.

— Lisandra. Não sei o sobrenome, não sei de mais nada.

Maldição!

CAPÍTULO 3

Lívia Nascimento

O homem sai como um foguete de dentro do casebre. Parece que seu ódio se multiplicou com a minha resposta. Vejo o cão sarnento segui-lo. Com rapidez, pego João Pedro no colo e corro para a parede do fundo, as tábuas soltas podem ser nossa salvação.

— Aonde nós vamos, Nana? — Sua dúvida vem num sussurro.

— Fugir, nós vamos fugir.

Com cuidado empurro a madeira, passo primeiro o menino e em seguida me enfio no buraco, tomando cuidado para não fazer barulho. Uma vez fora, seguro a mão do JP e começamos a correr. As pernas pequenas dele se atrapalham nos primeiros passos apressados, mas não demoram a impor o ritmo que mantenho. Ou sumimos ou morremos.

Atravessamos o córrego carniçento por uma parte onde a areia se acumulou após ter baixado o nível da água e nos embrenhamos na mata ao lado. Já andamos muito por aqui para cortar caminho, então sei que não muito longe tem a via principal.

Eu imaginava que Felipo tinha se metido em uma enrascada das grandes, por isso me mantive o mais neutra possível para passar despercebida. Mas, como sorte de azarado não dura, os traficantes nos encontraram de novo.

Após a morte do meu irmão, pensei com ingenuidade que ficaria em paz até que os caras para os quais ele devia invadiram nossa casa. João Pedro tinha dois anos e dormia no berço ao lado da minha cama de solteiro. Para que os infelizes não tocassem um dedo no menino, precisei aceitar algumas das suas objeções.

Engulo em seco com os acontecimentos ainda frescos na minha cabeça. Para uma garota, que era privada de muitas partes do mundo errado, fui submetida ao lado mais sombrio dele.

— Podemos descansar um pouquinho, Nana?

Encaro a criança, que deveria estar na escola, brincando, fazendo bagunça, não fugindo de um bando de gente sem um pingo de compaixão. Estico meus braços e o ergo até deixá-lo montado nos meus ombros.

— Melhor assim?

Tento evitar que minhas mãos tremam pelo medo de que nos alcancem.

— Hum-hum...

— Ótimo!

Minha panturrilha queima por causa do esforço em excesso. Não me incomodo, pelo contrário, apresso-me ainda mais, aproveitando as fisgadas para distrair minha mente do perigo que corremos. Nem os olhos pinicando pelo choro barrado me causam desconforto. Não é hora para ser fraca.

Nunca é.

Apolo Mendanha

Puta que pariu!

Não acredito que o garoto é filho da minha irmã.

— Como deixaram passar essa informação, porra? — Meu tom é baixo, muito ameaçador.

— A criança não tem registro, senhor. Nós...

— Não invente desculpas para a incompetência de vocês.

Jonas se cala.

Que vá se foder suas justificativas! Eu os pago para fazerem o trabalho, não para saírem pela tangente. Trinco os dentes de raiva. Não gosto de ser pego desprevenido. Ao que parece, a delinquente é guardiã do meu suposto sobrinho. Inferno! Como Lisandra apronta essa merda? Pelo jeito, minha família sabe muito bem como ferrar com tudo.

Corro os olhos pelo bairro imundo, alguns favelados ainda observam nossa interação, outros voltaram para a vida medíocre que levam. Tento fazer meu cérebro funcionar com lógica. O garoto é um Mendanha; por mais ridícula que seja a situação, não posso abandonar meu sangue. Esse é o principal mandamento que meu bisavô deixou: família em primeiro lugar, mesmo que a vontade seja matar todos eles.

Não consigo chegar a uma conclusão melhor do que a de levar o fedelho para casa e ensiná-lo a se portar perante nosso negócio, mostrar que não importam os meios que te guiam, o que conta é alcançar o objetivo traçado.

— Peguem o garoto, ele vai comigo.

— E a menina, senhor?

Não repenso o próximo passo.

— Mate-a.

Prontamente Jonas acena para o outro segurança, juntos caminham até o casebre. Prontos e dispostos a realizar meu pedido. Nenhum remorso, por pensar que a delinquente não terá futuro, chega para incomodar. Meu pai fez bem seu papel em me treinar para ser tão frio quanto ele.

Nesses meses em que busquei o marginal, precisei ultrapassar algumas linhas que os mais sensatos julgam como incorretas. Encomendei a morte de dois dos envolvidos na invasão da minha propriedade, pessoalmente vi os vermes implorarem misericórdia; não tive. Eles não tiveram quando ajudaram Felipo a executar minha mãe. Não é difícil cometer um assassinato e não ser ligado a ele, basta ter os contatos corretos e a discrição necessária. Até porque os que foram apenas somaram na estatística que o meio em que atuam apresenta.

Observo Jonas voltar para onde estava, seu olhar irritado deixa claro que algo deu errado.

— Eles sumiram.

— Eles o quê? — pergunto para ver se entendi direito.

— Os dois fugiram, senhor.

Era só o que me faltava, além de ter que lidar com a irmã inconsequente do marginal, ainda fui tapeado pela filha da mãe. Cerro os punhos em desagrado. Se colocar as mãos naquela garota, eu mesmo a mato.

— Ache-a e a leve até mim.

A ordem é exata. Jonas sabe disso. Por isso não perde tempo em acatar meu comando. Entro no meu carro e saio o mais rápido possível desse esgoto horrível. Essa pilantrazinha não perde por esperar. Vou encontrá-la nem que seja no inferno e aí, sim, minha vingança vai começar.

Sigo direto para casa, cansado desse dia improdutivo dos infernos. Assim que entro no hall, Madu me intercepta.

— Senhor Mendanha, boa tarde! Eleonor Vermont e Caio Salazar o esperam na sala.

Anuo e sigo para encontrar meus advogados. Os dois parecem entretidos na conversa enquanto observam os papéis em cima da mesa de centro.

— Algum problema?

Ambos me encaram.

Desabotoo o terno para me sentar no sofá de frente para eles.

— Viemos debater sobre a proposta de adentrar o mercado internacional com os modelos fabricados pela MV — Caio se antecipa.

Nós já exportamos o fio. Adicionar os modelos de *jeans wear* e *homewear* que confeccionamos é um patamar que anseio alcançar. Não temos uma marca conhecida de roupas, mas a qualidade com que cuidamos de cada peça é admirável. Prezo pelo melhor, porque esse é o começo para o destaque.

— Os lucros serão como espero?

— A porcentagem de ganhos no primeiro semestre não serão tão altas, mesmo assim trará lucros grandes à MV — Eleonor se manifesta.

— A marca em questão é reconhecida em vários países e está disposta a apostar na ideia de terceirizar a fabricação do jeans, que hoje é feita por eles mesmos. Acredito que, em um ano, os lucros subam além do esperado. Em relação ao financeiro estamos estabilizados, é o momento de arriscar.

Arriscar é uma palavra que não costumo usar no vocabulário, contudo, por ora, é a melhor opção. Se essa parceria der certo teremos uma visibilidade necessária para o crescimento.

— Marcaram a reunião com os diretores?

Estou por dentro de cada parte das negociações, a última etapa é a cordialidade entre a diretoria do contratante e nós.

— Estamos aguardando sua posição.

Levanto-me para buscar uma dose de conhaque, não querendo me precipitar mesmo que tenha chegado a uma decisão. Estudei cada chance negativa, da jogada que vamos fazer, de não dar certo, mesmo não me evolvendo nessa questão de cláusulas. Afinal, é por isso que tenho bons advogados, li e reli cada linha do contrato.

— Vamos em frente — digo me virando para os presentes.

— Vou agendar a conferência e te aviso, Apolo. — Caio vem até mim e bate no meu ombro. — Essa transação vai ser um sucesso.

— Assim espero — solto, levando o copo à boca.

Lívia Nascimento

— Tá frio! — João Pedro reclama.

Abraço seu corpinho com mais força, sem saber o que fazer para aquecê-lo. Independente do calor da tarde, a noite veio com temperatura baixa. Como não podemos voltar para casa, encontramos um toldo, em uma das tantas lojas da redondeza, e nos encolhemos no canto. Minha vontade real é de chorar, nossa situação sempre foi crítica, mas jamais dormimos na rua.

— Segura forte na Nana, que logo você se esquenta.

Começo a cantarolar uma canção de ninar que Lisa cantava para ele. Embalado pelo som, o pequeno dorme. Eu não consigo pregar os olhos, o medo de que alguém apareça não permite. Por mais longe que estejamos alguma coisa me diz para não baixar a guarda. Horas se passam com a gente na mesma posição, minhas pernas estão amortecidas, meus braços latejam, mesmo assim não ouso me mexer; ele precisa descansar.

Assisto o sol iluminar o céu e as primeiras pessoas transitarem pela rua antes deserta. JP me empurra um pouco, pedindo espaço. Os olhos claros se abrem assustados, correndo a nossa volta para se certificar do local. E de novo meu peito aperta. A realidade crua do meu sobrinho recai com peso na minha consciência, fazendo-me cogitar a possibilidade que nego há tempos: entregá-lo ao sistema. Não posso permitir que

João Pedro cresça nesse meio fatídico, preciso lhe dar oportunidades, um registro, estudo. O básico que deveria ser acesso livre a todos.

— Bom dia, dorminhoco! — falo para distrair meu coração, que sofre com a decisão tomada e para acalmar o menino que aparenta confusão.

— Bom dia! Tô com fome — boceja.

— Vamos atrás do café da manhã então.

Levanto-me primeiro, esticando meus membros, sentindo-os reclamar de dor. Depois, ajudo JP a ficar de pé. Enquanto ele se espreguiça, tento arrumar seu cabelo rebelde e acabo me tocando de que o boné caiu em algum momento durante nossa correria, um detalhe insignificante no meio de todo esse transtorno que passamos.

Andamos pela extensa avenida em busca de algo para comer, penso na marmita que o seu Mário nos deu, que ficou abandonada no chão sujo do casebre. Nas nossas roupas, os pertences, o urso que João Pedro tanto gosta, o pouco que temos e foi largado. Respiro fundo para não me descabelar.

Não desista, não desista, minha quase extinta força de vontade pede.

Enxergo uma panificadora de esquina, não tem muitos clientes dentro, resolvo que tentaremos a sorte ali mesmo. Uma senhora carrancuda está perto do balcão. Entro acanhada, com receio da reprimenda. JP segura minha camiseta com firmeza, deve estar com vergonha.

— Bom dia, senhora! — Começamos mal, pois a forma como ela me fita não é muito promissora. — Será que teria algum pão de ontem ou café frio para que possamos comer?

— Vocês acham que é só chegar e pedir, não é? — Estremeço com sua grosseria. — Sumam daqui! Vai procurar um emprego, menina.

Abaixo a cabeça, praticamente correndo em direção à saída. Posso sentir o olhar dos presentes sobre mim, não paro para entender se é de pena ou de asco. Os dedinhos do JP ficam na minha linha de visão, o chinelo desgastado é mais fino na parte do calcanhar, o short de malha tem um furinho na barra, sei que a camiseta velha do Capitão América está desgastada, com a gola caída. Para protegê-lo da exposição pesada, pego o pequeno no colo. Seu rosto repousa no meu ombro, os braços circulam meu pescoço.

— Quero ir embora, Nana.

— Não podemos voltar, JP.

Para não tropicar no degrau da porta, ergo minha cabeça e acabo me deparando com a personificação do mal em carne e osso a poucos metros de nós. Os pelos do meu corpo preveem o perigo e se arrepiam. Um choque gelado percorre minha espinha. Não tenho por onde escapar e, com certeza, ninguém vai interferir se esse homem nos matar.

— Achou que poderia se esconder, garota? — cospe.

O cão de guarda dele para as suas costas, pronto para atacar caso seu dono mande.

— N-Não — gaguejo.

João Pedro aumenta a pressão do seu aperto, contudo, continua na mesma posição, sem sequer externar o pavor que sente.

Por longos segundos fico sob seu escrutínio desconfortável, apavorada até a medula.

— Fique de olho nela — acaba por ordenar.

Então passa ao meu lado, indo até a atendente. Viro para observar seus ombros largos tensionados, o terno escuro que se agarra a cada parte do corpo, o cabelo castanho penteado com perfeição. Esse cara exala poder pelos poros; para uns pode ser bonito, para mim é aterrorizante.

Alguns minutos mais tarde, ele volta com uma sacola. Ainda estou no mesmo lugar, com João Pedro no colo e o cão de guarda me vigiando.

— Tome, alimente o garoto, coma também. Temos assuntos a tratar.
— Seguro o que me entrega com certa relutância. — Me siga, Lívia.

Meu nome sai arrastado dos seus lábios, em uma mistura exata de nojo e irritação. Tento arranjar uma rota de fuga. Nada. Se eu correr é bem capaz de sermos alvejados sem dó. Se ficar seremos mortos de qualquer maneira, mas ainda posso barganhar a vida do pequeno.

— Tô com medo. — A voz de JP é quase nula, mesmo assim consigo ouvi-lo.

Ao invés de responder, acaricio suas costas. Como não me mexo, sou meio que empurrada pelo sujeito que quer minha cabeça.

— Anda logo, não tenho o dia todo.

Com passos instáveis atravesso a rua e entro no mesmo veículo que foi até a vila ontem. O que percebi ser o chefe vai em seu próprio carro. Coloco João Pedro no banco ao meu lado e lhe entrego a sacola para que possa comer. Nem tento me alimentar, não passaria sequer água pela minha garganta nesse instante. Entramos em movimento, seguindo para o lado sul da cidade, onde ficam as casas caras, das quais nunca imaginei chegar perto. Não desvio a atenção do caminho, decorando pontos estratégicos para não me perder caso consigamos sair vivos dessa.

Os portões enormes de ferro nos recebem na entrada do que só posso nomear como mansão. Percorremos a estrada de pedras até parar em frente à escada. As cores claras brincam com as mais escuras na decoração. Mas o que rouba minha admiração é o jardim lotado de flores.

— Que *gande* que é! — JP está tão embasbacado quanto eu.

Mal sabe ele que essa casa enorme pode ser palco do nosso fim. Minha respiração tremula.

A porta se abre revelando o cão de guarda ali, semblante fechado, impaciência evidente. É isso, nossa sentença. Seguro a mão do pequeno e o puxo para fora sem esperar uma ordem prestes a ser verbalizada.

Apolo Mendanha

Ontem mandei os seguranças irem à caça da delinquente, desde então estavam percorrendo cada buraco dessa cidade para encontrá-la. A imbecil não tinha como ir longe com o menino, até porque saíram a pé.

Hoje, pela manhã, nós fomos checar a área perto do centro, imagine a minha surpresa ao ver a garota e o moleque andando tranquilamente pela rua. Eu os observei por bastante tempo, chegava a ser ridículo o quanto pareciam indefesos, sujos, inferiores. Liguei para Jonas, que estava do outro lado do bosque que divide os bairros, e só me aproximei quando ele chegou. Não podia correr o risco de querer enforcar a bendita em público.

Não sou muito de ter pena, no entanto, a delinquente parecia prestes a desmaiar. Não sei se de fome ou de medo, então fiz o que achei aceitável, comprei a porra de alguma coisa para eles se alimentarem.

Agora, enquanto caminho para meu escritório, penso em como lidar com essa fodida situação. A ideia era dar fim nos dois, mas o menino apareceu de supetão nos Mendanha, não poderia causar mal ao meu próprio sangue, ainda mais sendo filho da Lisandra.

Maldição! Acho que entrei em um reality show vagabundo.

Jonas adentra o recinto com as duas pedras, que resolveram empacar minha vingança e atrapalhar minha busca pela paz de espírito. Encaro o menino franzino, quase desnutrido, que admira os tantos detalhes desnecessários que meus pais aplicaram no cômodo, um pedaço de bolo pende entre seus dedos. Ele não demonstra preocupação, também não solta a mão da delinquente. Lívia, a bendita irmã do marginal filho da puta. Os olhos azuis, tão claros quanto possíveis, estão atentos, ferinos, arredios e é inútil, pois não surte efeito, nem chega a arranhar o nojo que tenho por sua família imunda.

— O que quer com a gente? — sibila tentando impor sua indignação.

Permito que um dos cantos dos meus lábios se levante em total afronta. Vamos ver o quanto dura essa fachada de durona.

CAPÍTULO 4

Apolo Mendanha

A delinquente não baixa a guarda mesmo estando em uma sala fechada, na presença de dois homens, que já deixaram claro que não ligam para o fato de matá-la. Preciso dar pontos a ela.

— Escute bem, garota. Não tenho tempo a perder, então vamos direto ao ponto: o menino fica, você não.

Com deleite vejo seus olhos se arregalarem. Seguro a língua para não perguntar como é a porra da sensação de ser encurralada. Porque foi exatamente isso que o marginal fez com a minha mãe e irmã.

— Eu... Você... Não tem... — gagueja, débil. Ergo uma das sobrancelhas em inquisição. — O que vai fazer com ele? — Acaba por questionar.

Ao perceber que falamos dele, o garoto solta o bolo que levava à boca, deixando-o cair no chão impecável, e se agarra na delinquente.

— Nana, o que tá acontecendo? — A dúvida não é mais que um sussurro.

— Escute, pequeno. — A infeliz se ajoelha. Tenho vontade de gritar para que saia logo, tê-la aqui é como manchar o nome da minha família. — Você vai ficar com esse senhor. Ele não vai te machucar.

Seus olhos exóticos vêm até os meus aguardando uma confirmação que não lhe dou. Quem essa inútil pensa que é para exigir algo de mim? Puta que pariu! Como não recebe o que quer, a garota engole em seco. Uma das suas mãos, que está nos ombros do menino, sobe para o cabelo escuro dele e passa entre os fios tentando domá-los. O tremor evidente do seu corpo é como um painel piscando vitória. Dizem que vingança não é tão doce quanto se parecer ser. Ledo engano. Eu me sinto muito confortável com esse desfecho.

Encaro Jonas, que meneia a cabeça entendendo meu comando não dito. Apagar a garota do mapa é seu próximo compromisso.

— Não quero ficar aqui, Nana. Me deixe ir com você, eu vou ficar quietinho — a criança suplica.

Ela enreda o moleque contra o peito e chora. O corpo coberto por roupas largas chacoalha de leve, sem alarde. O menino faz o mesmo.

— Chega dessa porcaria! Jonas, leve-a.

Sem contestar, meu segurança a pega pelo cotovelo, obrigando-a a levantar. É então que todo o escândalo que o pirralho não fez antes, acaba por fazer agora. Ele puxa a camiseta da sua tia e começa a gritar:

— Não, não, Nana! Não me deixa aqui! Quero ir junto!

É só o que faltava para foder com a minha paciência.

— Mande-o calar a boca! — grunho, irritado. Maldição!

— Ele só tem a mim, como quer que ele fique? — A desgraçada tem a audácia de rebater.

Marginais de merda, que acham que podem tudo. Eu deveria ter matado essa infeliz antes mesmo de saber sobre o menino.

— Fique de bico calado ou acabo matando os dois, caralho! — falo com autoridade.

No mesmo instante, a bendita Lívia se solta de Jonas e pega o moleque no colo. Como se sua fragilidade pudesse protegê-lo da minha raiva. Patética!

Esse menino não vai fechar o bico depois que a garota sair. E se tem algo que não estou a fim de lidar é com criança birrenta. Sem falar nos demais empregados que podem avisar as autoridades que tentei enforcar meu sobrinho recém-descoberto. Todos assinam termo de confidencialidade, o que não quer dizer que vão ser fiéis a mim. Colocar em xeque minha reputação nos negócios por problemas familiares não é um ponto.

— Leve-o para fora, quero falar com ela.

De prontidão e sob muitos protestos Jonas leva o menino. Forço os punhos sobre a madeira maciça para tentar aliviar um pouco da raiva. Era para ser vingança. Chegar e acabar com a raça desses malditos. E olha onde estou, perdendo tempo com duas criaturas, que mais parecem a porra de uma pedra no sapato. Se Lisandra não estivesse morta lhe daria uns bons tapas por ter cagado com tudo.

Balanço a cabeça, sem acreditar no que vou propor.

— Você vai ficar por aqui até que o menino se acostume com sua nova realidade.

A infeliz une as mãos em frente à barriga e olha para o chão em silêncio. Ao voltar a me fitar, seus olhos grandes estão rasos de água.

— Vai me matar, não vai?

Seu tom embargado dança até os meus ouvidos. Se a maldita pede pena, vai se decepcionar.

— Não por ora.

Consigo perceber o movimento da sua garganta engolindo a saliva.

— Por que quer cuidar dele?

Solto uma risada incrédula. É muito folgada.

— Se protege tanto o menino como tenta demonstrar, não deveria perguntar, somente calar a maldita boca.

Ela não aparenta abalo pela minha ira, sequer para de me observar.

— É por prezar meu sobrinho que estou perguntando. Nós não temos culpa pelas merdas que meu irmão ficou te devendo. Por que não nos deixa em paz?

A chama que infla a cor exótica da sua íris é fugaz. Contudo, é sua frase que acende os alertas que não costumo ignorar. Tenho certeza de que essa infame sabe quem eu sou, esse teatro robótico não me convence. Mesmo assim, não vou lhe dar o gostinho de me pegar com a guarda baixa.

— Não faça esse showzinho fajuto na minha frente, garota. Te garanto que não surte efeito. Vou pedir para a governanta arrumar o quarto onde vão ficar. Só não se sinta em casa, porque aqui está longe de ser algo além do provisório para você.

Dando por encerrado o assunto, vou até a porta e chamo o outro segurança que aguarda do lado de fora. Ele fica de vigia enquanto tomo as providências necessárias para hospedar o filho bastardo da minha irmã e a delinquente, que deveria estar jogada em alguma vala por aí.

Lívia Nascimento

Empurro o xampu do meu cabelo, levando com a espuma a sujeira. Faz tempo que não sei o que é tomar banho quente em um chuveiro. Como no barraco não tínhamos essa mordomia, eu esquentava água na panela para nos lavar. Antes de me dar o privilégio de experimentar os jatos fortes, dei banho no JP. Agora, o pequeno está na cama, assistindo *Scooby Doo* em uma enorme TV de tela plana. Essa reviravolta é surreal e tão assustadora quanto. Fui obrigada a vir até essa mansão escondida entre portões altos, câmeras e muitos cães sarnentos, para ter um fim nada satisfatório para tudo o que quero realizar ainda, minha única ideia era bolar um plano de fuga. E por milagre divino acabamos nos abrigando aqui. O pior é que pareço estar no corredor da morte, andando devagar, retardando a chegada do inelutável.

Seguro o sabonete que cheira a flores e passo pelo corpo enquanto penso no desenrolar de mais cedo.

O homem some porta afora. Fico parada, dura dos pés ao último fio de cabelo com a situação. Tudo bem que não fui morta hoje, mas serei em breve. Não consigo descrever como é ter um prazo de validade, só aparenta ser sufocante. Sem dar atenção para o guarda-costas me vigiando, sento-me na cadeira que deve custar uma fortuna e enfio a cabeça entre as mãos. Não sei o que é pior, ficar aqui sem saber o que vai acontecer ou ter sido levada para fora pelo cão sarnento tendo plena convicção do meu destino.

João Pedro vai se safar, o que deveria me deixar feliz, mas não deixa! Eu sei para que irão usá-lo, qual será seu papel dentro desse meio tóxico que tem apenas dois pontos de chegada: morte ou prisão. Ver JP se agarrando em mim ao perceber o que aconteceria foi de cortar o coração. Ele tem três anos e foi forçado a entender o que não deveria sequer ser possibilidade na sua cabecinha ainda.

— Levante-se daí, garota! Não te dei liberdade para se acomodar.

Sou puxada para cima. Arregalo os olhos de susto. Nem me atentei ao tempo que me perdi entre um desespero e outro.

— Desculpa, desculpa — peço sem necessidade, meio aturdida.

O homem imponente me larga, sua carranca mais pesada do que antes.

— Acompanhe Max, ele vai te mostrar onde vão ficar. O menino já está lá aguardando. Faça com que o choro da criança cesse, não me obrigue a tomar atitudes extremas.

Chacoalho a cabeça em concordância. Sem protelar, sigo o segurança, para longe do olhar de ódio do bendito cara que colocou prazo na minha vida.

Estico os dedos e desligo o registro. Foi árdua a tarefa de tranquilizar meu sobrinho, o coitadinho estava apavorado. Os medos que ele deveria ter de escuro ou fantasmas foram substituídos pelo perigo real de nunca se sentir seguro, de sempre estar na corda bamba. Pesco a toalha macia em cima do mármore brilhoso da pia e me enxugo. Madu, uma senhora muito simpática, nos acomodou no quarto. Minha sintonia com ela foi imediata, pois não nos fitou com asco como os outros que conheci até agora, trouxe roupas limpas e disse que voltava em breve com a comida.

— Nana, vem — JP me chama, sua voz mais acentuada por conta do choro excessivo.

— Só vou me vestir — falo de prontidão para não o deixar nervoso.

Enrolo a toalha no cabelo, com cuidado sustento o vestido entre os dedos. O tecido é leve, todo rosa, com uma pequena flor em cada alça fina. Enfio os braços primeiro e o arrasto para baixo, seu cumprimento para nos joelhos. A calcinha toda branca parece nova, não quero nem pensar de onde tiraram tudo isso. Hesitante pego a escova para desembaraçar os nós dos fios longos, o espelho reflete minha imagem de um jeito desfocado por conta do vapor, não ouso limpá-lo, não estou pronta para fitar meu rosto pequeno demais para os olhos gigantes. Não quero dar boas-vindas à desesperança que sinto por dentro.

Deixo tudo organizado e penduro a toalha em um dos ganchos fixados na parede, não posso dar margem para que o bendito homem exploda comigo. Encontro João Pedro do mesmo jeito que deixei, sentado na posição de índio, com a atenção vidrada na televisão.

— Isso aí tá bom, né? Porque nem pisca. — Aponto para o desenho onde um cachorro e o amigo magrelo enfiam um grande sanduíche goela baixo.

Sento-me ao seu lado e deixo um beijo estalado na bochecha branca.

— Eu tô com fome, será que podemos pegar aquela sacola de bolo que ficou no carro?

— Ô, amor, vai ser difícil. — Bem nessa hora sua barriga ronca. — Beleza, vou atrás de alguma comida, tudo bem? Fique quietinho aqui.

Ele concorda antes de eu sair.

Os corredores largos são adornados por quadros, vasos, espelhos e nenhuma foto de família. Cortinas pesadas nas janelas, cores ora vibrantes ora suaves. Lindo, porém muito exagerado. Desço a escada sem fazer um ruído sequer, meu estômago está revirado com a mera chance de encontrar alguém.

O que você tem na cabeça, Lívia?

Chego perto da porta de entrada, olho em volta tentando adivinhar onde fica a cozinha. Que saco!

— Que merda está fazendo?

Dou um pulo, levando as mãos ao coração para tentar avisá-lo de que não precisa parar. Sem coragem e sem saída, viro-me para o bendito homem.

— JP está com fome, só vim pegar alg...

— Você é burra? — questiona, apertado, chegando mais perto. — Madu falou que levaria a comida no quarto! Aqui não é sua casa para desfilar quando quiser, porra! Como conseguiu passar pelo segurança que estava na porta?

— Não tinha ninguém na porta — cochicho.

Devo ser idiota mesmo, porque o cara quer me matar e fico provocando. Grande porcaria!

Apressada, minhas pernas entram em ação para fazer o mesmo percurso que acabei de trilhar. Dedos gélidos enroscam no meu pulso assim que tento me afastar. Minha espinha leva um choque com o toque, desta vez não sei dizer se é um arrepio bom ou ruim.

— Já vi pessoas que não têm medo da morte, acredito que você não esteja nesse grupo. Se pisar fora daquele cômodo novamente eu te mato, garota. Entendeu? — Sua boca exprime a ameaça com calma, o que não diminui a veracidade dela.

— Entendi.

— Suma daqui — decreta.

Saio feito um risco da sua companhia, tanto que pulo os degraus de dois em dois.

Apolo Mendanha

Continuo olhando a delinquente correr para o andar de cima. É muita audácia dessa infeliz dos infernos! Além de sua família ter fodido com a minha, ainda preciso aguentar ver essa filha da mãe fazendo uma exploração pela minha casa.

Como, por Deus, fui me meter nessa merda?

Saio à procura da Madu, aquela velha encrenqueira não seguiu minhas ordens.

— Qual é a sua dificuldade em obedecer? — cuspo ao encontrá-la mexendo nas panelas do fogão.

Com calma, ela larga a colher sobre a bancada e limpa as mãos no avental. Madu trabalha aqui desde que me lembre, mas por ser quase patrimônio dessa propriedade se acha no direito de dar pitaco. O que me deixa furioso.

— Olá, Sr. Mendanha! Posso ajudar com alguma coisa? — Faz-se de desentendida.

— Pode, claro que pode! — Meu tom autoritário se evidencia. — Me explica quem mandou você dar as roupas da minha irmã para a garota? Eu dei uma ordem bem simples, Madu: cuidar apenas do menino.

Os olhos espertos, de uma pessoa que já viu muito aqui dentro destas paredes, estreitam-se.

— Não vou judiar da menina. Seja lá o que está aprontando, não vou me envolver, Sr. Mendanha. Enquanto estiver aqui, vou cuidar dos dois.

Solto um rosnado de desagrado.

— Basta te mandar embora então, assim os problemas acabam.

A senhora baixinha, que está na minha folha de pagamentos, sorri.

— Faça isso, Senhor Mendanha. Afinal, você é o patrão.

Puta que pariu!

Dardejo minha insatisfação para ela. Madu sabe que não farei isso, sabe que não é uma empregada comum, que é quase uma mãe para mim. É disso que meu pai sempre falou e agora percebo que tinha razão: não dê brecha para se tornar vulnerável, seus adversários usarão isso contra você.

É exatamente o que está acontecendo aqui.

— Eu ainda sonho com o dia em que você voltará a ser o menino amoroso que era, Apolo — murmura ainda me fitando.

Dou um passo ameaçador para frente, não tenho saco para esse papo-furado do caralho!

— Não teste meu limite, Madu. Ou te coloco na rua sem pensar duas vezes. Está avisada.

Saio bufando da cozinha. Um dia fodido, isso que tive. Melhor tomar uma ducha e descansar, porque sou bem capaz de espancar o próximo que ousar me enfrentar.

CAPÍTULO 5

Apolo Mendanha

Estão todos aqui? — questiono de trás da minha mesa.
— Essa reunião sobre a presença do menino seria ontem, se não tivesse ocorrido o imprevisto com a delinquente. Por causa dela mudei um pouco a tática. Não vou contar que ele é meu sobrinho, não por enquanto pelo menos, somente Jonas e outros dois seguranças que participaram das buscas estão cientes disso. Vamos ver se a pilantrazinha acaba por dar com a língua nos dentes sozinha, confirmando assim minha suspeita de que só estava encenando, fingindo que não sabe quem sou, tentando tirar algum proveito da situação, como o marginal do seu irmão fez.

— Sim, Sr. Mendanha.

Lanço um olhar enviesado para Madu. Sua rebeldia de ontem ainda está entalada na garganta.

— Vou ser breve. Quero todas as coisas de Lisandra guardadas no quarto dela, a chave ficará com Madu e o local só será aberto para limpeza. Sobre os novos moradores, não façam perguntas a eles e, em hipótese alguma, falem sobre a minha irmã. Isso é o que precisam saber. Podem se retirar.

Sem sequer piscar, os empregados saem. Todos trabalham há tempos na mansão, o que significa que sabem como funcionam as ordens. Ou cumprem ou aguentam meus advogados. Demoro um pouco para perceber que a governanta salvadora dos pobres e oprimidos está plantada no meio do escritório. Ergo uma sobrancelha em inquisição.

— Senhor, ontem eu peguei uma das roupas da Lisa para que a menina usasse, já que me mandou providenciar apenas vestimentas para a criança.

— A intenção era essa: que a garota não tivesse acesso à regalia.

— Mas isso é um absurdo, Apolo! — defende a miserável.

Talvez, se ela soubesse de toda a verdade não se compadeceria assim.

Controlo meu temperamento.

— É a segunda vez que contesta uma ordem direta, Madu. Qual a porra do problema? — Trinco o maxilar.

— Escute, filho. — Bufo com o termo carinhoso e a voz doce. Ela usa dessa artimanha para me amolar. — Imagine se eu tivesse ignorado seus pedidos de socorro quando pequeno? Se eu tivesse te deixado à mercê da maldade do seu pai e da indiferença da sua mãe? Não venha me pedir para fechar os olhos, para seja lá o que pretende fazer com a moça. Se for assim, pode me mandar embora.

Dou um tapa na tampa de madeira polida. Para o inferno as boas ações!

— Escute aqui, Madu, essa garota não é o que imagina, não é inocente. E não pense que não te coloco na rua, caso me contrarie mais uma vez. Agora saia e me deixe em paz.

Foram muitas noites em que corri para a casa dos fundos a fim de fugir da raiva do meu pai, das surras sem motivos, dos puxões de cabelo dolorosos. Ícaro fazia questão de descontar em mim qualquer erro nos negócios; o filho da puta me torturava, dizendo que eu precisava aprender a ser homem antes de assumir um legado. Toda a agressão era feita na frente de Mônica, e a infeliz não movia um dedo para impedir o marido doente. Era Madu quem cuidava dos meus ferimentos, que me dava abrigo, por isso não é tão simples tratá-la como meu humor deseja. Porque, se essa mulher não fosse tão importante, já a teria mandado se foder.

— Não venha com arrogância para cima de mim, Apolo. Não vou ignorar a menina. O papel de ditador é seu, não meu. Com licença.

Esfrego o rosto, contrariado. Que caralho está havendo nesses dois últimos dias? Descobri um parente bastardo, abri uma exceção para a irmã do marginal e acabei de ser repreendido pela empregada.

— Porra!

Na época em que fui para a França terminar minhas especializações, dividi o apartamento com um dos meus colegas de classe. Raul era brincalhão, despreocupado, mulherengo e tinha uma família unida de um jeito que a minha nunca foi. Durante nosso período juntos, peguei-me pensando em como seria se tivesse crescido em um lar estável, cercado de carinho e equilíbrio. Depois, cansei de bancar o chorão e me empenhei em ser bem mais do que Ícaro esperava. Hoje, ninguém duvida da minha competência e, tirando a bendita Madu, não há um funcionário que rebata, seja qual for meu pedido.

Saio do escritório e vou até o andar de cima verificar como andam as coisas, ficar pensando na situação fodida a qual fui submetido e nas ressalvas que estou fazendo desde ontem, não vai resolver os impasses. Assim que viro no corredor enxergo Max, o responsável pela delinquente, próximo à porta. Depois da bronca que levou hoje cedo aposto que não vai mais ser descuidado. Eu sei que aquela garota esconde algo, não sou idiota. Lívia sabe quem sou, mas, por algum motivo, não demonstra. A infeliz se acha esperta. Nesses dias que vai ficar sob o meu teto irá aprender que não se engana um Mendanha. Max meneia a cabeça ao me ver se aproximar.

— Precisa de algo, senhor?

— Não — respondo entrando no quarto.

Tanto o menino quanto a filha da mãe folgada estão dormindo. Fecho os olhos para manter a fúria somente para mim, porque, se ceder ao apelo da minha mente, arranco a maldita pelo cabelo daqui. Obrigaria o moleque a se acostumar com a nova vida, uma bem melhor do que mendigar comida nas ruas, e pronto. Vingança realizada, novo membro bastardo incluso.

A delinquente se remexe no colchão fazendo com que a coberta escorregue, deixando à mostra boa parte da sua pele. O vestido está embolado quase na altura dos seios, a calcinha branca desenha a pirâmide perfeita que cobre sua boceta. Percebo que as curvas bem acentuadas foram escondidas pelas roupas largas e horrendas que a bendita usava. Ontem à noite não parei para inspecioná-la quando a encontrei no hall xeretando o que não devia. Observando bem de perto, a pilantra é gostosa.

— O que está fazendo aqui?

Sem me abalar por ter sido pego no flagra, subo lentamente minha visão para o seu rosto.

O cabelo está alvoroçado pelo atrito com o travesseiro, a boca frisada, as bochechas coradas, os olhos grandes demais, que têm um pigmento exótico de verde.

— Aqui é minha casa, garota. Portanto, entro onde quero, a hora que quero.

Uma raiva imensa contrai meus dedos das mãos, estimulando-os a se fecharem em punho. Eu devo estar ficando louco, porque acabei de reagir à delinquente. Puta que pariu! Assisto-a engolir em seco, puxar a coberta até o pescoço e se sentar, ainda me encarando. Além de ser uma cretina, ainda não tem medo de me enfrentar. Merece uns belos tapas.

— Eu entendi que a casa é sua — cochicha. Acredito que para não acordar o moleque. — Mas você me manteve aqui porque quis, isso não significa que vou deixá-lo fazer o que quiser comigo, como os malditos bandidos de sua laia.

Enrugo a testa para o seu rompante.

— O que exatamente pensa que farei?

Eu sei o que a bendita quis dizer, mesmo assim preciso de constatação. Ao invés de responder, ela abaixa a cabeça. Meus ombros tensionam. Tudo bem que não sou o melhor dos homens, mas estupro?

— Abusaram de você? — A pergunta vem entredentes.

— É isso que vocês fazem, não é? Tiram qualquer esperança, só porque acham que têm o direito.

Dou dois passos para frente. Com severidade ergo seu queixo, trazendo os dois orbes verde-claros para os meus.

— Não me coloque no mesmo patamar que os favelados com quem conviveu. Não preciso tomar de ninguém o que posso ter de bom grado com qualquer outra mulher. Você só está aqui por um motivo. Não tem nada aí — aponto para o seu corpo —, que possa me interessar. Te matar será um trunfo do qual estou esperando há tempos, somente. Fui claro?

Sem esperar resposta viro as costas e saio do aposento. Era só o que faltava. A delinquente foi estuprada e acha que vou fazer o mesmo. Solto uma risada cínica. De duas, uma: essa garota atua muito bem ou Felipo é mais filho da puta do que imaginei.

Lívia Nascimento

Termino de dar a última volta no elástico para deixar meu cabelo, que mais parece pesar uma tonelada, no alto. Madu trouxe algumas roupas para mim há pouco, são limpas e de muito bom gosto. JP tem um guarda-roupa só seu, com peças e mais peças de vestuário. Descobri hoje quando tive coragem para abrir a porta de correr do canto oposto do cômodo e dar de cara com um closet.

Isso me fez ficar com a pulga atrás da orelha porque o homem, que mais parece a personificação do mal, conseguiu tudo em menos de um dia. Óbvio que ter dinheiro facilita e muito os fatores. A pergunta que não quer calar é: por quê? Por que esse esforço todo por conta do menino, que inicialmente seria eliminado junto comigo?

Mais cedo, quando peguei o infeliz me vigiando enquanto eu dormia, minha raiva alcançou níveis altos; emparelhado a ela veio o medo de que os acontecimentos reprisassem. Sei que estou abusando da sorte que resolveu brincar com a minha esperança, mas não consegui ficar calada. E o fogo pungente que brilhou no fundo escuro dos seus olhos poderia ser interpretado de duas formas: indignação por terem me tocado ou repulsa por eu ter deixado que o fizessem. Suas últimas palavras antes de se retirar deixaram explícitas que a segunda opção era a mais óbvia. Ele me odeia e quer me matar, pelo modo que falou esse é um objetivo que não deixará passar.

O que será que Felipo fez a esse homem para despertar tamanha fúria? Quais seus planos para JP? Quanto tempo mais vou ficar nessa prisão elegante?

Solto os ombros tensos, vou ficar maluca tentando desvendar o que aquele estúpido está planejando.

Só temos certeza de que sua morte é certa, penso encarando meu reflexo no espelho.

— Animador.

Organizo a escova e os demais pertences metodicamente antes de voltar para o quarto.

— Queria sair um pouco, Nana — João Pedro choraminga.

— Não podemos, meu amor. Melhor evit...

Nesse segundo a senhora simpática, que demonstra ser a única que se preocupa com a gente, aparece.

— O patrão saiu, menina. Venham vocês dois tomar sol, senão daqui a pouco vão ficar com anemia.

Sorrio, mesmo sabendo que terei que declinar do convite.

— Não acho uma boa ideia, Madu. Prefiro não irritar o... — Eu me calo, porque nem o nome do meu algoz sei.

— Apolo, o nome dele é Apolo. E não se preocupe com isso. Não vou te deixar mofando aqui dentro desse quarto. — Bate o pé irredutível.

Meu sobrinho parece em êxtase por poder explorar, eu fico entre receosa e desesperada. Vai que o cara chega e me pega lá fora. Aí, sim, estou ferrada. João Pedro não me deixa contra-argumentar, vai logo pegando minha mão, puxando-me para fora. O sorriso de criança inocente, que vi poucas vezes desenhar seu rosto, se escancara.

— Mais devagar, pequeno — gargalho.

Por uma fração de segundos, esqueço-me dos perigos e resolvo curtir um pouco. JP merece, eu mereço. Contudo, assim que piso no corredor, dou de cara com um dos cães sarnentos. Arregalo os olhos, pronta para dar meia-volta.

— Não se preocupe com esse. — Madu deve ter lido meus pensamentos. — Max é inofensivo. Não é? — Ela bate de leve no braço do brutamontes, que sorri com graça na sua direção.

— Sou sim. O que não fazemos por alguns cookies de chocolate. — Pisca.

Acabo sorrindo perante seu bom humor, sem dizer nada continuo a andar. Em silêncio descemos as escadas e saímos pela porta lateral, onde somos recebidos pelo jardim que tanto me encantou quando cheguei aqui ontem. JP não perde tempo em rolar na grama. Sento-me no banco de frente para a janela enorme e fico admirando meu sobrinho sendo o que deveria ser sempre: criança.

— Eu vou preparar um lanche para vocês, daqui a pouco volto.

— Tudo bem. Obrigada, Madu! — Sou sincera ao agradecer.

Sei que essa mulher não vai poder me livrar do destino, pelo menos está aliviando e muito meus temores. Nunca fui tão bem tratada, nem pela minha própria família.

— Não precisa agradecer, menina. — Enfia as mãos nos bolsos do avental. — Sei que Apolo parece mau, mas garanto que é um bom homem, só tem que se encontrar novamente — fala com uma pitada de carinho.

Não contrario seu equívoco, quem sou eu para lhe contar que aquele cara demonstra não ter remorso nenhum por tirar a vida de alguém? Ela se afasta, deixando-me a sós com os meus turbulentos receios. Dói ter certeza de que não estarei mais aqui para proteger João Pedro. Dói mais ainda ter ciência de que fui jogada nessa emboscada sem ao menos participar do crime. Fixo minha visão nas variadas flores que enfeitam o jardim, uma sensação de paz acarinha meu peito, um bem-estar que não provava há tempos. Eu me descuido meio minuto e, quando volto para onde meu sobrinho estava, não o vejo. Levanto-me num pulo.

— JP! — chamo não muito alto, seguindo pela lateral da mansão. — JP!

— Quem é essa deusa, que acabou de me embolar nos seus encantos?

Giro nos calcanhares para ver quem é. Um homem alto, magro, com olhos castanhos brilhantes, está recostado à parede do que parece uma casinha de bugigangas. Torço as mãos uma na outra, envergonhada.

— Desculpa. Estou procurando meu sobrinho. O senhor o viu?

Com um sorriso displicente, ele se apruma e vem até onde estou. Com delicadeza segura meus dedos, deixando um beijo sobre eles. Eu me concentro em não gelar por dentro com o toque desconhecido.

— Estou apaixonado, donzela. — Uma risada espontânea sai por sua tentativa em ser cavalheiro. — Aí está, um sorriso!

Nunca fui de paquerar, namorar ou sequer ficar tão próxima assim do sexo masculino, pelo menos não por livre e espontânea vontade. Deve ser esse o motivo que faz meu rosto esquentar assustadoramente, o que arranca uma risada alta do desconhecido.

— Além de linda, ainda cora? Sou seu, Deusa, pode me levar. — Cruza um pulso em cima do outro.

Balanço a cabeça achando inédito seu jeito descontraído. No meu mundo, não temos muito disso.

— Agora me diga, como é o seu nome?

Pondero se digo ou não. Primeiro, porque não deveria estar aqui fora conversando seja lá com quem; segundo, que esse pode ser mais um assassino sem piedade brincando com sua caça, no caso eu.

— Ah, você está aqui, menina. Quase enfartei quando não te vi no banco — Madu diz logo atrás de mim, fazendo-me dar um pulinho de susto. — Oi, filho. Pensei que voltaria só após o meio-dia.

Filho?

Ela beija a bochecha do homem, ele se apressa em apertar a pequena senhora nos braços carinhosamente.

— A reunião terminou antes que o esperado, mãe. Então resolvi vir aqui e dar uma olhada na minha garota. — Enrugo a testa sem querer. Óbvio que ele pega minha expressão confusa. — Não se preocupe, Deusa. A garota em questão é minha moto.

Madu cerra os olhos na direção do filho, então me encara com um ar de entendimento. Quero dizer algo, nada sai.

— Vejo que conheceu a hóspede do Sr. Mendanha. Lívia, esse é Miguel, meu filho que não pode ver um rabo de saia. — Dá um tapa no braço do rapaz, que finge se encolher de dor.

Dou um passo para o lado, fugindo um pouco do foco, o que não adianta, porque o tal Miguel está atento aos meus movimentos.

— Eu só estava procurando JP, Madu. Ele sumiu.

Volto a ficar agitada. Onde esse garoto se meteu?

— Ele deve estar na área da piscina — Miguel fala. — Venha, vou te apresentar o restante da propriedade.

Não me mexo. Madu dá uma olhada enviesada para o filho, sinto que não gostou da ideia. Ele, por outro lado, estica a mão para mim, aguardando que faça o mesmo. O que não ocorre.

— Vamos lá, Lívia. — Arrasta meu nome. — Eu não mordo e vou me comportar. Prometo.

Faz bico, bem infantil, porém, incontestavelmente fofo.

A senhora simpática bufa.

— Vá, menina. Não tem como dizer não para essa peste. Vou guardar o lanche, assim que encontrar JP leve-o até a cozinha, tudo bem?

Apenas concordo com a cabeça. Não sei que posição tomar, se sigo Madu ou se aceito o convite do nobre cavalheiro aqui. Quase reviro os olhos para o absurdo. Sem me dar espaço, ele segura minha mão e me puxa pelo caminho de pedras. A parte detrás da casa é um show à parte: piscina gigante, cinco espreguiçadeiras de madeira rústica, área da churrasqueira. Tudo de muito bom gosto. Chego à conclusão de que, depois do jardim, esse é meu lugar preferido.

— Viu, eu estava certo. Ali está o fujão.

Sigo para onde Miguel aponta. João Pedro parece fascinado com a água clarinha, seus pés estão dentro da piscina, fazendo um vai e vem tranquilo.

— Você não pode desaparecer sem avisar, JP! — repreendo-o ao chegar perto.

Seu rostinho infantil se ergue para o meu.

— Desculpa, Nana. Eu tava brincando com a borboleta, daí encontrei esse lugar. Legal, né? — Corre com as palavras.

É então que desce seu olhar para a minha mão, que continua grudada na do meu novo conhecido; com rapidez, puxo-a. Nem sei por que não fiz isso antes. Ao invés de estranhar, Miguel vai até o meu sobrinho e se senta ao seu lado, tira os sapatos, enfiando seus próprios pés na água.

— Como é seu nome? — a criança questiona.

— Miguel. E o seu?

— João Pedro, mas pode me chamar de JP.

O homem alto sorri. Ele é muito, muito bonito, admito.

— E quantos anos você tem, JP?

O pequeno ergue três dos seus dedinhos.

— Eita, tá ficando grande! — Miguel bagunça o cabelo escuro dele.

— E você tem quantos anos?

— Eu tenho trinta e quatro.

— Ele é adulto, né, Nana?

Tanto Miguel quanto eu rimos alto.

— Sim, meu amor, ele é.

Os dois engatam uma conversa sobre desenhos de super-heróis e comida. Acabo por me juntar a eles no lazer e refresco meus pés.

Descubro que Miguel é formado em Engenharia Mecânica e tem uma oficina renomada na cidade. Mora aqui desde que nasceu; como sua mãe não pretende se mudar tão cedo, resolveu por ficar com ela. Seu pai faleceu quando ainda era novo. Seus *hobbies* são mexer na sua moto e desenhar os projetos que sua cabeça inventa.

Só em ouvir desenhar, meu coração acelera. Se tem algo que amo é isso. Pena que não sei o que é criar há quase dois anos. Miguel pergunta sobre mim, tento ao máximo me esquivar, não é fácil dizer a um novo conhecido que, em breve, vou ser morta porque meu irmão ficou devendo drogas para o patrão da sua mãe. Ele não insiste em me fazer falar, fico agradecida por isso.

Em um dado momento, o sol começa a queimar demais, por isso decido levar João Pedro para dentro. Vamos todos até a cozinha e comemos o bolo divino que Madu fez. Até leite com achocolatado ganhamos. Perto do meio-dia, o segurança, que fica de guarda na porta do quarto, chega para falar que precisamos subir. Percebo o olhar interrogativo de Miguel para a mãe, ela ignora e nos acompanha até o segundo andar. João Pedro abraça a senhora com força.

— Eu amei o passeio, tia. Podemos fazer de novo?

Ela beija a cabeça dele.

— Claro que podemos, querido. — Sorri para mim e vai até a porta. — Depois trago o almoço de vocês.

— Obrigada por tudo, Madu! De verdade.

— De nada, menina.

— Diga ao seu filho que adorei conhecê-lo.

— Eu direi.

Com isso ficamos sozinhos, presos, sem nada para fazer ou aproveitar. Se Felipo estivesse vivo, lhe daria uns bons tapas por ter me colocado nessa confusão do diacho. Bom, se depender do maldito Apolo, não vai demorar muito para que eu me encontre com ele.

CAPÍTULO 6

Apolo Mendanha

— Quanto tempo vai demorar?
— É difícil falar sobre prazos nesse caso, mas vou resolver o mais rápido possível — Caio garante.
— Você precisa ser cauteloso quanto a isso, Apolo. O menino é uma ponta solta que pode impactar nos seus negócios.

Enrugo a testa para Eleonor antes de tomar um gole da minha bebida e depositar o copo sobre a mesa.

Estamos na minha sala, discutindo sobre o registro do meu, inesperado, sobrinho. A ideia é registrá-lo no nome da minha irmã. Meus advogados me deram duas opções: abrir o caixão e realizar o reconhecimento da maternidade ou eu mesmo fazer DNA e comprovar meu parentesco com o moleque. Como violar o túmulo de Lisandra não é um ponto, vamos partir da segunda resolutiva.

— Se não confiasse tanto em você, diria que está me ameaçando.

Ela rapidamente se levanta, sem deixar sua pose altiva balançar, e frisa a boca. Um sinal claro de ultraje. Sempre mantive um pé atrás com Eleonor, sei que ela é fiel a Ícaro, que só permaneceu na empresa para ficar de olho no que faço, no entanto, até agora, não me deu motivos para mandá-la se ferrar.

— Estou apenas preocupada com o seu patrimônio, esse é meu trabalho, não? — diz com firmeza.

Não respondo ao seu chilique.

— Pare de achar problemas onde não há. Sei o que estou fazendo, o moleque é da família e vai ser tratado como tal. Era o que minha irmã faria. Agora saiam e resolvam essa merda.

Caio arruma o terno e se retira sem delongas, Eleonor baixa a cabeça e faz o mesmo; ela é inteligente o suficiente para não me contrariar mesmo que tenha vontade. Não acho necessário justificar minhas decisões referentes ao meu sangue. João Pedro terá o que um Mendanha deve ter, o que é seu por direito. Não que esse impasse tenha sido bem-vindo, nunca imaginei que precisaria lidar com uma criança nessa altura do campeonato. Acho que esse é o fator que me irrita: contratempos.

Sem falar que o foco do meu ódio, pelo menos um deles, está sob meu teto. Uma vergonha para mim, uma afronta a minha mãe e irmã. O pior é ter, por segundos, cobiçado a delinquente. Deixado que meu autocontrole balançasse perante as curvas tentadoras da desaforada. Porra! Estou ficando maluco com toda essa fodida situação.

Viro o restante do líquido forte que coloquei no copo, pego meu terno e saio da MV. Pelo menos, essa parte está de acordo. Estamos expandindo sem muito alarde, ganhando terreno sem ter que lutar muito por espaço, pois são poucas as empresas do ramo que se arriscam com a exportação, a maioria prefere se manter no mercado nacional, o que não é ruim, já que os lucros são altos. Porém, para mim, não basta ser destaque aqui dentro.

Pesco o celular no bolso da calça e aperto o primeiro contato da lista.

— Senhor — Jonas atende no segundo toque.

— Fizeram o serviço?

— Está feito, senhor. Nenhum vestígio sobre os dois ficou para trás.

Minha ordem hoje cedo foi a de queimar o barraco imundo onde a garota morava. Assim a infeliz não tem para onde ir, caso invente de fugir e não deixo pistas para um futuro problema. Deixei Max cuidando dos dois, além disso, há câmeras por toda a propriedade e seguranças na entrada, contudo, se precaver é a melhor escolha. Até porque tem Madu e seu coração mole dentro dos muros da mansão, não duvido nada que ela ceda caso a delinquente resolva interpretar a vítima.

— Ótimo! — Encerro a chamada e dou partida no carro.

Assim que desligo o motor, Jonas para o SUV ao meu lado.

— Precisa de algo por ora, senhor?

— Não. Vou almoçar e trabalhar daqui, não volto para a empresa hoje — aviso subindo as escadas que dá para a porta principal.

O hall encontra-se silencioso, nenhum detalhe fora do lugar. Uma perfeição irritante que minha mãe ensinou a Madu. Sigo para a sala, pronto para me servir de conhaque e relaxar, quando escuto vozes.

— Não vai mesmo me contar, mãe?

— Larga de ser enxerido, Miguel.

— Só estou curioso, Maduzinha — brinca, arrancando uma risada da senhora; bondosa até demais.

Ambos adentram o cômodo onde estou, parando logo depois do batente.

— Senhor Mendanha, não percebi que havia chegado. O almoço está pronto, quer que eu sirva a mesa?

— Sim, Madu.

— E aí, Apolo? — Miguel estende a mão para me cumprimentar, retribuo relutante.

Nós éramos muito grudados quando pequenos, fato que mudou após minha viagem e todos os desastres que sucederam. Hoje posso contar nos dedos as vezes em que nos vemos.

— Como andam as coisas na oficina? — pergunto mais por educação do que por estar interessado.

— Muito bem, graças a Deus!

Para despistar minha intolerância em ser sociável, vou até o bar, abro uma das garrafas de cristal e arrumo uma dose.

— Servido? — Não me viro para ele.

— Não, tô tranquilo. — Silêncio. — Bom, vou indo, mãe. Preciso resolver algumas pendências.

Escuto os passos dele em direção à saída. Coloco a tampa na garrafa e me viro para Madu, que permanece pregada perto da porta. Levanto a sobrancelha em questionamento.

— Vou arrumar o almoço e aviso o senhor.

Antes que ela possa ir, uma ideia me ocorre. Em algum momento preciso começar a interagir com o menino. Quanto mais rápido melhor, assim posso dar fim na delinquente logo.

— Os meus queridos hóspedes almoçaram?

A senhora para de caminhar, seus ombros ficam rígidos com o deboche que empreguei na palavra "queridos". Ao invés de defender os benditos, ela somente sorri forçado. Muito esperta.

— Ainda não, Sr. Mendanha.

— Então vá até o andar de cima e mande-os descer.

— Eu não acho que seja uma bo...

— Não pedi sua opinião, Madu. Apenas faça.

Seus olhos se estreitam para mim, como uma mãe muito contrariada, pronta para dar lição de moral.

— Certo.

Viro o drinque num gole, abro os dois primeiros botões da camiseta social branca e dobro as mangas até os cotovelos. Preciso me preparar para ficar perto da garota sem querer estrangulá-la.

Lívia Nascimento

— Você não existe, JP!

Seco as lágrimas que escorreram de tanto rir. Estamos assistindo Chaves e João Pedro deu para imitar o menino que mora num barril. Eu estou que não me aguento de tanto dar risada.

— Ficou igualzinho, né, Nana? — Pula na cama ao meu lado.

Não tenho tempo de concordar ou beijar suas bochechas vermelhas por conta do esforço, pois Madu entra esbaforida pela porta do quarto.

— Menina, o patrão quer vocês dois à mesa para almoçar junto com ele.

Acho que minha garganta fecha, impossibilitando o ar de entrar, porque meus ouvidos apitam absurdamente.

Qual o propósito disso?

— M-mas por quê?

João Pedro segura minha mão com firmeza. Estar na presença daquele homem é desesperador. Eu só consigo me lembrar dos antigos filmes da máfia, onde a vítima estava tranquila, rindo, e no segundo seguinte uma bala enfeitava sua testa. Só posso ter essa perspectiva, já que o infeliz deixou claro que vai me matar. Ele é o quê? Algum sádico que gosta de alimentar sua caça antes de abater? Droga!

— Não sei, querida. Só é melhor não contrariar. Vamos lá — chama e se vira para o corredor.

No automático, sigo-a, meu coração batendo no pescoço. Não faz nem dois dias que estamos aqui e me sinto sufocada. A tensão não deixa meus nervos, debati-me muito para dormir à noite e o café de mais cedo desceu apertado. Sei que metade desse estresse é o medo do que me espera, o restante é raiva por não ter voz. Descemos as grandes escadas em silêncio, adentramos a sala de jantar do mesmo modo. Apolo está à cabeceira da mesa, com pose de rei do mundo e olhar mordaz.

Se o maldito me odeia, por que faz questão da minha presença? Não é por você, Lívia. É pelo JP.

Claro! Ele quer acostumar João Pedro com sua nova vida, para então dar um fim definitivo em mim. Um frio nada bom sobe por minha coluna até se alojar na nuca.

— Podem se sentar. — Indica as cadeiras caras com certa calma, no fundo consigo vislumbrar a fúria crispando nos seus olhos.

JP e eu nos acomodamos lado a lado, ele não solta minha mão. Colocam a comida à nossa frente, o cheiro está divino, no entanto, estou relutante em desviar meu escrutínio do meu futuro ceifador.

— Olha, Nana, é purê de batatas! — Meu sobrinho bate palmas animado, obrigando-me a lhe dar atenção e sorrir para seu entusiasmo pelo prato do dia.

— Viu que delícia, meu amor. Coma bem bonito. — Beijo sua cabeça antes que ele enfie a primeira colherada na boca.

Madu, que está do outro lado do cômodo, pisca para mim. Ela escutou a conversa do João Pedro com seu filho na cozinha hoje cedo.

— Não me lembro de ter colocado purê no cardápio, Madu — o homem insuportável questiona de forma rude.

— Eu sei, Sr. Mendanha, resolvi incrementar mesmo assim. Caso não queira posso pedir para tirarem do seu prato. — Ela se antecipa para chamar uma das pessoas que serviram a mesa.

— Não. — Apolo ergue um dedo, fazendo-a parar. — Está tudo bem. — Outra vez a frase contida camufla a ira.

Quero bufar de contrariedade, odeio gente esnobe e, com certeza, há um tipo extremo desses querendo me matar. Sem dizer uma palavra,

Apolo come sua refeição. Faço igual, mesmo sem vontade. João Pedro parece empolgado e faminto, porque repete.

— Gostou da sua nova casa, garoto? — A personificação do mal pergunta.

Meu sobrinho ainda guarda uma parte da sua inocência sem controle, pois sorri sem barreiras para o infeliz.

— Gostei muito, tio. É bonito aqui e grande também, a piscina é a minha parte favorita.

Enrijeço instantaneamente. Grande, grande porcaria!

Madu me fita de olhos arregalados, enquanto eu não denoto reação.

— Então você conhece a piscina? — inquire ao menino, sua atenção está pregada em mim.

Levo a mão até a minha orelha, buscando mexer nela para distrair meu nervosismo. Como um ponto de apoio.

— Sim, tio. Eu e a Nana molhamos o pé, depois você deixa a gente nadar?

Quero pedir para JP ficar quieto. Entretanto, não posso colocar filtro em uma criança de três anos fascinada com o que nunca teve.

— Claro — solta entredentes. — Por que não vai com Madu visitar a piscina agora?

Seus olhos escuros parecem me lançar adagas.

— Obaaaa! Vamos, tia?

Percebo a mulher simpática querer negar, basta uma olhadela do seu patrão para que saia com rapidez da sala. Não mexo um dedo sequer, nem respirar direito consigo. Agora é o xeque-mate, sinto isso.

— Você tem dificuldade para acatar ordens, garota? Porque me lembro bem de ter dito para não se sentir em casa, porra! — Bate com a mão aberta no vidro da mesa, o suco no copo balança com a força do golpe.

— Eu saí para distrair João Pedro. Pelo que sei, meu sobrinho não vai ser um prisioneiro aqui, ou vai? Você queria que eu falasse o quê? Que o seu encarecido protetor vai matar sua única família? — Meu tom não é raivoso, apenas esclarecedor, detalhe que não ajuda em nada. Ele está a ponto de me esganar.

Barro o desespero e me mantenho quieta, a morte é certa, se hoje ou daqui um mês não importa! Eu me conformei com o desfecho. Contrariando a explosão, Apolo se recosta na cadeira, não de um jeito relaxado e, sim, descontente. O movimento faz com que a camisa branca se agarre a cada pedaço de pele, marcando com precisão seus músculos. Respiro fundo, subindo minha visão para o rosto do homem insuportável. A barba desenha o contorno do seu maxilar, a boca cheia está numa linha fina. Ouso mais um pouquinho quando conecto meus olhos nos seus, que permanecem sérios; o marrom escuro está castanho-claro. Posso jurar que as luzes brincam na sua íris, como se pretendessem deixá-la hipnótica.

Não sei que falta de juízo se apossa de mim porque não baixo a guarda, continuo encarando-o, assim como faz comigo. Apolo semicerra as pálpebras e, por um milésimo de segundo, entreabre os lábios para sugar o ar. Replico seu ato. Falo com convicção que jamais parei para prestar atenção em um homem e me permiti sentir, mesmo que rapidamente, deslumbre. Apolo é poderoso, inquisitivo, rude e possui uma beleza ímpar.

Assisto o infeliz acordar do transe, esfregando o rosto com força, um grunhido chega ao lado da mesa em que estou sentada. Com brusquidão arrasta a cadeira e se aproxima. Eu me encolho.

— Se descobrir que você pisou fora daquele quarto sem a minha autorização, enfio uma bala na sua testa na frente do menino.

Fico admirando o mesmo ponto onde ele estava instante atrás, minha fonte lateja absurdamente, meu coração está tão disparado que me intriga. Para a puta que pariu com essas ameaças irritantes. Com coragem, uma que não tenho, ergo minha cabeça para olhá-lo.

— Por que não me mata de uma vez?! Ou será que gosta de brincar com a presa para depois dar fim?!

Não costumo gritar, por isso só percebo que o fiz porque Apolo agarra meu braço.

— Não grite! Você está na minha casa, garota. Cale a porra da boca!

Um botão rebelde é apertado, estou na forca mesmo, não vai fazer diferença se eu tirar os pés do apoio. Eu me livro do seu aperto e me levanto, ficando cara a cara com a personificação do mal.

— Eu não tenho culpa pelos erros do meu irmão, não tenho culpa se ele ficou devendo seja lá o que para você, seu monstro!

Ele não aparenta alarde com o meu chilique, pelo contrário, o filho da mãe está sereno. Sereno demais. Deve ser esse o motivo que leva a me debater quando Apolo me segura firme pela cintura, algo nele deixa claro que a afronta foi o pingo que faltava para derramar o balde. Arranho seus ombros tentando conseguir espaço para fugir, não obtenho êxito. Em um dado momento sou virada de supetão, minhas costas batem no seu peito.

— Quieta! Fique quieta, Lívia!

Suas mãos exercem força no meu quadril, a voz de comando está próxima demais do meu ouvido. Paro de espernear, quem faz o papel de desobediente é minha respiração ruidosa, descontrolada.

— Me deixe ir embora, nós não fizemos nada a você, Apolo. Nada — choramingo.

Deixo que meus músculos relaxem, rendendo-se ao que esse homem escolheu para mim. Estou cansada de viver com medo, de ficar em alerta o tempo todo, não aguento mais essa vida miserável que levo e dou ao JP. Minha última cartada é apelar. Na mesma posição, consigo sentir seu peito expandindo e comprimindo com o trabalho de levar oxigênio aos pulmões. Nenhum ruído além dos nossos é ouvido pela mansão.

— Já falei que esse papinho não convence, garota! — rosna irritado e me solta tão rápido que preciso me equilibrar para não cair.

Não me volto para fitá-lo, apenas fico estática, abraçada ao próprio corpo, tentando não chorar. Eu sei como as coisas funcionam nesse mundo de quem manda e quem obedece, mesmo assim quis me humilhar para conseguir piedade. É bem o que meu irmão dizia: esperança só serve para enganar; na vida real, o que conta é o poder. E nós não o temos.

Apolo Mendanha

Entro feito um doido no meu quarto. O que anda acontecendo comigo? Se fosse qualquer outra, eu já tinha mandado fazerem o serviço. Então por que não mato essa oportunista maldita de uma vez?

— Porra! — praguejo.

Fodida situação que anda me deixando no limite. Todo o controle que eu tinha parece evaporar, há alguns dias estava tranquilo porque finalmente me vingaria; de repente, estou no meio de uma confusão sem fim, com um sobrinho recém-encontrado e a irmã do marginal que desencadeou o desastre na minha família. Que caralho!

Ando de um lado para o outro, sufocado e contrariado com as ações do meu corpo ao da infeliz, com curvas que se encaixam com perfeição ao meu toque. A lembrança da calcinha encobrindo sua boceta em um V único nublou qualquer vestígio de ira que pudesse estar na superfície; por um relapso, baixei a guarda, desejei descobrir se sua boca se abre durante o êxtase, se os dentes castigam o lábio para que nenhum som mais acentuado reverbere, deixei-me inebriar pelo cheiro cru dela, por seu timbre dizendo meu nome. Era só o que faltava para foder com tudo: me ver atraído pela desgraçada. Mas não mesmo!

Pelo que sei, meu sobrinho não vai ser um prisioneiro aqui.

Essa frase expôs que a infeliz sabe quem sou e o que João Pedro significa para a minha família. Tanto ela quanto o irmão são dois marginais sanguessugas filhos da puta. Arranco a camisa, os sapatos e a calça, indo direto para o banheiro, preciso de uma ducha fria. Amanhã termino com essa baboseira, amanhã essa delinquente dos infernos deixa de ser um problema.

CAPÍTULO 7

Lívia Nascimento

Rolo na cama sem a mínima vontade de dormir. Depois do que aconteceu na sala de jantar, eu esperei JP chegar e subi para o quarto, quer dizer, para a cela na qual fui colocada até a sentença final.

— Saco! — murmuro jogando as cobertas para o lado.

Em silêncio, para não acordar meu sobrinho, firmo meus pés no chão frio, tão brilhante que é possível se enxergar nele. Vou até a porta, devagar a abro, rezando para que o cão sarnento tenha ido dar uma volta. Respiro aliviada ao ter minha prece atendida. Rapidamente me esgueiro pelos corredores, indo direto para a cozinha.

Fico em frente à geladeira por incontáveis minutos, lutando contra a sede e o quão errado é mexer sem a permissão do dono. Como minha garganta está seca ao ponto de incomodar, acabo me rendendo. Pego a jarra de suco de laranja geladinho, encho um copo que estava sobre a pia e me sento na bancada para beber, no escuro. O relógio digital na parede marca duas e meia da madrugada. Encaro meus pés descalços, a camisola fina, muito bonita, que Madu levou hoje. Tantas mudanças em tão pouco tempo. Para quem dormia até de calça jeans, estar usando um tecido refinado é quase hilário. Um agrado antes de ser empurrada no abismo. Até soa poético.

— Soa bizarro, isso sim — cochicho com o breu da noite.

Sorvo mais um pouco do líquido refrescante. Se meu irmão e Lisa estivessem vivos, muita coisa teria sido diferente, minha cunhada cuidaria de mim e do João Pedro, ela possuía um dom natural para proteger. Sorrio com as lembranças ainda frescas. Foi Lisandra que aflorou meu lado para o desenho, foi ela que me impulsionou a terminar os estudos, estava até me ajudando a escolher a faculdade que cursaria. Nós quatro éramos felizes. Meu irmão parecia finalmente ter encontrado uma direção, começou a trabalhar registrado, estava empolgado, correndo atrás para nos dar uma condição melhor. Então veio a tragédia e levou minha cunhada, junto com ela foi a sanidade do Felipo, não muito depois ele teve o mesmo fim trágico da esposa.

Crescer em uma favela, rodeada do perigo eminente, sem ter para qual canto fugir, quase sempre é injusto. Porque pessoas inocentes sofrem pelo erro alheio, pessoas que só queriam lutar e sobreviver. Quanta gente já morreu sem dever? É aí que entra minha indignação por viver em um país onde o governo não dá a mínima, onde dinheiro rotula suas escolhas.

Olho em volta do aposento chique, rebuscado demais, a personificação do mal tem muita grana, mas do que adianta se não tem com quem dividir os momentos simples? Do que conta se Apolo é um homem amargo, quase desumano? Eu não tenho nada, ele deixou isso claro quando me conheceu, porém, JP é a parte que vale a pena, tê-lo por perto é o impulso que preciso, porque meu sobrinho me faz feliz, e arrancar algumas gargalhadas dele me dá a certeza de que ele também é feliz as vezes, mesmo com pouco, mesmo tendo que lidar com fatores dos quais não queria que lidasse.

— Que merda está fazendo, garota?

Quase pulo de onde estou ao ouvir a voz raivosa, preciso forçar os dedos em volta do copo para que não se espatife no chão. Droga!

Todos os nervos do meu corpo se retesam perante o caos prestes a explodir. Viro a cabeça para o lado e, de novo, me vejo frente a frente com meu pior pesadelo.

Apolo Mendanha

Exausto de forçar um descanso que não vem, acabo me levantando para tomar um pouco de ar. A merda da situação está tirando até meu sono. Logo cedo vou conversar com Jonas, se ele sumir com a delinquente antes do menino acordar, posso inventar que sua querida tia foi embora e o largou. Melhor instigar a revolta por ela, do que ao ódio por mim.

Descalço e somente com a calça do pijama, desço os largos degraus da escada. Minha ideia é ir até a sala buscar uma dose de conhaque, todavia, um ruído me faz mudar o percurso. Chego ao arco que dá para a cozinha e paro de imediato com o que encontro. A infame está sentada no balcão, tomando sei lá o quê e aparenta muita liberdade na porra da minha propriedade. Que caralho anda acontecendo? Essa garota não tem medo de morrer? Puta que pariu!

Nem sei ao certo o que cuspo na sua direção, só sei que os olhos com a tonalidade mais exótica que já vi se arregalam de medo. Ótimo!

— Eu só... só vim beber algo, estava com sede.

— E quem te deu permissão para descer? Como passou pelo segurança? — questiono entredentes.

— Não tinha ninguém lá — sussurra, trêmula.

Eu vou mandar aquele filho da puta do Max para a rua assim que o dia raiar. Desgraçado incompetente!

— E o que te fez pensar que só por que não havia vigia poderia andar por aí como se fosse a dona do lugar?

Dou dois passos para dentro do cômodo, o que a faz se arrastar mais para a beirada. Inevitavelmente corro meus olhos para baixo, quase rosnando no processo. A bendita está com uma camisola curta, quase transparente e muito justa. Sua imagem é clareada pela luz que adentra as enormes janelas de vidro, tornando-a quase uma miragem. Foda! Quero estapear essa cretina por provocar a fera que tem em mim. Inferno! Com andar determinado, porém lento, mino a distância entre nós, parando a centímetros dela. Apoio as duas mãos ao seu lado e me inclino, alinhando nossa visão. A dissimulada nem pisca.

— Largue esse copo. Agora! — grunho. Como um robô, ela solta o objeto atrás de si. — Responda à minha pergunta.

Seus lábios se separam, soprando o hálito de laranja no meu rosto. Aperto tanto o maxilar que o escuto protestar com um rangido. Eu vou fazer besteira se não matar logo essa infeliz. Controle nunca foi um problema, até porque Ícaro foi um professor muito dedicado em ensinar o filho a ter domínio sobre as emoções, inclusive a dor. Contudo, estou me vendo fazer um esforço hercúleo para não reagir ao meu lado que sente um tesão gritante pela irmã do marginal.

Inacreditável o quão ridículo isso é.

Tudo culpa da enxerida da Madu. Se ela tivesse deixado essa garota com aquelas roupas horrendas, que não revelam nada que me interesse, não estaria quase surtando de ódio por me sentir um traidor de minha própria irmã. Escrutino mais um pouco suas curvas cobertas pelo tecido caro que, com certeza, é da Lisandra. A pele bronzeada do sol parece desenhada sob a cor lilás, os peitos médios formam um círculo perfeito, enchendo a parte que os acomoda. Minha boca saliva ao perceber que os bicos arrepiam por conta da minha inspeção.

Santa merda fodida! Tenho que sair daqui.

Chego a fazer força nos braços para me impulsionar para trás, então a maldita resolve falar justo nesse segundo.

— Eu só estava com sede, Apolo. Estou voltando para o quarto já.

Seu timbre está mais grosso, o que piora ainda mais meu estado caótico. Lentamente ergo meu pescoço, deixando nossos rostos muito perto. A delinquente treme de leve.

— Está com medo de mim, Lívia?

Meus olhos fixam na sua boca bem desenhada a tempo de ver seus dentes judiando do lábio inferior e, em seguida, sua língua massagear o local.

Porra!

— S-sim — gagueja.

Volto-me para sua íris clara. Meu objetivo de acabar com a raça de Felipo está saindo da linha. Quem diria que eu pudesse ser tão filho da puta quanto o marginal? Jamais me imaginei manchando o nome da minha desestruturada família. Não de uma forma tão suja assim.

Inferno, essa menina é sangue dos que mataram os meus. O que deu na minha cabeça, caralho!

Cerro os punhos sobre o mármore, exercendo pressão neles, quem sabe assim a lucidez resolva voltar. Lívia respira fundo, soltando o ar em ondas curtas, atiçando meu lado brutal. Seu cheiro cru adentra minhas narinas, lavando qualquer resquício de estratégia e seriedade de um homem de trinta e cinco.

Foda-se!

— É bom que tenha mesmo, garota.

Com ímpeto abaixo minha cabeça e colido nossas bocas, não é gentil. Não quero ser calmo, quero fazer essa delinquente abusada sentir minha fúria por desejá-la. Emaranho os dedos na cabeleira negra, provando a porra do gosto que essa filha da mãe tem.

Ela, por sua vez, demora um tempo até abrir seus lábios e me dar passagem; quando o faz, silvo em satisfação. Circulo sua língua com a minha, buscando aprofundar o contato. Com a mão livre contorno sua coxa, descobrindo a textura da pele que se arrepia sob meu toque, até chegar à lateral da calcinha; com um puxão, o tecido se rompe. Coloco mais força no beijo, talvez para tentar acordar do transe, mas assim que Lívia enrola os braços no meu pescoço, desisto de manter o controle.

Arrebento o outro lado do pano fino, deixando sua boceta livre. Puta que pariu! Meus dedos, ansiosos para tocá-la, escorregam para o lado. Nossas bocas continuam se devorando, os dentes beliscando a carne vermelha, usufruindo de algo que não deveria. Antes que alcance meu objetivo, Lívia resmunga algo incoerente, que não parece um convite para continuarmos com essa loucura bizarra que, obviamente, vou me arrepender depois, é mais parecido com uma súplica para não avançar.

— Não me toque — fala mais alto e se esquiva, deixando os braços caírem.

Abro os olhos para observar os seus, a semiescuridão os deixam ainda mais exóticos, o que seria um combustível tremendo nesse tesão infernal que sinto, só que não há vislumbre de prazer ali, somente pavor. Esse detalhe traz a racionalidade da qual não fui capaz de manter antes de agarrar a garota. Por mais que tenha uma teoria de que ela foi violentada, a fúria que vem é por ser fraco, um defeito que sempre repudiei.

Imediatamente crio um espaço seguro entre nós.

Lívia Nascimento

Meu coração bate frenético, minha respiração está errante, minha pele formiga. Não consigo distinguir se essas reações são de prazer por em anos estar sendo beijada, ou de desespero com a mera possibilidade de ser tomada aqui, em cima do balcão, por um homem tão imponente, dominante e... perverso.

Desde o dia em que os bandidos invadiram nossa casa e ousaram tocar em mim, penso que não sou capaz de sentir prazer, afinal, minha única experiência é bem ruim. E aqui estou, atracada com o cara que pretende me matar, e não fui obrigada a isso. Meus lábios simplesmente se envolveram.

Eu acabei de beijar a personificação do mal! Meu Deus do céu!

Engulo em seco. Não me considero burra, mas, sem dúvida, acabei de me comportar como uma idiota desesperada. Nada de bom vem depois disso, eu sei. Basta observar a expressão descontente de Apolo.

— Suma da minha frente, garota! — ruge.

Com rapidez pulo sobre os meus pés, porém, em vez de me calar e sumir, resolvo fazer um pedido.

— Eu preciso de uma... calcinha — gaguejo envergonhada. Não tenho roupas no quarto, é Madu que leva o que vou vestir todos os dias. — Não posso me deitar com o JP assim — murmuro tensa, atrapalhando-me com as palavras.

Ele solta uma risada incrédula, maldosa.

— Por que não? Seu sobrinho não pode saber o tipinho que você é? Ele não merece ter ciência de que a tia abre as pernas para qualquer um?

Arregalo os olhos perante o ataque, sem conseguir evitar sinto o choro subir, até quase me engasgar. Esses poderosos são assim mesmo: fazem, depois jogam a culpa por terem sido inconsequentes em cima dos outros. Pensando bem, sou muito, muito burra. Mereço essa humilhação por ter me deixado levar.

— Acho que não fui a única que errou aqui, não é? Não se faça de vítima, Apolo. Porque você não é — lanço antes mesmo que possa processar a frase.

Puxo a camisola para baixo, pego o tecido despedaçado, que ficou largado sobre o balcão e praticamente corro para cima. Viro no corredor, que dá para o quarto e dou de frente com Max, a cara de assustado dele não me para. Passo direto pelo brutamontes, projetando-me dentro do aposento bem arrumado.

João Pedro nem se mexeu durante esse tempo que fiquei fora. Vou para o banheiro, acendo a luz e me encaro no espelho. Os fios grossos estão uma bagunça, meus lábios mais vermelhos que o normal, as bochechas coradas. A camisola de seda está amassada, a calcinha arruinada pende entre meus dedos, vou precisar amarrar as laterais para usá-la, não tem outro jeito. Coloco a mão na boca para encobrir o barulho esganiçado que escapa.

O que eu fiz?

Com cuidado me dispo e entro no chuveiro, preciso me lavar. Eu jamais estive tão absorta em algo que esquecesse de todo o resto. O toque dele, os lábios, o cheiro, os sons, tudo parece um pacote que inebria os meus sentidos. Um joguinho que gosta de utilizar para deixar suas vítimas à mercê. E eu, tola ao extremo, caí direitinho.

— Dois dias, Lívia. Você está aqui há dois dias e já fez mais cagadas do que em seus vinte anos! — repreendo meus impulsos imaturos.

É só um homem, droga! Eu nem reparava neles antes, por que agora foi diferente? Por que não tive repulsa? Sento-me no chão e abraço minhas pernas. Só quero voltar para casa, acabar com essa loucura. Quero meu irmão e minha cunhada vivos. Quero paz sem prazo de validade, sem censura.

Eu sei que chorar não resolve nada, não a minha situação pelo menos, entretanto, deixo as lágrimas saírem. Talvez assim alivie um pouco dessa angústia que insiste em andar lado a lado comigo.

CAPÍTULO 8

Lívia Nascimento

Observo Apolo discretamente. Estamos sentados à mesa, jantando. Passou uma semana do incidente na cozinha, desde então o bendito finge que não existo. Faz questão de demonstrar o quanto me despreza. Ao contrário de mim, JP tem toda sua atenção. Por mais bizarro que seja, os dois conversam sobre assuntos dos quais meu sobrinho gosta: astronauta, desenho, futebol. A personificação do mal parece incumbido a conquistar a criança ou, o mais provável, distraí-lo para dar fim à minha pessoa.

— Eu ainda vou entrar num foguete e ir lá pro espaço, tio — João Pedro afirma após engolir a comida que enfiou na boca.

— Astronautas não têm uma vida fácil, menino. Eles precisam se adaptar com costumes dos quais não tinham.

Meu sobrinho dá de ombros.

— Eu aprendo rapidinho.

O homem sorri.

Fico pasma por presenciá-lo realizar tal gesto, já que a carranca não suavizou uma vez sequer em minha presença.

— Claro que vai — diz e volta a se concentrar em seu prato.

O silêncio incômodo que mantenho me faz remexer impaciente na cadeira, atraindo o olhar indiferente dele para mim. Apolo me encara por milésimos de segundo antes de decidir que não valho seu tempo. Sempre considerei infantilidade atitudes de adolescente encantada, e é inadmissível me encontrar pateticamente assim pelo cara que vai me matar. Há dias venho me recriminando, mas de nada adianta. Basta estar no mesmo ambiente que o infeliz para que uma comichão perturbe minha pele. As lembranças da boca dele me consumindo, do toque experiente. Não posso ficar assim, não quero ficar assim.

— Nana?

— Oi, pequeno. — Desperto com JP tocando meu braço.

— Você pediu pro tio pegar o Pituco?

Algumas noites atrás, João Pedro acordou chorando, pedindo pelo urso que ganhou de sua mãe. Eu prometi que ia dar um jeito de pegar, ainda só não tive coragem de dirigir a palavra a Apolo. Percebo que a personificação do mal para de comer e presta atenção em nós. Respiro fundo antes de pensar em ter um diálogo com o bendito.

— Pegar o quê? — Ele se adianta em questionar.

— Tem como você pedir para um dos cães sarnentos pegar o urso dele que ficou no barraco?

Um canto dos seus lábios grossos se levanta, friso as sobrancelhas para a atitude.

— Cães sarnentos? Por acaso está se referindo aos meus seguranças?

Baixo os olhos para as mãos, constrangida. Saiu sem querer.

— Tem como pegar? — Volto ao foco antes que diga mais porcarias.

— Bem, não será possível.

Levanto a cabeça para vê-lo se recostar no assento.

— Por que não, tio? — Meu sobrinho é mais rápido em externar sua dúvida.

Em vez de responder, Apolo chama Madu.

— Sim, Sr. Mendanha.

— Leve o menino para o quarto, preciso conversar com Lívia.

Aperto os dedos uns nos outros, nervosa. O que ele quer comigo? Engulo a saliva com dificuldade.

João Pedro não protesta em sair, contudo, seu bico de contrariado é enorme. O espaço vazio que se estabelece me irrita, não por ser constrangedor, por não saber como quebrá-lo. Apesar de ter sido liberta da prisão chique do andar de cima e poder andar pela propriedade, com um cão sarnento no meu pé, não consigo prever qual será o próximo passo desse homem. Ele não deixa transparecer qualquer que seja sua decisão. Não quero morrer e, sim, isso vem me tirando o sono com frequência, porque tenho ciência de que não é uma escolha minha.

— Eu mandei que colocassem fogo naquela espelunca.

Chego a engasgar com o que ouço. Não, ele não faria isso.

Claro que faria, minha mente lembra.

Não é só porque o beijou que terá seu respeito, talvez tenha menos que nada. Você é só um pagamento atrasado, penso.

Permaneço fixa nele, até que minha visão desfoca. Tinha tantas coisas sem valor real, mas significativas ao extremo: os desenhos que fiz com Lisa; a corrente que ganhei do meu irmão; a primeira roupinha do João Pedro; meus pincéis velhos. Minha existência estava naquele cômodo imundo. Agora não tenho mais nada, nem história.

— Por que fez isso, Apolo? — Percebo o embargo na minha voz, ele também deve ter notado.

— Porque você não precisava de nada que tinha lá, garota. Não se leva pertences para o caixão — a frieza transborda da sua fala.

— Será que você é esse monstro todo? Seu grande filho da mãe! A única lembrança que JP tinha da mãe estava lá. As minhas lembranças estavam lá. Eu odeio você, Apolo. Espero que queime no inferno quando chegar a hora! — berro.

Desde que conheci esse infeliz, venho me exaltando mais que de costume. Não sei como ele chega até onde estou tão rápido, basta uma piscada e a personificação do mal se prostra ao meu lado.

— Já mandei não gritar dentro da minha casa. — Apoia uma das mãos na mesa, envergando-se para frente, jogo as costas para trás a fim de tomar espaço. — Avisei mais de uma vez que aqui não é um lar para você. Meus planos não mudaram só porque te tive cativa sem esforço, garota. Então, se não quiser diminuir seu tempo, cale a boca e acredite quando digo que não tenho paciência para suas infantilidades, porra!

Umedeço os lábios que secaram por conta da ameaça, da veracidade das palavras. Ficamos nos encarando, Apolo demonstra satisfação ao perceber o medo crispando em cada poro do meu corpo.

— Aquele urso era só o que Lisa deixou para ele... — cochicho.
— Eu compro outro. Pronto! Uma hora, o menino tem de crescer.
— Ele só tem três anos e uma bagagem grande demais para carregar. Não o force a amadurecer antes que o necessário.

Quero me calar, juro que quero, só não consigo.

— Não me diga como agir! — sibila. — Pare de falar, Lívia. Ou não respondo por mim.

Corro os olhos por seus traços selvagens, duros. Como um homem tão bonito pode carregar tanta raiva? Quais as situações que o levaram a ser assim?

Solto o ar tremulamente, com o ataque na ponta da língua.

— Apolo?

Eu me assusto com a voz feminina, doce.

Arrasto a cadeira e me levanto num pulo antes de ver quem apareceu. Uma mulher alta, magra e loira, muito elegante, está de pé sob batente da porta. Não a conheço, entretanto, ela parece saber quem sou, pois me avalia com atenção. Sua careta de desprezo é mais que evidente. Volto-me para Apolo, que continua sem desviar seus orbes escuros de mim. Com uma calma forçada, ele se ajeita, finalmente parando de ignorar sua visita.

— O que faz aqui, Eleonor?
— Precisamos conversar, te aguardo na sala.

Com uma última olhadela de indiferença para o meu lado, a mulher se vai. Não dou tempo para uma nova discussão, só giro nos calcanhares e saio.

Apolo Mendanha

Faz sete dias que a delinquente se tornou a porra do meu fetiche. Não consigo me lembrar de um simples beijo sem ficar duro. Essa pilantrazinha dos infernos conseguiu me deixar doido. Puta que pariu! Por mais que meu tesão esteja no pico, não vou comer a infeliz. Ela não vai me dobrar, não mesmo! Preciso retomar o sentido de tudo o que fiz desde que a minha irmã e mãe foram mortas. A minha família é fodida o suficiente, não precisa de mim para jogar de vez o nome no buraco.

Se Ícaro sonhar que tem uma parente do marginal sob nosso teto, o velho enfarta, sem dúvidas. E, agora, a possibilidade de ele saber é grande, já que Eleonor resolveu dar uma de intrometida e aparecer sem avisar. Eu estava numa briga inútil com a delinquente, confesso. Porém, observar o fogo no fundo dos olhos exóticos é um passatempo ótimo. Por mais ridícula que Lívia seja, não posso ignorar que tem coragem. Está à beira de ser morta, mesmo assim não baixa a crista.

— Maldita delinquente! — grunho.

— Falou alguma coisa, Apolo?

Levanto a cabeça de súbito ao perceber o tom amargo de Eleonor, que me observa atentamente.

— Não. O que quer? — Vou direto ao ponto, vou deixá-la tagarelar, depois acho uma forma de obrigá-la a manter o bico fechado.

Eleonor é fiel demais ao Ícaro, só a mantive na empresa porque é uma das melhores advogadas que conheço. Ela se criou dentro da MV, era o braço direito do meu pai, sei que ele deixaria tudo para ela caso não tivesse pirado completamente.

— Você não comentou que trouxe outro convidado, só mencionou seu suposto sobrinho.

— Não falei porque não é da sua conta.

Eleonor respira fundo.

— Pode, ao menos, me dizer quem é ela? Porque não hesito em afirmar que aquela coisinha veio junto com o menino.

Meus advogados estavam cientes de que eu procurava Felipo. Todavia, só comentei que encontrei o filho bastardo da Lisandra e que o marginal havia morrido. Não citei Lívia. Seria mais um assunto do qual precisaria ouvir Eleonor e Caio discutindo, quero e vou cuidar da delinquente sozinho.

— Ninguém. Agora pare de me amolar e diga logo a que veio.

A loira, que não perde uma causa, é obrigada a esquecer o papo. Isso deve ser frustrante para o seu ego. Não que eu me importe.

— Ícaro quer te ver, você sequer foi visitá-lo ainda, Apolo. Ele é seu pai e pre...

Levanto um dedo pedindo silêncio.

— Entenda bem, Eleonor. Você é a pupila dele, não é da família. Então, por favor, pare de se intrometer. Essa sua atitude só serve para me deixar irritado. — Jogo sem paciência.

Seus olhos se estreitam na minha direção. Ela que não ouse rebater, senão a coloco na rua, para o caralho se é ou não competente.

— Eu vou indo. — Muito esperta em sair pela tangente.

Com movimentos precisos ela se levanta, alisando a saia lápis impecável. Eleonor é mais velha, tem quarenta e cinco anos, e é muito bonita, sexy. Nós transamos algumas vezes tempos atrás, até ela começar a querer cobrar o que não devia, por isso mantivemos a relação no profissional. Mas, como a delinquente é um acesso restrito, Eleonor vai servir.

Levanto-me com calma, mantendo o olhar fixo nos seus seios marcados na camiseta branca. Ela arqueia, ciente de que não estou indo abrir a porta para a sua partida. Paro poucos centímetros do seu corpo e apoio a mão na cintura fina.

— O que está fazendo? — A voz vem baixa, ciente.

Eleonor não vai se opor ao sexo comigo porque vivia tentando me arrastar para a cama, isso parou quando assumi de vez a diretoria da MV, foi impossível não notar sua animosidade com a mudança. Mesmo com esse detalhe, tenho certeza de que não haverá recusa da sua parte e, no momento, mantê-la entretida nisso é a melhor saída para garantir que não saia daqui e corra até a clínica atualizar Ícaro. Além disso, será como matar dois coelhos com uma cajadada só.

Tesão não escolhe boceta, é alívio e pronto.

— Acho que podemos relembrar o passado. — Percorro o nariz pelo contorno do seu maxilar. — O que acha?

Seus olhos escuros e sagazes fixam nos meus. Uma tremulação de incerteza dardeja no fundo, logo é substituída por desejo. Como resposta, sua mão desce por meu peitoral, parando no meu pau.

— Acho uma ótima ideia — ronrona, perdendo seu habitual tom de seriedade.

Sorrindo vou até a porta para trancá-la. Antes mesmo de me virar novamente para ela, desabotoo o primeiro botão da camisa. Chego à sua frente com o torso nu e a braguilha da calça aberta.

— Tire a roupa... — Contorno seus lábios com o dedo, os dentes brancos mordem a ponta, causando um frisson na minha carne. — Quero te chupar.

Lívia Nascimento

Resolvo que está na hora de me recolher. Madu levou JP e está lá em cima com ele desde que o imbecil pediu. Passo pelo hall, em direção às escadas, entretanto, um ruído característico me faz cravar os pés no chão.

É um gemido.

Agindo pela curiosidade ando até o outro lado, encostando o ouvido na porta da sala.

— Oh, meu Deus! Apolo, me chupa assim! — a mulher choraminga.

Não escuto uma palavra dele. Não acredito que a personificação do mal está transando aqui?

A casa é dele, Lívia!

Grande porcaria!

Qualquer um pode ouvir, saco! Sem falar que ele estava me beijando há alguns dias. Agora... Quer saber, não é problema meu. Esse bendito que foda até perder o pau. Assim, quem sabe, esquece que eu existo e aumenta um pouco mais meu tempo de vida.

Deixo os pombinhos acasalarem e subo.

— Pula logo, Deusa! — Miguel fala de dentro da piscina.

Dou dois passos e paro. A água deve estar um gelo.

— Eu vou ficar roxa de frio quando entrar aí.

— A gente te esquenta, Nana — João Pedro garante.

O sem-vergonha do Miguel vem para a borda, um sorrisinho sapeca desenha sua cara bonita. Muito bonita!

— É, Deusa, a gente te esquenta. — Pisca.

Dou risada, mandando-o se afastar. Conto até três e corro em direção à água limpinha. Grito ao imergir, tossindo. Ao contrário do que pensei, a temperatura está ótima. Do nada sou erguida, minhas pernas se acomodam em volta dos ombros do filho paquerador da Madu.

— Ah! — gargalho alto.

As mãos dele se encaixam nas minhas coxas desnudas. Eu relutei para vir me divertir, não quero cutucar a fera com vara curta, vai que ele arranca meu braço ou dá cabo de mim logo, mas foi impossível dizer não ao meu sobrinho, a Madu e a esse safado do Miguel. A senhora simpática que cuida de nós me deu um biquíni vermelho com flores brancas, muito pequeno, para vestir. Seu filho arregalou os olhos quando me viu, desde então não para de derramar elogios para ver se caio na sua teia. Trapaceiro!

Miguel é alguém fácil de conviver e, apesar dos pesares, não me sinto desconfortável na sua presença, nosso entrosamento é natural.

— Deusa, Deusa, se você me desse um cantinho de moral, não se arrependeria.

Bato de leve na sua testa.

— Você não presta!

Rapidamente ele me tira dos seus ombros, deixando meu corpo escorregar pelo seu. Dou uma espiada em JP, que está tentando subir na boia de tubarão, alheio ao que acontece.

— Prestaria para você. — Tira os fios de cabelo, que grudaram no meu rosto. — Tenho certeza de que me colocaria de quatro em poucos dias, agachado eu já estou. — Não seguro o riso encabulado, sem jeito.

Ele é lindo demais, os olhos castanhos são fofos, a barba rala lhe dá um ar de homem maduro, os dentes alinhados são uma paisagem incrível. Não nego que é atraente, contudo, não devo entrar em mais uma enrascada. Colocá-lo em confusão está longe dos meus planos.

— Claro que sim — desconverso.

Detalhe que não adianta de nada, porque Miguel parece ter outro objetivo. Seus dedos encaixam embaixo do meu queixo, levando-me ao seu encontro, entreabro os lábios. Não tenho estrutura para entender se fico assustada com a jogada invasiva ou desesperada para que ele não se envolva ainda mais nas mentiras que venho contando para despistar sua curiosidade.

— Não faça isso — peço num resquício de voz.
— Por que não?
— Você merece mais. Acredite.

Tenho um impulso quase insano de dizer que, em breve não estarei mais aqui, e seguro a língua.

Uma risada baixa vibra no meu peito.
— Você pode ser esse mais, Deusa.

Admiro seu semblante sereno, sem uma ponta de sarcasmo ou fúria, tão distinto de Apolo. Antes que eu possa raciocinar, o timbre de comando que desperta temor e deslumbre, ressoa alto, raivoso:

— Que diabos está acontecendo aqui?

CAPÍTULO 9

Apolo Mendanha

Minha manhã foi a porcaria de um pé no saco. A reunião com o diretor geral da empresa, que será nosso passaporte real para a exportação, durou três horas. Entre dúvidas, papo-furado e o fechamento do contrato, meu humor tinha ido de pacífico para impaciente. Se tem algo que odeio é gente sem graça tentando fazer uma porra de piada. Enrolação do caralho!

Após a estressante, porém, necessária conversa, Caio vem com uma bomba que eu não esperava: vamos atrasar a produção por causa de uma pane geral nas máquinas da ala de molde.

Como isso aconteceu? Não faço ideia.

O pior é que o infeliz só me conta agora, essa merda ocorreu anteontem.

— Em que momento você achou que não precisava me sinalizar sobre isso? Puta que pariu!

— Eu estou aqui para te livrar desses pormenores, Apolo. Pensei que levaria um dia somente para voltarmos ao trabalho, mas os técnicos não encontraram o problema. Vamos ficar parados mais hoje.

Foda!

Sempre terminamos os lotes com antecipação, ficar esse tempo sem produzir pode atrasar as entregas. Aperto a nuca tentando aliviar a pressão que sinto no local. Não basta ter uma droga de situação em casa, preciso estar com a corda no pescoço na MV também.

— Peça para a equipe responsável entrar em contato com cada um dos clientes e explicar o imprevisto. Vamos contornar esse impasse, não podemos correr o risco de prejudicar nosso desempenho.

— Vou fazer isso agora. Nós vamos dar um jeito.

— Desta vez quero ficar a par de tudo, fui claro?

— Tudo bem. Com licença.

Caio se manda antes mesmo que eu possa piscar. Gosto de gente esperta; se ele ficasse mais dois segundos provavelmente o teria mandado se ferrar.

Vou até o extremo da sala para pegar uma dose de conhaque, preciso diminuir o estresse que retesa meus músculos. Acho que estou em uma daquelas fases onde todos os planos dão errado, porque não é possível que cada maldita coisa esteja fora do lugar desde jeito.

Resolvo ir dar uma volta pela empresa, costumo fazer isso uma vez por mês. Não sou o patrão sociável, mas entendo que se mostrar faça com que os colaboradores fiquem cientes que existo e que estou de olho. Além disso, procuro oferecer bons benefícios, gente que trabalha satisfeita, produz mais. Um meio para um fim.

O primeiro setor que passo é o do fio, que está a todo vapor, já que exportamos uma quantidade significante do material. Cumprimento alguns colaboradores, sem nunca interromper minha inspeção. Passo pela porta grande, que dá para o pavilhão onde montamos os moldes das peças, o espaço deveria estar uma loucura por conta dos lotes e prazos; para o meu desagrado está vazio, a não ser por Eleonor, que conversa com um dos técnicos. Não me anuncio, só me aproximo.

— Dê o seu jeito, não quero saber como.

A rispidez na voz da minha advogada é nítida.

— Tudo bem, senhora!

O homem extremamente magro arregala um pouco os olhos ao me notar ali.

— Senhor. — Faz um leve menear de cabeça.

Devolvo o gesto, sem tirar a atenção das costas de Eleonor, que parece se empertigar mais com a minha presença.

— Temos um problema? — Devagar a mulher se vira para mim.

Desde que saiu da minha casa há dois dias, após transarmos, não conversamos nada mais que o profissional. Ela finge que não aconteceu, eu agradeço por isso. Não que tenha sido ruim, Eleonor é sem frescura, do jeito que me agrada, só não pretendo repetir. Esse tesão que resolveu não aliviar só pode ser saciado por uma bendita delinquente que deveria estar morta.

Aperto as mãos em punho por estar sendo fraco ao ponto de aceitar manchar o nome dos Mendanha.

— Não, Apolo. Apenas cobrando que resolvam a pane das máquinas, estamos aqui perdendo tempo, isso não é bom para os negócios, não acha?

Escrutino seu rosto bonito carregado de maquiagem. Não costumo ignorar quando minha experiência com gente pilantra apita, contudo, vou verificar o terreno antes de atacar.

— Certo.

Abandono-a ali parada e continuo minha passeata pela MV. Vou conversar com Jonas, colocar um dos seguranças no seu encalço; quando tiver certeza do que ela está aprontando, dou o bote.

Uma hora depois estou no meu escritório pronto para ir embora. O dia deu, não quero correr o risco de ter mais uma granada caindo livremente na porcaria das minhas mãos.

Deixo o carro em frente à entrada, subo os dois primeiros degraus da escada, mas sou parado por uma gargalhada que sei muito bem a quem pertence.

Largo a pasta e o paletó com Madu, que espera à porta, e sem dar margem para que ela defenda a delinquente de alguma forma, saio pela lateral rumo à piscina.

Lívia está liberada para andar pela propriedade, com vigia reforçada, claro. Cheguei a esse consenso de merda porque o menino precisa se familiarizar, e isso não vai acontecer com ele trancado no quarto. Mesmo que a estratégia tenha um objetivo, não deixo de ficar furioso com a realidade que venho impondo. A bendita deveria estar apagada, não usufruindo de algo que deveria ser da minha irmã. Foi a maldita família dela que acabou com a minha.

Desabotoo os primeiros botões da camisa azul-clara e enrolo as mangas até os cotovelos. Assim que viro para a esquerda e tenho uma visão geral do local, preciso parar um segundo para entender o que vejo.

Lívia e Miguel estão agarrados, quase aos beijos. Observo-o sussurrar qualquer babaquice e se aproximar. Em vez de a infeliz se afastar, ela aguarda. Não sei explicar o ódio mortal, que se insinua desde as minhas pernas até os dedos das mãos que se esmagam na palma. Nem fodendo que Miguel vai provar dela, porra!

Sem falar que meu sobrinho está ali, perto o bastante para assistir o que ambos pretendem fazer. Dou mais dois passos para perto, parando na beirada.

— Que diabos está acontecendo aqui? — sibilo alto o bastante para que escutem.

A delinquente se joga para trás, submergindo na água. Miguel banca o cavalheiro salvador e a segura firme pela cintura. Com ela nos braços anda até a borda, colocando-a sentada ali.

— Tudo bem, Deusa?

Deusa? É brincadeira essa merda, né?

Solto uma risada debochada.

— Nana? Nana?

Vejo João Pedro vir para o lado da tia. As boias nos seus braços o impedem de afundar.

— Está tudo bem, JP. Só engoli um pouco de água. — O sorriso que dirige ao menino é tenso.

Miguel se empurra para cima, então ajuda Lívia a levantar. No instante em que a filha da mãe fica de frente para mim, puxo o ar entredentes. Puta que pariu! O biquíni minúsculo cobre apenas sua boceta e os seios, a cintura fina e as coxas grossas estão à vista, para o bel-prazer de quem quiser ver.

— Ei, tá tudo bem mesmo? Me desculpe, não consegui te segurar a tempo.

— Sem problemas, Miguel. Não foi sua culpa.

Pareço um intruso enquanto os dois trocam frases de preocupação. Para o inferno com essa baboseira!

— Preciso falar com você, Lívia. Te espero no escritório.

Saio a passos pesados, controlando a vontade de pegar a delinquente pelo cabelo e dar um soco na cara de babaca exemplar do Miguel. Passo como um furacão pelo hall e percorro o corredor até a última porta. O cômodo todo decorado em madeira cara e quadros extravagantes, só serve para aumentar minha inquietude. Não consigo me impedir de querer provar as curvas que mais parecem um convite para o pecado. No meu caso é realmente isso. Que caralho!

Esfrego o rosto, impaciente. A garota tem vinte anos, quinze a menos que eu. É sangue do marginal e uma maldita gostosa.

— Quer conversar comigo?

Viro-me devagar para encontrá-la estática em um lugar estratégico para fugir.

Os olhos de cor exótica se mantêm fixados no chão. As mãos em frente ao corpo empinam ainda mais os seios redondos. Seu cabelo comprido e molhados parece indomável, muito sexy. Mulher desgraçada, que está me fodendo bonito!

— Vejo que está gostando da estadia, não é? Já se sente em casa? — grunho entredentes. — Acho que fui bem claro quando disse para não tentar se enturmar aqui, porra!

Sua cabeça se levanta para me enfrentar. As duas fendas e o brilho ameaçador, porém inútil, vívido no verde único. Por longos segundos, Lívia somente me encara, seu maxilar travado deixa seu rosto vermelho por causa do esforço.

— Eu já sei disso. Então por que não acaba de uma vez com essa baboseira? Cansei de ficar no limiar, de tentar agir certo, de sempre ter alguém para lembrar que não valho nada. Chega desse joguinho, Apolo! — murmura com raiva.

Acabo por rir, porque essa cena é inacreditável. A garota está no olho do tornado e continua rebelde.

— Se eu fosse você, não...

— Não o quê? Você não sabe nada de mim, não passou pelo que passei, não teve que se virar com uma criança lá fora — aumenta o tom. — Acha mesmo que vou ficar aguentando suas humilhações? Cheguei a um ponto em que não tô nem aí se vou ou se fico. Faça logo o que pretende e me deixe em paz. Só. Me. Deixe. Em. Paz! — grita o final.

Ergo as duas sobrancelhas em total perplexidade. Que ela não tem nenhum fio de autopreservação eu sabia, já que vivia nas ruas e morava em um barraco horrendo, mas ser suicida é uma novidade. Essa peste dos infernos está achando que não vou cumprir minha promessa só porque meu pau fica duro na sua presença? Ela que reveja suas teorias.

Não percebo que vou em sua direção até que a maldita recua. Com uma das mãos fecho a porta, com a outra puxo sua cintura para prensá-la na parede. Maluco, definitivamente estou ficando maluco!

— Você precisa aprender a ficar calada, Lívia. Assim, talvez, sobreviva nesse mundo onde a maioria das pessoas não dá a mínima para tipinhos como você.

Ergo suas duas mãos acima da cabeça.

— Não me importo com o que pensa.

— Deveria... porra, deveria. — Fico perto demais da sua boca.

O duelo sem diálogo que trocamos é quase um combustível para as necessidades do meu corpo. Com o fio da racionalidade se extinguindo, percorro sua coxa com as pontas dos dedos, sua pele se arrepia com o meu toque. Esse maldito pedaço de pano que usa ficou absurdamente excitante em contraste com a cor bronzeada. Minha têmpora pulsa com a possibilidade de experimentar mais do seu sabor. Lentamente mordo seu lábio inferior, em seguida sugo a carne bem desenhada. Lívia se contorce.

Indo contra qualquer problema, intensifico o ato, colando mais nossos corpos, ensopando minha camisa social com a água que ainda a encobre. Em questão de segundos viramos uma bagunça improvável, tão tentadora quanto. Lívia se solta do meu aperto para se apoiar nos meus ombros. Com firmeza seguro embaixo da sua bunda e a ergo, levando-a até a mesa, encaixando-me entre suas pernas. Uma das minhas mãos se embrenha entre os fios negros; a outra espalma sua lombar, trazendo-a mais para perto, até sentir sua boceta fervente no meu pau, que está duro como pedra. Nossas línguas trabalham em conjunto, é possível perceber sua falta de experiência o que, por incrível que pareça, é mais um atrativo. Em um impulso que não esperava a delinquente segura meu lábio entre seus dentes e morde, a pressão me obriga a mover o quadril, moendo nossos sexos com gosto.

Um gemido acanhado reverbera dela para mim. E, puta que pariu, é o meu fim. Solto seu cabelo e puxo meu pau para fora. Sem deixar de beijá-la, corro-o por cima da calcinha do biquíni. Que tesão do caralho!

Lívia pende a cabeça para trás e se esfrega sem dó no meu pau, ganindo como uma gata no cio, pronta para chegar ao clímax. Chupo seu pescoço sem me importar se ficarão marcas, preciso puni-la por me obrigar a fazer merda.

— Você é fogosa, não é, garota? — digo assim que puxo o bojo do sutiã para baixo, libertando seus seios. Como previa são durinhos, com a aréola marrom claro e estão entumecidos, implorando atenção. — Se continuar nesse ritmo vai gozar sem ao menos me sentir aqui dentro.

Aperto meu pau, empurrando-o na sua entrada que é protegida pelo pedaço de pano empapado. Um gritinho abafado inunda o ambiente quando meus dentes se fecham em volta do bico, para então minha boca chupar o monte com uma vontade que não experimento há tempos, o sabor de mulher gostosa explode na minha língua. Desço meus dedos das suas costas para apalpar a coxa grossa, correndo a palma para cima e para baixo.

Lívia continua se remexendo, extraindo algum contato mais firme, deixando-me a ponto de finalizar a merda que estou construindo aqui. Intercalo entre abocanhar os montes médios, ouvir seus barulhos quentes como o inferno e manter algum juízo. Não consigo acreditar que estou me atracando com a irmã do marginal e que nenhum remorso subiu até a agora.

Em algum momento, a calcinha escorrega para o lado e meu pau adentra um pouco do seu calor que beira ao insuportável. Eu grunho com o contato. Lívia geme alto.

— Apolo... — Em vez de acordar do torpor com o meu nome sendo dito, afundo mais um pouquinho. A voz dessa infeliz parece um canto de sereia, caralho! — A-Apolo... — engasga-se ao falar de novo.

Eu ergo minha visão para admirar suas pálpebras se fecharem em deleite, sua boca se abre, o cabelo solto em volta dela toda cria uma cena afrodisíaca. E assim, sem esforço, Lívia chega ao orgasmo, rebolando no meu pau, chamando por mim. Saio rapidamente do seu interior e me masturbo enquanto ela ainda tem espasmos. No segundo que seus olhos claros se abrem para travar nos meus, eu gozo urrando. Urrando a porra do nome dela.

— Lívia!

CAPÍTULO 10

Apolo Mendanha

Encaro minha porra que escorre por sua barriga, depois a fisionomia de satisfeita dela, por último sua boceta. A calcinha ainda está um pouco para o lado, os lábios rosados brilham com os fluidos do orgasmo. Levo dois dedos ali e os enfio com vontade para dentro.

— Oh, meu Deus... — A bendita geme tão fodidamente perfeito, que os pelos da minha nuca arrepiam.

É hipnotizante assistir o vai e vem, o som do quão encharcada ela está.

— Você vai me tirar o juízo, garota — digo baixo, acho que mais para mim do que para ser ouvido.

Tiro meus dedos dali e doido, quase alucinado, levo-os até a boca para degustar o sabor. Sinto suas pernas se fecharem em torno de minha cintura enquanto rosno com o toque cítrico percorrendo minhas veias. Travo minha visão nela, nos seus lábios vermelhos por causa do beijo, que estão entreabertos, convidativos. O verde único da sua íris parece dois tons mais claros. Abaixo meu braço, apoiando os dois ao lado do seu quadril.

— Quer provar seu gosto, Lívia? Quer entender por que é tão gostosa?

Ela não fala, quase não se mexe, aproveito a deixa e me inclino para frente, unindo novamente nossos lábios. Quero mais, preciso de mais. Só consigo pensar em me enterrar nela o mais fundo que posso ir. Não quero calma, quero loucura. Já que andei metade do caminho para o inferno, não vai fazer diferença assinar o contrato com o diabo.

Enrosco as mãos nas laterais da calcinha para tirá-la. Foda-se tudo, eu vou comer essa garota. Não sei como será quando voltar ao meu estado normal, bem provável que tente descontar nela minha falta de tato com os negócios, porque sim, a delinquente é um negócio inacabado que fiquei dois malditos anos procurando.

Lívia Nascimento

Minha cabeça parece leve, meu ouvido apita, até a respiração trepida no segundo em que Apolo tenta abaixar minha calcinha.

Não sei como viemos parar nessa situação, na verdade, até meio minuto atrás não estava preocupada com isso. O que senti quando ele me tocou, os barulhos que fez, meu nome sussurrado por sua boca. Tive somente uma experiência assim com o sexo oposto e, por Deus, foi horrível, doloroso, humilhante. O mais perto que havia chegado antes de ser atacada, foi dar um beijo em um colega de sala, atrás da escola, na festa de final de ano. Meu irmão não me dava abertura para muito.

Eu deveria ter ficado apavorada por ter um homem tão dominante me guiando, não deveria? Não ter ficado me torna suja? Por que somente agora estou entrando em colapso com a mera possibilidade de ultrapassar uma barreira que eu mesma criei? Nós estamos aqui, eu de biquíni, ele totalmente vestido. Acabamos de repetir o erro de dias atrás, e sei que as consequências sobrarão para mim. Apolo me arrasta mais para a ponta do móvel, pronto para terminar de me despir.

— O que está fazendo? — murmuro quase inaudível.

O cara alto, com olhar beirando a maldade e muito bonito, traz seus olhos escuros para me observar. Não consigo chegar a uma conclusão do porquê de não conseguir ter nojo dele, já que evitei qualquer contato com homens nesses últimos meses.

— Pegando o que quero — afirma, com a voz mais grossa. Um frio na boca do estômago quase me faz encolher.

Essa frase.
Essas palavras.
O peso delas.

Apolo Mendanha

Vejo Lívia estremecer, só que não é de prazer, e sim de medo.

— Não — escuto seu apelo baixo.

Qualquer vestígio de luxúria que dançava nos seus olhos, apaga-se rápido. Enrugo a testa para a mudança abrupta.

— Por quê? — inquiro ao invés de continuar com o que não poderia, mas desejo mais do que posso aceitar.

— Porque não quero me sentir suja de novo. Não quero que simplesmente pegue o que quer só para provar que não tenho escolha.

Corro minha atenção por seus traços, buscando qualquer indício de que está encenando. Não encontro nada. As emoções que perpassam ali são cruas, verídicas. Tiro minhas mãos dela, arrumo a calça e me afasto o suficiente para clarear as ideias. Não sou o melhor dos seres humanos, contudo, jamais forçaria o que ambos não querem.

Lívia dardeja impotência para cima de mim, aparenta uma vulnerabilidade que não tinha captado nela ainda. Então, lembro-me das suas palavras no dia que entrei no quarto e a vi dormindo. Meus músculos parecem solidificados com a fúria repentina por imaginar que estupraram a garota. Esse é um limite que só os filhos da puta, que merecem tortura antes da morte, avançam.

— O que fizeram a você? Me conte! — exijo rudemente, não conseguindo frear meus ânimos.

Um silêncio pesado se instala, minha respiração fica mais ruidosa conforme o espaço vazio aumenta. Não tiro os olhos dela, por isso acompanho seus braços envolverem o próprio corpo, criando algum tipo de barreira entre ela e o restante do mundo. Um sentimento de cuidado, posse, grita na minha mente.

— Lívia... — sibilo.

— Eles invadiram a nossa casa, estávamos JP e eu. Fazia umas duas semanas que Felipo havia falecido. Os malditos foram cobrar as drogas que meu irmão devia; após a morte da esposa, ele se afundou nisso. Ficou devendo para gente da pesada... — resfolega, no mesmo compasso cerro os punhos. — Meu sobrinho estava dormindo, tão indefeso... Eles o machucariam se me negasse... Se negasse...

Não termina, nem precisa. No impulso dou um murro na mesa do canto, fazendo com que os objetos que estão sobre ela balancem. A garota se encolhe mais, como se isso fosse possível.

Porra!

— Eu era virgem, sangrei muito, tive cólicas horríveis, mas permaneci trancada em casa até melhorar. Não podia contar, ninguém acreditaria. Não dava para ir ao hospital por conta da vergonha. Eu me sentia imunda mesmo depois de passar horas debaixo do chuveiro, mesmo com roupas limpas. Joguei água sanitária no piso, até nos móveis, mesmo assim não passava a sensação. Então fugi para aquele barraco. Felipo vivia falando dele, idiotice a minha foi não ter ido antes, achei que ficaria bem...

Dou um passo à frente e recuo dois. Não posso me deixar levar pelo relato, preciso saber se é real primeiro. Lívia pode mentir, inventar.

Olhe para ela, Apolo. A garota parece quebrada.

Prego minha inspeção na sua fisionomia retorcida de nojo, vergonha, receio. Para me impedir de fazer mais uma merda, como pegá-la no colo e dizer que vou resolver tudo, viro de costas.

— Nomes, quero nomes! — rosno.

— Eu não sei o nome deles, só apelido. Mas não quero qu...

— Diga! — ordeno quase a ponto de explodir. — Só diga, Lívia.

Escuto seu suspiro resignado.

— Eram dois: Bilo e Kazar.

Puta que pariu! Covardes do caralho!

Lívia Nascimento

O suor frio escorre por minhas costas nuas, intensificando a vontade absurda de me cobrir. Para acalentar essa sensação, continuo com os braços apertados à minha volta, como se esse gesto me passasse alguma segurança. A frase que ele usou para deixar claro o que pretendia, foi idêntica àquela que ouvi naquele dia. Isso me deixou assustada, mais ciente ainda de que não é certo ter algum tipo de relação após o que aconteceu, ainda mais com Apolo, que pode ser igual ou até pior que qualquer bandido que tenha conhecido.

Estremeço.

Ele está de costas, com a cabeça abaixada, mesmo assim é possível notar seus ombros tensos. As mãos agitadas bagunçam o cabelo ainda mais.

Não sei o que pensar.

Não sei como agir.

Nem se sua reação é boa ou ruim.

Na época em que fui vítima daqueles que não titubearam em me violar, mesmo com minhas preces de misericórdia, pensei que não voltaria a seguir em frente, que desistiria de tentar lutar. Foi assim por um período, até que acordei para a realidade de que havia uma criança dependendo de mim, a partir disso me dediquei a zelar por JP, foi no meu sobrinho que busquei o impulso que me mantém de pé.

— Porra! — Dou um pulo ao ouvi-lo socar, de novo, o móvel elegante.

Ele se vira com calma, que imagino não ter, para me fitar. Um som de engasgo deixa meus lábios ao identificar a fúria crispar nos olhos tão escuros quanto uma nuvem carregada prestes a desabar água. Ainda estou sobre a mesa, sem escapatória, temendo que sua ira seja despejada e que eu seja o destino. Ele respira fundo, olha para cima, respira novamente.

— E como você está com isso?

Perco a capacidade de raciocinar ao ouvir seu questionamento que vem cauteloso. Estou acostumada com o ataque, não com a compreensão. É preferível esperar o pior das pessoas, ainda mais da personificação do mal, que não perde a oportunidade de me ameaçar. Ficamos nos encarando intensamente. Não sei o que ele pensa, todavia, estou indecisa entre ser sincera ou encenar.

— É só uma pergunta, Lívia, responda. — É possível entrever o controle dele ruindo.

— Eu prometi que não deixaria que esse desastre ditasse como deveria me sentir ou me comportar. Foi cruel? Foi. Mas não posso dar o gostinho aos filhos da mãe de me verem afundar na autopiedade. Passei meses me culpando, acho que até hoje me sinto a principal responsável pelo que houve, só não me permito desabar. Não enquanto tenho João Pedro, não enquanto você me deixar viva.

Apolo não diz nada, só escrutina meu rosto de um jeito desconfortável, buscando seja lá o quê.

— Pode sair, preciso ficar sozinho.

Desço do móvel e viro nos calcanhares, doida para desaparecer da companhia desse homem que exala poder, sedução, perigo.

— Lívia — chama antes que eu possa pisar no corredor. — Não pode andar assim pela casa. — Mesmo sem me virar sei que está falando da lambança na minha barriga. — Tome.

Conto até dez antes de me voltar para ele. Arregalo os olhos ao perceber que Apolo tira a camisa. Devagar, ele vem até onde estou e a joga por cima dos meus ombros. Permaneço quieta.

— E, por favor, não se aproxime mais do Miguel o bastante para que ele queira beijá-la.

Não escondo o choque com seu "pedido", também não me pronuncio. Abro a porta apressada e corro para fora, fechando o tecido fino em torno de mim, rezando para ninguém me parar no trajeto. Subo as escadas de dois em dois e me tranco na minha prisão provisória. Meu coração bate sem dó, esmurrando o peito. São muitas novidades para assimilar, uma carga completa de porcarias para engolir.

Eu falei com alguém sobre o que aconteceu e deixei que me tocassem. Não sei como me sinto em relação a isso, nem se tenho que me sentir de alguma forma. Não consigo discernir se é errado ou se é só a pessoa errada. Apolo não é bom, esse fator deveria ser o bastante para me manter o mais distante possível. O mais confuso foi sua reação. Por que fingir que se importa, se seu objetivo é me ferrar?

Pego a toalha dobrada no armário do banheiro e molho na pia para me limpar. A imagem que reflete no espelho é uma bagunça de incertezas complexas, a principal delas, por ora, é decidir se permaneço em alerta com a mudança inesperada no comportamento do Apolo, se choro por ter revivido a pior fase que passei ou se deixo a esperança, que coça no fundo, vir à superfície.

CAPÍTULO 11

Apolo Mendanha

Sento-me na cadeira para tentar raciocinar direito.
A delinquente foi violentada pelos, até então, companheiros de vagabundagem do seu irmão. Cuidou da criança mesmo em estado crítico porque, convenhamos, os filhos da puta devem tê-la machucado muito. Bando de desgraçados! Mesmo com essa carga de pesadelos, ela ainda não tem medo do que pode lhe acontecer? Ou tem, mas realmente não se importa. Esfrego o rosto com mais força que o necessário. A situação é bem mais fodida do que eu esperava.

Eu quase transei com a garota, caralho! Quase a tomei aqui em cima da mesa, sem um pingo de vergonha de admitir que teria ido até o final caso Lívia não interrompesse. Ainda por cima, sequer cogitei colocar uma camisinha no meu pau.

— Onde você estava com a cabeça, Apolo? — resmungo, mesmo já sabendo a resposta: qualquer mínimo pensamento estava na boceta dela e no seu sabor de mulher gostosa.

Foda!

Subo até o meu quarto e tomo um banho antes de descer e ligar para Jonas, pedindo para que venha até o escritório. Vou resolver essa merda antes que saia pela casa quebrando tudo, a raiva queima minhas entranhas sem piedade. Não me considero justo, muito menos santo, já fiz mais besteiras que a maioria, sou arrogante, gosto de demandar, mas se tem algo que me deixa possesso é abuso. Tanta mulher disposta, por que os imundos preferem estuprar?

O meu passado é o principal motivo para não suportar tal comportamento, foram muitas as ocasiões em que Ícaro obrigou Mônica a ter relações, eu escutava do meu quarto todos os pedidos de pare que ela fazia. Tentei me meter mais de uma vez, o que me custou um braço quebrado e muitas escoriações.

Desisti de salvar minha mãe quando percebi que seus status valiam mais que a humilhação. Contudo, foi mais terrível entender que, mesmo sendo subjugada, Mônica esperava que meu pai se transformasse no seu príncipe encantado. Têm pessoas que preferem permanecer na ignorância de que as coisas vão mudar, o que elas não entendem é que é mais fácil se tornar um monstro do que deixar de ser um.

— Algum contratempo, senhor? — Jonas aparece na porta.

— Preciso que os encontre. — Empurro o pedaço de papel onde anotei o apelido dos estupradores do caralho. — Pelo que sei, eles moram no antigo bairro onde Felipo ficava. Ache-os o mais rápido possível, quero ser avisado assim que o fizer.

— Tudo bem.

— Coloque seus melhores homens nisso, Jonas. Quero discrição.

Ele concorda.

— Outra coisa, preciso de alguém vigiando Eleonor. Pressinto que ela está aprontando alguma para cima de mim em conjunto com meu pai.

— Vou providenciar agora. Algo mais, senhor?

— Não.

Volto a ficar sozinho. Se a garota passou por essa merda, a culpa é do maldito irmão dela. O marginal não pensou no filho, muito menos na irmã que deixaria à mercê das suas falcatruas. Se o infeliz não estivesse morto, eu o faria sofrer por dias a fio. Felipo conseguiu envolver Lisandra de tal forma que ela escolheu abrir mão do que tinha para sobreviver com quase nada. Tirou da minha irmã qualquer chance de futuro, de realizar sonhos. Lisandra era como Lívia. Rebelde, impulsiva, e olha no que deu. No dia em que enterrei o único membro da minha família que importava, jurei vingança. Prometi na frente de um litro de bebida que caçaria cada um dos infelizes que ousaram mexer com os meus. Só não esperava dar de frente com uma garota que não cala a boca e que está me empurrando para o mesmo caminho que Felipo levou Lisandra: um desejo louco que você só quer saber de suprir sem se importar com as consequências.

Puta que pariu!

Meu celular vibra no bolso da calça social, antes de atender verifico o identificador para ver se vale a pena o estresse: Caio.

— Diga.

— Apolo, os técnicos conseguiram arrumar as máquinas, vamos voltar à produção. Muitos dos funcionários vão fazer hora extra para recuperar o tempo perdido.

— Ótimo!

Estou pronto para desligar quando ele me chama:

— Preciso do exame de DNA para poder passar à próxima etapa do processo de reconhecimento de maternidade.

— Farei isso amanhã. Só na parte da tarde vou para a MV, se ocorrer algum imprevisto me avise.

Largo o aparelho sobre os papéis do balanço geral da empresa e me levanto para pegar uma dose de conhaque. Logo o menino terá seus direitos como um Mendanha, isso significa que em breve não precisarei mais da delinquente esquentadinha. Só tem uma porra de problema nisso: estou começando a repensar sobre o fim da garota.

Assim que o dia clareia me vejo de pé, tomando banho e pronto para descer. Ontem preferi dar espaço para Lívia e a deixei jantar no quarto com o João Pedro. Fiquei até tarde revendo os registros sobre a distribuição das encomendas, fui dormir quando passava das duas da madrugada. Mesmo com poucas horas de sono, não consigo mais ficar deitado.

Caio me ligou perto da meia-noite para avisar que a produção estava correndo bem, pedi a ele para que chamasse técnicos de fora para verificar o que aconteceu com as máquinas. Não sou idiota, Eleonor jamais conversaria com um funcionário sem ser obrigada, esse é o papel para o encarregado do pavilhão, somos apenas contatados e caso seja um problema maior nos metemos. Caio já havia tomado a iniciativa, não tinha motivos para ela fazer o mesmo. Além disso, seu nervosismo ao me ver por perto não passou despercebido.

Ícaro e ela podem ser espertos, mas não são eu. Desde cedo aprimorei minha teoria de que não devo confiar em ninguém, ainda mais quando se trata de dinheiro. E se tem um detalhe que Eleonor nem sempre consegue disfarçar, é sua revolta por não ter assumido a MV.

Já à mesa, espero Madu aparecer para que possa chamar João Pedro, peço que arrume o menino porque vamos sair. Vejo a governanta enxerida arregalar os olhos, pronta para argumentar.

— Vá logo, Madu! — corto-a antes do falatório.

Ela se retira às pressas.

Lívia Nascimento

Acabo de arrumar a cama quando Madu entra no quarto, agitada.

— Apolo vai sair com JP, mandou que arrumasse o menino.

Acho que todo o sangue é drenado do meu corpo. Pelo amor de Deus, o que aquela personificação do mal vai fazer com o meu sobrinho? Será que vai obrigá-lo a pegar uma arma e começar a se envolver com o crime? Como na favela, onde as crianças crescem com um revólver como brinquedo? Eu prometi para Lisa que protegeria seu filho, que daria a ele todo o amor que ela não poderia dar, mesmo que não conseguisse lhe proporcionar uma vida melhor da que tínhamos.

É só por causa desse juramento que saio quase correndo escada abaixo, sem dar atenção aos chamados de Madu. Sei que, quando Apolo resolver dar fim a mim, João Pedro ficará sozinho, mas enquanto estou aqui me recuso a não lutar, pelo menos, por um pouco de normalidade para ao pequeno. Apolo não vai corrompê-lo mais do que nossa fatídica condição fez. Não comigo por perto.

Encontro o bendito lendo o jornal, como se fosse o rei da porcaria do mundo. O que esse infeliz tem de beleza recebeu em dobro de arrogância e maldade.

— O que vai fazer com ele?

Ele ergue os olhos para os meus, nem um sentimento se apresenta em sua íris.

— Não entendi o porquê da pergunta. — Dobra as folhas e deposita ao seu lado.

— Aonde vai levá-lo? Escute aqui, Apolo, você pode até ser quem dá as cartas, só que não vou permitir que desconte no meu sobrinho essa raiva que tem pelo meu irmão. Você não t...

— Fique quieta, Lívia! — Sua voz se sobrepõe a minha.

Abaixo o dedo que estava em riste, demonstrando minha total falta de controle. Minhas mãos tremem com o nervosismo de imaginá-lo negligenciando JP.

— Não vou permitir que o coloque em risco! — garanto com uma pitada de raiva.

— E quem disse que você pode permitir algo aqui?

Sua frieza chega a ser irritante. Homem dos infernos, que não tem um pingo de compaixão. Tenho vontade de pegar a cadeira e jogar na sua cabeça, quem sabe assim aquele seu lado que Madu falou acorde. Ficamos nesse embate de olhares. Eu sei que vou ser derrotada, mesmo assim me mantenho firme. É de João Pedro que estamos falando e por aquele menino vou até o fim.

É aí que Apolo resolve desviar sua atenção mais para baixo, encarando a blusinha estilo ciganinha branca que deixa minha barriga à mostra e o short jeans curto com a barra em renda. Estremeço com a inspeção, é involuntário. Quando volta languidamente o caminho que percorreu, para em meu pescoço. A marca que ele deixou ontem está bem visível, por isso estou com o cabelo solto, o que não ajudou em nada.

— Dormiu bem?

A mudança abrupta de assunto me deixa sem palavras. A forma com que perguntou não denota preocupação, apenas estratégia para me desviar do que quero saber. Detalhe esse que me deixa ainda mais pilhada. Fiquei horas repassando o que aconteceu no escritório, entre me punir por sentir algo e entender por que chegamos aquilo, acabei adormecendo. Não foi certo por vários motivos, mesmo assim não foi ruim. O que me coloca em uma posição de idiota completa.

— O que vai fazer com ele? — Volto ao tópico que me interessa.

As sobrancelhas escuras, que decoram sua cara bonita, se erguem. Porém, mais uma vez, sou pega de surpresa ao ouvi-lo responder:

— Vamos passear.

Minha fisionomia de choque deve ser absurda, pois o bendito repuxa os lábios para cima antes de levar a xícara até a boca e sorver o que imagino ser café.

— Esperava outra resposta, garota? — caçoa.

— Por que está fazendo isso? Qual o seu objetivo?

— Nenhum.

E para por aí, não dando qualquer margem para que eu possa argumentar. Não perco meu tempo pedindo para que prometa cuidar do meu sobrinho, não vai adiantar. No segundo em que decido voltar para o quarto, a voz de Miguel me faz parar de novo.

— Deusa, que bela visão pela manhã!

Ele entra pela porta que dá na cozinha e vem direto até onde estou para deixar um beijo estalado na minha bochecha. Os braços fortes me abraçam com carinho.

— Oi, Miguel — devolvo o cumprimento.

Estamos de lado, com a visão periférica observo Apolo fixo em nós.

— Já comeu? — questiona, afastando-se.

— Ainda não.

— Minha mãe fez um bolo de fubá delicioso. O que acha de experimentar direto da forma? — Pisca.

Acabo por rir do seu jeito galanteador. Quem diria que, em meio a essa bagunça que estou, encontraria uma brisa suave para aliviar a tensão?

— Ela vai comer à mesa. — A personificação do mal se faz presente, eliminando o clima tranquilo.

Não me mexo, continuo olhando para Miguel, a serenidade dele é mais atrativa que as feições carregadas do infeliz.

— Bom dia, Apolo! — Miguel fica de frente para ele.

— Bom dia! — saúda, azedo.

— Acredito que Lívia possa escolher onde quer se alimentar, não?

Arregalo os olhos com a afronta. De supetão, volto-me para Apolo. Ele parece calmo, contudo, consigo identificar a fúria por trás da casca.

— Claro! Onde prefere tomar seu café, Lívia? — inquire entredentes.

Quero rir, juro que quero. A situação é bizarra demais. A ameaça velada não passa despercebida, Apolo tem ciência de que não vou ignorá-lo, não sabendo que com um simples comando ele pode mandar me matar. O que me deixa mais abismada, é a naturalidade com que Miguel o trata. Apolo parece temido por todos, menos pelo filho da governanta.

— Eu estava subindo para arrumar o JP, não estou com fome agora. — Uso a melhor saída que consigo.

O homem alto, com olhos castanhos fofos, sorri ao me fitar. Faço o mesmo.

— Tudo bem, Deusa. Vou ficar por aqui, mais tarde nos vemos. — Beija meu rosto novamente antes de voltar pelo mesmo local que veio.

Miguel é tão incrível quanto sua mãe, queria tê-los conhecido antes. Quem sabe muitas coisas poderiam ter sido diferentes?

— Espero que não seja necessário repetir o que disse ontem — o infeliz grunhe, arrancando meus devaneios bons e os trazendo para a realidade de merda.

Não se aproxime mais do Miguel o bastante para que ele queira beijá-la.

A frase retumba na minha cabeça sem que eu precise pensar nela.

— Não será necessário, Apolo. Não porque você quer, sim, por não cogitar a possibilidade de colocar ele em problemas! — rebato.

— Bom, muito bom! — Recosta-se na cadeira. — Que isso se estenda sobre não contar nada que não seja do interesse dele. Sabe como é, *Deusa* — pronuncia a palavra com asco —, posso incluir Miguel na minha vingança também.

Os orbes escuros se estreitam para mim, ameaçadores. Antes que eu solte os desaforos que estão por vir, saio em disparada do cômodo. Tenho de aprender a ficar em silêncio. Que pessoa no mundo se oporia ao seu suposto algoz?

Perto desse bendito tudo se torna amplificado, impelindo-me a um confronto nada inteligente. Já bati de frente com Apolo tantas vezes, que não consigo chegar a uma conclusão plausível para que ainda esteja bem e andando livremente pela mansão. Não sei se a louca sou eu ou ele.

CAPÍTULO 12

Lívia Nascimento

— Eu quero sim, Nana — meu sobrinho afirma pela décima vez que quer ir junto com a personificação do mal.

Inocência de criança é uma coisa. Com algumas poucas conversas sobre seus assuntos preferidos, o bendito Apolo conquistou o pequeno. João Pedro não fala muito sobre ele, mas nos momentos em que estamos perto fica à vontade, como se estivesse em família. O que é bem ridículo, pois não poderíamos estar em situação mais oposta.

Apolo baixa o vidro traseiro do carro, onde um dos cães sarnentos está no volante, e praticamente rosna:

— Anda logo!

Beijo repetidas vezes a cabeleira escura do JP e o deixo ir com o coração na mão. Apolo poderia ter aliviado meu desespero se tivesse prometido que cuidaria do menino enquanto eu insistia para que o fizesse; óbvio que o infeliz não está dando a mínima para como me sinto. Assisto o veículo se afastar pela rua de granito, até sair pelos enormes portões e sumir de vista.

Viro-me para a mansão desnecessária de tão grande, pensando no que farei até poder colocar minhas mãos no João Pedro e me certificar de que está inteiro. Resolvo ir ao jardim observar as plantas, desenhá-las na minha cabeça. Só de lembrar que todos os meus pertences foram queimados, havia tantos desenhos lá, tantas imagens passadas para o papel, imagens essas que surgiam perfeitas por trás dos meus olhos e que tinha verdadeira paixão em expressar através dos traços. Apolo não teve piedade em tirar até o mínimo fio que me agarrava, até JP saiu prejudicado, o menino ficou muito tristinho ao saber que não teria mais seu urso, não contei a verdade, tentei ser menos realista, o que não anulou sua mágoa.

Isso que estamos vivendo é surreal demais, parece que fui sugada para algum mundo cinematográfico e sendo obrigada a atuar. Não tenho nada que o bendito homem possa querer, se me matar é sua vingança, por que não faz logo? Tem momentos em que conversamos normalmente, noutro estou sendo encurralada, ainda houve o incidente na cozinha e no escritório. Muita loucura para digerir.

— Oi de novo, Deusa! — Miguel se joga no banco ao meu lado, fazendo-me piscar voltando ao presente.

— Olá, senhor galanteador! — Seguro a barra do short como se fosse fazer uma reverência.

Miguel sorri.

— Gosto da sua parte divertida. — Bate o dedo no meu nariz.

Eu me recosto ainda, encarando-o.

— Não vai para a oficina hoje por quê? — questiono, logo noto o quão enxerida estou sendo. — Só curiosidade, não precisa contar se não quiser.

— Sou um livro aberto, Deusa. Sem segredos. — Fica na mesma posição que eu. — Gosto de tirar uma folga no meio da semana, assim consigo ficar mais com minha mãe. Ajudo nas tarefas lá de casa ou nos serviços pequenos que tem pela propriedade.

Esbarro meu ombro no seu.

— Quanta bondade — brinco.

— Viu só, sou um bom partido.

— Claro que é! — Reviro os olhos e ganho uma risada gostosa em troca.

Deixamos que um silêncio tranquilo domine nossa interação. Miguel é leve, gosto da sua companhia; apesar da pouca convivência, consigo ser eu mesma perto dele. A mesma que costumava ser antes de tudo acontecer. Não há aquele quê de ameaça com a sua presença, seu toque não me causa repulsa.

"Nem o dele nem o do Apolo", penso e no mesmo segundo ignoro.

Apolo é ameaça pura, só não consigo senti-la como deveria já que vivo enfrentando o infeliz.

— Então, chega de falar de mim, me conte de você. Quero mais informações sobre a verdadeira Lívia — lança de repente.

Putz!

Como posso resumir quem sou sem dar a impressão errada?

— Não tenho muito que contar. E venho falando demais sobre mim ultimamente — tento desconversar.

Não é bom abrir o leque sendo que em breve o fecharei, por isso mantenho as revelações em terreno seguro. Envolver, mesmo que minimamente, Miguel nessa confusão seria burrice.

— Vamos lá! Comida que mais gosta, séries preferidas e namorico do colegial não contam. Não estou te propondo casamento, só quero um pouquinho de tudo o que guarda a sete chaves aí dentro.

Desvio a atenção do céu limpo que estou admirando há alguns minutos e retorno para o seu perfil. Ele está me fitando, os olhos castanhos brilhantes são irresistíveis.

— Tenho vinte anos, um sobrinho maravilhoso... — Revejo o que mais dizer. — Amo desenhar, apesar de não pegar em um lápis e papel há bastante tempo. É isso.

— Tenho certeza de que tem muitó mais, mas por ora vamos fingir que é isso.

Baixo os olhos para o chão, envergonhada por mentir e ao mesmo tempo constrangida por Miguel conseguir enxergar além do que mostro.

— Agora, só tenho uma dúvida: por que está aqui? É conhecida de Apolo ou vocês têm algo?

Tenho um sobressalto tanto pela pergunta que, definitivamente, não posso esclarecer e pela insinuação na última parte. Sem conseguir raciocinar rápido, permaneço como uma idiota, abrindo e fechando a boca.

— Não temos nada! — quase grito quando consigo achar minha voz.

Um discreto sorriso desponta nos lábios dele.

— Ganhei meu dia com essa notícia. — Faz charme. — E qual motivo te trouxe para uma temporada nessa propriedade, donzela? — Segura meus dedos entre os seus.

Não identifico maldade no interrogatório, só não faço ideia de como sair dessa enrascada. O que a personificação do mal diria se eu abrisse o bico? Ah, ele surtaria, com certeza.

— Eu... Eu vim... — gaguejo. Tomo algumas respirações. — Bem, tive um problema com a minha casa, esse é o motivo de estar me hospedando nesse lugar que mais parece um desperdício de grana. — Tento fazer graça com a mentira que tem uma porcentagem de verdade, pois o bendito homem mandou queimar nosso antigo lar.

Miguel faz uma careta, não sei se por pena do que "houve" ou por não acreditar em nada do que eu disse.

Apolo Mendanha

— Aonde a gente tá indo, tio?

João Pedro pergunta sem desviar os olhos, idênticos aos da minha irmã, da janela. Desde que saímos da mansão, o menino não parou de falar.

— Você vai tirar sangue.

De supetão, sua cabeça vira para mim. Posso perceber o medo desenhando sua fisionomia infantil.

— Por quê? Deve doer e eu prometi pra Nana que não faria nada perigoso.

Acabo rindo da sua tentativa falha em barganhar.

— Nós vamos reconhecer sua maternidade e para isso precisamos do exame de sangue.

— O que é *matenidade*?

Seguro o ímpeto de bufar. Não tenho paciência com explicações.

— Maternidade — corrijo. — É para que você tenha uma certidão de nascimento com o nome da sua mãe. Assim poderá fazer muitas coisas para as quais precisa desse documento.

— Tá. Então vou ser forte igual ao Capitão América. — Dobra os dois braços magrelos para enfatizar.

— Isso, seja como o Capitão América — digo para cessar o papo.

Paramos em frente ao laboratório e descemos em silêncio. O menino está desconfiado de tudo e todos, porque presta atenção em cada movimento a sua volta. Ele é esperto, aprendeu com eficácia que não se deve baixar a guarda. Converso com a atendente, que nos guia até uma sala no segundo andar. Não entro com o menino, ele também não pede minha ajuda, mesmo que não esconda o medo do desconhecido.

Esse orgulho deve estar no sangue dos Mendanha.

— Não doeu nadinha, tio.

João Pedro mexe no curativo bege que colocaram sobre o pequeno furo no seu braço. O menino é destemido como a tia, não titubeou em nenhum segundo.

— Ótimo!

— E por que você também tirou sangue? Vai conhecer sua *matenidade*?

Não vou corrigi-lo de novo. Dane-se!

— Não, eu tenho certidão de nascimento. Só tirei para exames de rotina — minto.

Vai que ele dá com a língua nos dentes e conta para a delinquente. Volto-me para frente, mas percebo que o menino continua me encarando. A ideia era vir, resolver o problema e ir embora. Sem pormenores, sem ficar tagarelando. Como nada do que planejo nos últimos tempos dá certo, João Pedro inicia um novo diálogo:

— Você tem mãe e pai?

Devagar olho para meu sobrinho, filho da minha irmã, que foi morta friamente. Não tem como não enxergar Lisandra nessa criança, o nariz, olhos, boca, só o cabelo que é da família do marginal, pois é da cor dos da delinquente. Ele espera minha resposta sem esboçar reação. Suas mãos estão ao lado do corpo, que está meio deitado no banco.

— Tenho pai, minha mãe faleceu.

— Eu só tenho a Nana. Meus papais também foram morar lá em cima. — Aponta para o céu.

— Eu sei.

Resolvo ser taxativo para não ter que adentrar mais no tema. Se começar a remoer o que houve com Lisandra, vou surtar. A vontade de esclarecer para o menino que seu pai está queimando no inferno, por ser tão filho da puta, é grande.

Pego a pasta preta ao meu lado e remexo nos documentos que tenho ali, já organizei todos, porém é uma forma de evitar conversa. Tenho que me tornar próximo do garoto, só não pretendo dar margem para esse tipo de papo-furado. Basta ele entender que vou melhorar sua vida cem por cento.

— Olha, tio, sorvete! Você me dá um?

— Temos sorvete em casa.

Sigo com minha vistoria desnecessária na papelada, tentando ignorar o pedido. João Pedro toca meu braço.

— Eu queria aquele, igual ao da foto, com muita cobertura de morango e balinhas em cima.

Estamos parados no sinal e tem a porra de uma sorveteria bem na esquina, a placa enorme não passa despercebida. Vai que o garoto fica doente por passar vontade? Seria mais um contratempo para lidar. Maldição!

— Vamos parar um pouco — aviso o segurança.

Raul é novo na equipe, foi contratado depois que mandei o incompetente do Max embora. Ele é quieto, obediente, não me torra a paciência. O cão de guarda perfeito. Acabo repuxando os lábios pelo apelido que Lívia deu a eles, no mesmo segundo esfrego a barba, irritado. Que merda de pensamento foi esse? Caralho!

O carro encosta ao lado do meio-fio, o menino desce e me espera no canto. Para uma criança de três anos, ele é bem-comportado, contido; sintomas que a merda do seu mundo desenvolveu. Entramos no estabelecimento, acompanho João Pedro até o bufê. O garoto pega de tudo um pouco, ao se dar por satisfeito vai se sentar à uma mesa perto da saída. Pago o bendito doce e vou me acomodar também. O jeito é exercer uma calma que não tenho.

— Não vai comer? — questiona, confuso.

— Não.

— Tá tão bom! — Lambe a colher azul de plástico vagabundo.

Enquanto o menino mata as lombrigas, encaro o bairro onde estamos. Classe média, ruas abarrotadas de lojas e lanchonetes. Pessoas indo e vindo. Raul permanece em pé na calçada, atento.

A porra da minha situação parece descontrolada. O filho da minha irmã está comigo e não faz ideia que é meu sangue. A delinquente parece ganhar cada vez mais liberdade na minha casa e, o pior, resolvi tomar suas dores e caçar os marginais que abusaram dela. Além dessa confusão, tem Eleonor, não tiro da cabeça que ela anda aprontando. Conheço-a o suficiente para identificar sua postura diferente.

Apesar de toda essa bagunça que vem me deixando pilhado, o que mais se destaca é o tesão gritante que Lívia me desperta. Eu preciso comer aquela maldita nem que seja para dar fim a ela depois. Sou um grande filho da puta mesmo, nem remorso consigo sentir pelo desejo que não deveria sequer cogitar.

— Pronto, tio!

Corro os olhos que estavam pregados no movimento do lado de fora para João Pedro. Ele leva os dele para o lugar onde fica o sorvete e de novo para mim. Seguro um rosnado.
— Quer mais? — a pergunta sai apertada. Sua cabeça balança para cima e para baixo. — Vá pegar.
Ele não perde tempo em ir, mas desta vez vai comendo no carro. Não tenho mais saco para esperar.

Lívia Nascimento

Estou na janela da sala encarando fixamente a entrada quando o carro aponta. Sem pensar saio correndo, louca para colocar meus olhos no JP. Assim que desço as escadas, ele pula para fora do veículo. Não demoro em puxar o pequeno para perto.
— Oi, meu amor! Tá tudo bem? — Percorro seu corpo sem esperar explicação e paro em um pequeno curativo no braço. — O que fez com ele?
Acuso, fulminando Apolo, que aparenta uma calma irritante. O infeliz só me fita, sem responder. Dou um passo à frente, meu sobrinho segura minha mão.
— Eu tirei sangue, Nana. O tio vai conhecer minha *matenidade*. A picada nem doeu, sou um homem já. — A voz infantil erra as palavras, que consigo entender nitidamente.
Dardejo meus olhos de um para o outro, não acreditando no que ouvi.
— O quê?
— Isso que o menino contou. — A personificação do mal ambulante solta, sarcástico.
Minha surpresa é tanta que fico meio sem saber o que dizer.
— Por quê? — Nada. — Apolo, por quê? — inquiro debilmente, mais uma vez.
Ele para ao meu lado, JP ainda está segurando meus dedos, não sei se por gostar do contato ou para me impedir de arrancar uma resposta do filho da mãe ignorante.
— Não é da sua conta, garota.
E assim, sendo um bendito arrogante, ele sobe os degraus e some pelo hall. Por alguns segundos fico encarando suas costas largas acomodadas em um terno escuro nesse calor que beira ao insuportável. Eu sabia que Apolo ficaria com João Pedro, talvez como pagamento pela dívida que meu irmão deixou, assim poderia se vingar na criança, incluindo ela nesse meio torto de que vários não saem com vida. Mas, acredito eu, que para isso não há necessidade de tanto trabalho.
Ele teve que descobrir quem era a mãe do meu sobrinho, fazer um exame de DNA para reconhecer a maternidade, mexer com justiça, dar mais um contratempo para os seus advogados. Quais as vantagens?

Apolo não é um homem que gosta de perder tempo, então por que investir tanto em um menino que nem conhece?

Eu preciso dar um jeito de fugir daqui, de levar JP para o mais longe possível do plano que esse bendito bolou. Não posso e não vou deixar o pequeno à mercê desses monstros!

CAPÍTULO 13

Lívia Nascimento

— Não precisava, Miguel — falo pegando o caderno de folhas brancas e vários lápis.

— Pare de dizer isso e use, Deusa. Eu não sabia ao certo o que trazer, então comprei o que a atendente disse ser o melhor.

Admirada mexo no material de desenho, os lápis são da mesma marca que Lisa me deu. Sei que são caros, porque minha cunhada deixou claro que eu deveria lavar o banheiro para ela por um ano como agradecimento. Ela odiava lavar banheiro e dobrar roupa, eu fazia com prazer para ajudar. Afinal, Lisa foi o exemplo mais íntegro de mãe que tive.

Dou uma espiada no JP, que está na piscina. O pequeno ama esse lugar, se puder fica o dia todo enrugando na água. Como ele está entretido com a boia de tubarão, largo meu presente incrível e pulo no pescoço de Miguel. Aperto-o com vontade, tentando passar o quanto sou grata por tê-lo conhecido em um dos piores momentos da minha vida. Existem pessoas que são ventania; outras são maresia, paz, sossego.

Miguel circula minha cintura com seus braços e se enverga um pouco para trás, tirando meus pés do chão.

— Se soubesse que era só te dar presente para ganhar esse aconchego, teria lhe dado logo no primeiro dia.

Gargalho alto e beijo seu rosto.

Ele, sendo ele, ergue meu cabelo e encaixa a mão na minha nuca, enquanto a outra espalma minha lombar. Seus lábios pousam na minha têmpora. Fecho os olhos com seu afeto.

— Sei que esconde muita coisa, Lívia. Sei também que anda pensativa, só quero deixar claro que, se precisar, estou aqui. Não somos amigos de longa data, mas somos amigos, e para isso não existe tempo certo — cochicha na minha orelha.

Aperto mais meus braços a sua volta. Faz doze dias que venho arquitetando um plano para fugir com João Pedro. Doze dias que rezo para que o infeliz do Apolo não decida me matar e acabar com minhas esperanças de liberdade. A personificação do mal está mais próximo de meu sobrinho, as conversas não são mais tensas ou curtas. JP tem entrosamento com Apolo, isso me assusta mais do que a sentença da qual fui prometida.

Afasto um pouco a cabeça para olhar diretamente para Miguel. A cor castanha da sua íris é tão acolhedora, que arremete a lar. Minha vida nunca foi fácil, mesmo pequena lidei com pais bandidos, prisão, andar com medo pelas ruas da vila, ser privada de ir a uma balada com as amigas, porque os rivais do meu irmão poderiam querer se vingar. Na época eu achava exagero, até que fui violentada pelos próprios companheiros de Felipo. Fiquei meses sem encarar diretamente um homem, com receio de que fosse submetida novamente. Então, fui encarcerada nessa mansão por um cara, que parece pior do que qualquer outro que tenha conhecido.

Por mais que tente manter a força vibrando, não tem como não ter medo do desconhecido. E aí, no meio dessa loucura toda, Miguel aparece, foi como se Deus tivesse resolvido abrir uma fresta ao sol para mim. Miguel irradia bondade, um achado e tanto para quem teve que driblar o escuro por tanto tempo.

— Esse silêncio está me preocupando, Deusa. Está tudo bem?

Mordo a língua para não contar que hoje vou sumir daqui com JP.

— Tudo, sim, só fiquei sem palavras com o que ganhei. Eu amei demais, obrigada! — Não dou corda para o que pode desencadear um assunto que não posso esclarecer.

Ele ri e bate na ponta do meu nariz, fingindo que meu desvio de rota convenceu. Miguel não é bom em ocultar suas nuances, mas sou grata por não me forçar a dizer.

— Que bom que gostou! Espero que se divirta e que faça um desenho para mim, vou pendurá-lo no meu quarto.

— Que honra ficar exposta na casa do melhor galanteador da cidade!

Ele me solta para fazer uma reverência exagerada, que é impossível não rir.

— O melhor e mais bonito, não se esqueça de pontuar.

— Bem que sua mãe fala que você não presta.

— E vou reforçar o que disse uma vez: posso prestar para você.

Seus dedos tocam minha bochecha com leveza. Meus olhos se arregalam um pouco, minha pele pinica com a aproximação, não sei se isso é bom ou ruim. Ficamos nessa de nos encarar como se tudo passasse em câmera lenta, como se fosse estranho quebrar o momento e errado o suficiente para não ser prolongado.

— Nana, me ajuda aqui! — João Pedro grita me fazendo sair do transe.

Vejo meu sobrinho escorregar do tubarão e tombar na água. Gelo por dentro, até lembrar que o danadinho está de boia e que, provavelmente, só está fazendo graça.

— Tô me afogando, Nana. Ajuda!

Dou risada.

— Menino sacana — murmuro, adorando vê-lo de divertir.
— Aguenta aí, companheiro. Tô indo ajudar. — Miguel entra no jogo.
Assisto-o tirar a camiseta, piscar para mim e mergulhar, indo direto até o meu sobrinho e jogá-lo para cima.

Apolo Mendanha

Da janela do quarto da minha irmã observo a interação dos três. O filho da puta do Miguel está tomando liberdade, isso por que avisei a Lívia sobre se manter distante. Tive que controlar meu temperamento para não ir lá e acabar com essa palhaçada de paquera. O jeito seguro com que ela o deixa tocá-la não transparece nem uma parcela do pavor que vi nas suas feições quase duas semanas atrás.

Mesmo que minha insanidade seja trancar Lívia no quarto novamente e mandar Miguel para o inferno, o melhor é manter distância, assim como venho fazendo nos últimos dias; desta forma evito cair em tentação. Não cheguei mais perto da garota depois da bagunça que fizemos no escritório, no entanto, não tem um maldito dia que não queira me afundar no calor que lavou minha mão. A maldita é gostosa e ainda por cima abusada, detalhe que parece me excitar de forma absurda. As poucas palavras que forçamos são cheias de farpas.

Ainda não sei o que fazer com ela, os papéis para reconhecimento da maternidade do João Pedro estão quase prontos, após isso tenho que despachar a delinquente. Matá-la não me parece mais certo, a garota já sofreu o suficiente. Talvez deixá-la ir seja o mais sensato.

Enfio as mãos nos bolsos da calça social, ainda vidrado na imagem dela rindo, o vestido azul-marinho esvoaçante a deixa provocante e com ar angelical. Minha irmã tinha uma fissura por vestidos e saias, Lívia está fazendo bom proveito disso. De repente, seus olhos exóticos se erguem, mirando diretamente o local onde estou. Seu sorriso murcha, dando lugar a uma fisionomia fechada e intensa. Lívia é espetacular, irmã do marginal que matou Lisandra e uma tentação que pretendo a todo custo evitar.

Os Mendanha são tão fodidos que só fazem merda, deve ser a porcaria do sangue. Dou as costas para a cena dela parada no meu jardim e saio para o corredor, trancando em seguida a porta do quarto.

— Senhor, Caio e Eleonor te aguardam na sala — Madu me avisa após bater na porta.
— Mande-os vir até o escritório.

Os dois vieram para falar sobre o reconhecimento da maternidade, faz mais ou menos uma hora que Caio ligou avisando que estava tudo pronto. Esse processo pode ser demorado, nada que dinheiro não pule algumas etapas. Bato a ponta da caneta na madeira da escrivaninha, pensando em como desenrolar o nó chamado Lívia Nascimento. Não há mais desculpa para manter a garota aqui.

— Olá, Apolo. — Meu advogado entra com seriedade na sala.

Conheço Caio desde que eu era criança. Ele começou como estagiário na MV, com competência permaneceu até se tornar o principal advogado da empresa. O homem é tranquilo, porém tem uma obstinação invejável.

— Trouxe os documentos? — Vou direto ao que interessa.

Ele coloca um envelope à minha frente e senta-se ao lado de Eleonor, que não se pronunciou até o momento. Seguro o registro de nascimento do João Pedro, o nome da minha irmã está descrito no local certo, tem também o nome dos meus pais como avós maternos e nenhuma informação sobre o marginal. Volto a guardar a certidão e a coloco dentro da primeira gaveta da mesa.

— Foi rápido, isso é muito bom.

— Ter contatos é importante — Caio esclarece.

Balanço a cabeça em concordância.

— E agora, Apolo? Qual o próximo passo? — Eleonor resolve falar.

— Ainda estou pensando. Acho que não seria bom contar ao menino abruptamente. Ando me entendendo com ele, vou esperar mais um pouco.

— E sobre a garota?

Estreito meus olhos na sua direção.

— Já falei que isso não é da sua conta.

Eleonor se levanta, indignada. Nem me mexo, não estou com saco para dar trela as suas merdas.

— Como não? Somos seus advogados, Apolo. Você nem ao menos disse quem é essa... essa... coisa que trouxe para dentro da mansão do seu pai.

— Basta, Eleonor! — Aumento a voz o suficiente para que ela perceba minha irritação. Seus braços param de gesticular e tenho sua atenção. — Primeiro, a casa é minha; está nas escrituras que vocês dois providenciaram. Segundo, serem meus advogados não lhes dá o direito de saber cada passo que dou. Eu conto o que quero, vocês apenas obedecem. Entendeu?

Ela pega a bolsa que deixou no chão, ao lado da cadeira, e continua em posição de ataque.

— Não vou ficar aqui te vendo jogar no lixo todo o esforço do seu pai com a MV.

— Nós temos algum problema na empresa? Até onde sei anda muito bem.

— Não temos, mas vai ter. Acredite. E a culpa será sua.

— Novamente me ameaçando, Eleonor? — Sou rude ao indagar.

Inferno de mulher que adora dar pitaco!

Ela me encara, fico esperando que retruque, ao invés disso sai do recinto pisando duro. Caio não dá sua opinião, acredito que para evitar esticar a conversa. Admiro isso, porque estou sem a mínima vontade de papear.

— Os técnicos foram fazer a vistoria ontem, conforme seu pedido.

Apoio os cotovelos na madeira, interessado em saber o parecer.

— Encontraram o quê?

— Nada. Nada mesmo, Apolo.

Porra! Eu sabia que tinha falcatrua nisso.

E nada muda minha ideia de que Eleonor e meu pai estão armando, só preciso descobrir o que pretendem.

— Ok, obrigado, Caio! Pode ir.

Ele se despede brevemente e sai. Em seguida chamo Jonas, preciso de novidades, o que não estou recebendo.

— Sr. Mendanha? — O chefe da segurança para no meio da sala.

— Tem algo que preciso saber? Vocês estão na cola da Eleonor há dias e não tive nenhuma notícia.

— A rotina da senhorita se resume em ir à MV, visitar seu pai e tomar uns drinques no bar perto da clínica. Em algumas ocasiões sai do estabelecimento acompanhada, vai para o motel e fica no máximo quatro horas. Não passei nada ainda porque quero fechar o dossiê para entregá-lo.

— Prefiro receber diariamente as informações. Continuem vigiando-a.

— Como quiser.

— E sobre os marginais que pedi para você localizar?

— Encontramos um deles, estamos seguindo de perto para achar o outro. Assim que estiverem em um lugar seguro, o senhor será avisado.

— Estão mantendo a discrição?

— Estamos sim.

— Por ora é só, Jonas. Pode ir.

— Com licença, senhor.

Estou louco para colocar as mãos nos estupradores do caralho, quero fazê-los sofrerem antes de dar fim nessa raça de parasitas. Vou esperar esse desfecho para então decidir o que fazer com Lívia.

Visto a calça de moletom preta, com a toalha seco mais o cabelo. Faz umas duas horas que subi para o quarto. Durante o jantar notei que Lívia estava mais quieta que o normal, tanto que nem rebateu minhas alfinetadas. Pensei em obrigá-la a dizer o que houve, contudo, é melhor a delinquente calada do que minando minha paciência.

João Pedro está mais acessível do que nunca, até gosto do menino. Ele é esperto, tem ideias mirabolantes e é muito educado, apesar da vida que teve. Hoje o assunto central foi a fábrica, aos poucos vou contando do trabalho para ele, despertando sua curiosidade. Prometi que em breve o levarei até a MV, o garoto ficou entusiasmado e tagarelou sem parar. Nem a euforia do sobrinho fez com que a delinquente sorrisse, penso.

Por que caralho estou remoendo isso?
Foda!
Sento-me na beirada da cama e jogo a toalha sobre a cadeira do canto. Já passa da meia-noite, não tenho um pingo de sono. De repente, uma batida rápida à porta me coloca de pé para ir ver quem é.
— Raul. — Fico em alerta.
— Os hóspedes tentaram fugir, Sr. Mendanha. Os dois estão na sala, a menina não para de xingar a todos.
Era só o que faltava para terminar de ferrar tudo. O que essa garota tem na cabeça? Puta que pariu!

CAPÍTULO 14

Lívia Nascimento

— Me solta, seu imbecil! — Puxo meu braço do agarre do infeliz com cara de poucos amigos.

Estava tudo planejado, não tinha erro, mas óbvio que aconteceria um imprevisto, sou eu afinal. Passei dias planejando, sairíamos pelo portão lateral onde Madu usa para tirar o lixo, a chave fica na gaveta do meio do balcão da cozinha. Quase nenhum dos cães sarnentos passa por aquele local. Nós descemos tranquilamente, pois a vigia do quarto foi retirada, pegamos o chaveiro, ficamos à espreita e no segundo que tive confiança em agir, assim o fiz.

João Pedro não estava muito satisfeito em ir, mas jamais me abandonaria. Eu só queria que ele entendesse que fazia aquilo para nos salvar. Estava contando vitória quando girei a chave na fechadura, porém ao abrir, dei de cara com um dos seguranças. O bendito chamou os outros e logo o capanga paga pau do Apolo chegou.

A partir disso fiz a única coisa que poderia: gritei. Estava ferrada mesmo. Madu apareceu apavorada alguns minutos depois e acabei implorando para que levasse JP. Não tinha a mínima possibilidade de o meu sobrinho presenciar meu fim, porque Apolo com certeza cumprirá hoje o que prometeu. A senhora simpática ficou indecisa, contudo se compadeceu do meu desespero.

Ando de um lado para o outro na sala, as portas estão fechadas e há dois brutamontes aqui dentro me vigiando.

Grande porcaria! Eu poderia estar longe dessa prisão miserável.

O tal Jonas, que lambe o piso onde seu patrão insuportável pisa, adentra o cômodo e dá a notícia da noite.

— Ele está vindo.

Todos os pelos do meu corpo se arrepiam com o medo de ficar na mira do meu pior pesadelo. Apolo pode ir do conquistador ao amedrontador em instantes. Sei disso, já presenciei sua mudança abrupta de humor. Desde que me atraquei com ele no escritório, o infeliz só me dirige indiferença; conversamos em poucos episódios, o que só serve para gerar insultos camuflados por conta do João Pedro. Não nego que fiquei balançada com seu toque, só procurei tirar essa besteira da cabeça, não preciso de mais um problema insignificante, como ter atração pela pior espécie de homem.

Deve ser essa convicção, de que Apolo não tem piedade, que me faz tentar escapar pela janela. Com pressa abro o vidro e coloco uma perna para fora, é só o que tenho tempo antes de ser agarrada pela cintura.

Apolo Mendanha

Peço para Raul descer enquanto coloco uma camiseta, pesco a primeira que encontro e saio em disparada, pulando de dois em dois os degraus da escada. Essa pilantrazinha traiçoeira tentou novamente me fazer de idiota.

Aperto os dedos na palma da mão, furioso por ter lhe dado liberdade até esse ponto e por não acreditar que a infame levaria o menino embora.

Piso no hall e o primeiro som que ouço são dos seus xingamentos.

— Seu cão sarnento de uma figa, me larga! Vocês são piores do que seu patrão, são coniventes com toda essa novela que ele está armando!

Foda!

Passo por quem está ali sem ao menos dar atenção, empurro as portas e entro na sala. Jonas aperta Lívia contra si, tentando frear seu ataque. Não sei explicar, mas não gosto da situação.

— Solte-a! — ordeno.

Sem titubear, Jonas o faz. Lívia arregala os olhos ao me ver. O verde de pigmento único parece mais escuro, revolto. A fúria tão companheira dela tremula no fundo.

Inspeciono o recinto, tem três seguranças, que dão o dobro do tamanho da garota, para contê-la. Acabo repuxando meus lábios para cima. A bendita deu trabalho.

— Saiam.

— Senhor, se quis...

— Eu mandei sair, Raul. — Encaro o novo funcionário que, de repente, resolveu rebater meu comando.

Ele anui e acompanha os outros, que não abriram o bico. Segundos depois ficamos apenas a maldita garota que vem fodendo minha cabeça e eu. Lívia se encolhe no canto, os braços cercam a própria cintura. Levanto as duas sobrancelhas.

— Está com medo?

Ela concorda de leve.

— Então por que tentar fugir? — Não uso um tom irritado, por mais que minha personalidade peça.

Estranhando a condescendência, Lívia fixa sua atenção em mim. Os vincos que se formam em sua testa deixam claro que está confusa. Para ser sincero, nem sei por que estou aliviando quando deveria dar uns bons tapas na bunda dessa rebelde. Porra!

— Por quê? Talvez porque esteja planejando me matar e usar meu sobrinho como laranja nos seus esquemas. Eu. Não. Te. Fiz. Nada! E mesmo assim não tem piedade. Você é mau, Apolo.

Lívia não grita como fazia momentos antes, ela sussurra as palavras, e posso garantir que tem mais raiva no seu controle do que na sua loucura.

— Não vou machucar o menino e não vou colocá-lo no meio que está pensando.

— E aí que vem a principal dúvida: por que está gastando seu precioso tempo com ele? — O deboche se destaca na sua voz.

— Quero apenas dar o melhor para João Pedro, Lívia.

— Por quê? — Desta vez, ela grita. — Qual o objetivo disso? Você está me enlouquecendo, droga!

Dou um passo à frente sem ter uma justificativa plausível para tal feito. Desde que chegou aqui, não a vi chorar, e agora as lágrimas correm soltas por suas bochechas; a água traz um brilho de agonia para seu verde exótico.

— Você parece adorar brincar com sua presa, não é? Gosta de levar ao extremo para finalizar o trabalho? Porque eu estou exausta. Só cumpra o que disse quando me prendeu nessa mansão vazia, me mate logo. Não aguento mais essa onda de medo, essa loucura de tentar me portar normalmente mesmo rodeada pelas pessoas que não estão minimamente preocupadas com a situação. É ridículo! Eu sento à mesa de jantar com você, ando livremente pela sua casa, uso roupas caras, como do bom e do melhor. Pra quê? Esclareça se a maluca sou eu ou você, Apolo.

Dou outro passo para perto. Lívia tem razão, a situação como um todo é desastrosa. A intenção era matar essa garota, me vingar pelo que os seus causaram aos meus, então tudo virou uma bagunça, o espaço foi aberto e ela simplesmente foi ficando. Não consigo entender o que houve. Fazer merda deve ser uma característica dos Mendanha.

— O objetivo inicial era dar cabo de você, garota. Desde o princípio queria somente o menino. No dia em que me contou do estupro, me peguei mudando de ideia. Não sei ao certo qual a razão, só sei que não quero lhe causar mais sofrimento, apesar de já ter feito o suficiente. — Dou outro passo, parando a centímetros dela. — João Pedro precisa de você por enquanto. Assim que o menino estiver bem comigo, te deixo ir.

A surpresa na sua fisionomia é bem visível. Na minha deve ser também, não sei que diabos me deu para falar essas baboseiras. Definitivamente louco, caralho!

Nesses últimos dias venho observando bastante seu jeito, Lívia parece não saber realmente quem sou, e isso pesou na minha consciência, vai que a garota não tem noção do que seu irmão foi capaz? Ela ficou um ano se virando sozinha, procurando comida na rua... Se sabia quem era Lisandra, por que não usou a chantagem? Por que não tentou tirar proveito da fortuna que é direito do menino?

— O que sabe sobre seu irmão e a mãe do João Pedro?

Lívia continua com as mãos em torno de si, mas os ombros se endireitam com a minha inquisição. Escrutino seus contornos banhado de lágrimas, acompanhando suas mudanças de nuance perante a mim. A boca carnuda vira uma linha fina, o cabelo bagunçado lhe oferece um ar selvagem, os olhos semicerrados, desconfiados, são a cereja do bolo.

Ela é um espetáculo, não posso negar.

Deixo meus braços caídos ao lado do corpo, com os dedos formigando para tocá-la. Eu devo estar com algum distúrbio, não é possível ter essa vontade súbita, quase insuportável.

— Eles se conheceram por uma amiga da Lisa, então se apaixonaram. Não sei muito sobre ela, só sei que amava demais Felipo. Eles eram perfeitos juntos, o tipo de casal que todos querem ser. JP foi o elo principal do relacionamento, ambos dariam a vida por meu sobrinho. — Sua voz embarga. — Nós éramos felizes, as coisas estavam se ajeitando, até que um homem foi até nossa casa. Lisa pediu para que eu me trancasse no quarto com João Pedro e não saísse até que ela mandasse. Só que ela não voltou e o único barulho que reverberou foi do tiro e dos gritos desesperados do meu irmão.

Como assim, um homem foi até lá? A versão que me contaram era que Felipo matou minha irmã porque ela queria largá-lo.

— Que homem foi até lá?

— Eu não sei, não cheguei a ver.

Meus olhos desfocam tentando me lembrar de alguma menção meramente parecida. Nada. É aqui que as dúvidas recomeçam. Posso confiar nessa garota? Por que não me contaram a versão completa da história? Se o marginal não matou Lisandra, quem matou? Puta que pariu!

Lívia Nascimento

Apolo parece petrificado com a minha última informação. Uma comichão de curiosidade se apodera da minha língua, obrigando-me a externar o que não devia, pois estou encurralada e ainda dou uma de intrometida. Não sei até onde a paciência dele vai comigo.

— Por que isso te interessa?

A personificação do mal volta a focar em mim.

Ele parece confuso, quase desnorteado. Quero muito saber qual sua enrolação com Felipo, não deve ser apenas as drogas que não foram pagas.

— Não é do seu interesse, garota — afirma rudemente. — Se te pegar tentando fugir de novo, não vou mais ter dó. Está avisada!

A passos pesados, o bendito sai da sala. Solto uma lufada de ar. Homem doido do caramba! Uma hora me trata com leveza, quase vejo preocupação nos seus olhos; noutro parece uma tormenta querendo me arrastar para o caos. Vai entender?

Solto meus braços, que parecem pesados por terem permanecido demais na mesma posição, limpo as lágrimas com a barra da camiseta e ando até o meio do cômodo. Saio ou fico? Protelo minha decisão e fico vidrada nas flores que serpenteiam a sombra do lado de fora. Tem um quê de segredo em Apolo. Não basta o infeliz ser perigo puro, precisa também ter uma grande parcela de mistério.

Esfrego o rosto, frustrada. Estou tão no limite que daqui a pouco surto de vez.

Giro nos calcanhares, todavia, antes que possa caminhar para a saída, JP entra como um foguete.

— Nana! Nana! — Pula no meu colo.

— Oi, meu amor. Tá tudo bem?

— Tá sim. Eu tava na casa da Madu, comendo bolo e assistindo desenho. — Seus dedinhos alisam meu cabelo. — Eu fiquei com medo, Nana. Medo de que os *segulanças* te machucassem, mas o tio acabou de prometer que nada vai acontecer com você. — Atropela as palavras.

— O que mais ele falou? — questiono, tentando não transparecer minha ansiedade em saber.

— Falou que foi um equi... *equivucu*.

— Equívoco, pequeno. — Sorrio.

— Isso. Disse que você estava chateada com ele, por isso queria ir embora. Ainda bem que se acertaram, Nana. Eu não quero sair daqui. Gosto do tio, da Madu, da piscina, do Miguel...

— Ei, e de mim?

João Pedro me abraça forte. Seu cheiro de bebê impregna nas minhas narinas.

— Eu amo você, Nana! *Muitão*.

Um nó surge em minha garganta.

— Eu também te amo, JP! Mais que tudo.

Contente com a resposta e, aparentemente, muito feliz com o desfecho da nossa fuga, ele pede para descer e segura minha mão, no automático saímos para o hall e subimos as escadas em direção ao quarto. Os cães sarnentos encaram, mas não nos seguem. Enquanto meu sobrinho tagarela sobre assuntos aleatórios, penso em como Apolo é realmente bipolar.

Se ele fosse agir como no começo, nem teria se dado ao trabalho de tranquilizar meu sobrinho, então, para me deixar ainda mais pilhada, o infeliz acalma a criança e ainda me "defende", mesmo que eu tenha tentado fugir. Ou estou tendo um tipo de lapso ou Apolo pode não ser esse monstro todo que tenta demonstrar.

— O que a senhorita está aprontando aí? Me dá pelo menos uma palinha. — Miguel tenta barganhar.
Estamos no jardim e estou cumprindo o que lhe prometi: fazendo um desenho seu.
— Negativo! Vai esperar, estou quase terminando.
Ele bufa, mas não está bravo, só fazendo charme. O que é sua marca registrada.
— Você é má, Deusa. Muito má.
— Larga de ser dramático, Miguel. Olha só, acabei — digo ao retocar o sombreado para finalizar o retrato.
Faz tempo que não desenho, contudo, não perdi o jeito.
— Finalmente, minha bunda estava amortecida nessa cadeira! — reclama e bate palmas ao mesmo tempo; acabo rindo.
Miguel vem e senta-se ao meu lado no banco para observar o que fiz. Fico um pouco insegura com o resultado, por mais que tenha gostado, pode não o agradar. Essa dúvida se vai assim que escuto seu assovio.
— Cacete, Deusa, ficou perfeito! — Beija minha bochecha. — Além de gata é talentosa. Diz como não me apaixonar?
Balanço a cabeça, ainda rindo com sua cantada. É tão ele ser assim, que já me acostumei. Miguel pede para que eu destaque a folha para que possa guardar. Pede um minuto e sai pela lateral do casarão, acredito eu, indo para a sua casa.
João Pedro está na cozinha fazendo bolinho de chuva com Madu. O moleque deu para se meter com comida.
Fecho o caderno e o coloco, junto com o lápis, no espaço vazio. Deito um pouco, até conseguir encostar minha nuca no apoio, e fecho os olhos. Faz três dias que tentei fugir desse lugar, desde então Apolo me deixou na minha. As refeições ainda são feitas com os três à mesa, mas não há mais aquela tensão, o infeliz parece mais maleável. Nossas conversas acontecem sem farpas, até um sorriso ele deu ontem à noite ao ouvir João Pedro falando que, se um dos *butamontes* relar em mim, ele vai usar sua força.
Repuxo os lábios ao relembrar.
— Você desenha muito bem!
Dou um pulo ao escutar a voz do bendito tão perto. Com a mão no coração me viro para ele. Apolo folheia meu caderno com calma. Os desenhos que venho fazendo estão todos ali. Tem meu sobrinho dormindo, as flores que pendem na janela da sala, um gramado verde, com árvores e balões no céu...
— Pode, por favor, não mexer aí? — Estendo a mão para pegar, óbvio que ele não dá a mínima e continua olhando.
— Quem te ensinou a desenhar assim? — Apolo ergue a cabeça para me fitar.
— Sempre gostei, mas foi Lisa que me estimulou a desenvolver. Eu fazia curso na comunidade.

— Entendo. — Seus olhos, que estão mais escuros, mapeiam meus traços. — O que fez para o Miguel?

Cruzo os braços sobre o peito, o que atrai sua atenção para o decote da blusinha fina, num tom verde quase transparente, que uso por dentro da saia esvoaçante, que vai até os joelhos.

— Fiz um retrato dele.

— Por quê?

— Como agradecimento pelo presente. — Aponto para o material.

Apolo não fala nada, apenas aperta o maxilar, que fica mais proeminente.

— Você está envolvida com ele, Lívia?

Franzo as sobrancelhas com a pergunta sem lógica.

Tudo bem que Miguel é lindo, porém não tem qualquer chance de envolvê-lo na bagunça que vivo e que nem eu mesma entendo. Madu falou que o filho não estava em casa na noite que tentei fugir, porque se estivesse, segundo ela, ele teria enfrentado todo mundo. Cheguei a estremecer com a possibilidade. Miguel é bom demais para ser colocado nesse plano doentio do Apolo.

Madu me cercou de todos os jeitos, para que eu contasse o que houve e por que estou aqui contra minha vontade. Em um dado momento acabei me irritando por não poder desabafar e pedi para que perguntasse ao seu patrão filho da mãe, a senhora simpática acabou me deixando em paz após meu rompante.

— Não. Somos amigos — afirmo entredentes.

— Eu duvido que ele queira ser somente seu amigo. Não sou idiota, garota.

— Acredite no que quiser, Apolo.

Arranco meu caderno das suas garras, cato os lápis e entro na casa, apressada. Corro escada acima, viro no corredor e alcanço a porta. Só não tenho tempo de fechar, já que a personificação do mal a empurra.

CAPÍTULO 15

Apolo Mendanha

Fico por mais ou menos uma hora assistindo os dois no jardim, observando minuciosamente como Lívia se porta com Miguel. Ela se mantém leve, risonha, espontânea. Seu alerta não fica visível como quando está na minha presença. Não posso dizer que não está certa. Eu a ameacei desde o início, encurralei a garota sem dó porque queria fazê-la sofrer, pagar pelos erros do maldito marginal. Porém, do nada, minhas teorias começaram a mudar, dando vazão a uma preocupação que não deveria ter. E não consigo me conformar com essa merda, não tem como justificar a afronta que estou fazendo com Lisandra ao me permitir sentir qualquer coisa que não seja nojo pela família de Felipo. Então, pego-me desejando Lívia; como se não bastasse, estou indo atrás de justiça pelo que fizeram com ela.

Foda!

Jonas me atualizou ontem sobre a busca pelos estupradores do caralho. Os dois foram encontrados, agora os seguranças só precisam bolar um plano para capturar os filhos da puta sem deixar pistas. Estou ansioso para ficar cara a cara com os covardes.

— Sr. Mendanha, podemos conversar?

Desvio minha atenção do que se passa no jardim e me volto para a minha governanta.

— Pode falar.

Assisto à senhora, com alguns fios brancos se destacando no cabelo castanho e olhos escuros simpáticos, fechar as portas da sala, parando alguns metros de mim.

O habitual avental está amarrado na cintura, não sei por que ela insiste em usá-lo ou de xeretar na cozinha. Temos empregados para cada serviço da mansão, o dela devia ser apenas supervisionar. É mais teimosa que uma mula.

Aguardo impaciente pelo que vai vir, sabendo que o estresse é certo.

— O que houve com a menina naquela noite? Por que ela quis fugir?

Continuo encarando-a sem esboçar reação.

Madu só pode estar de brincadeira com essa jogada invasiva sem noção. Preciso tirar dela essa mania de achar que pode meter o bedelho nos meus assuntos.

— Quem disse que é da sua conta? — grunho.

Ela não se abala com o meu ataque.

— Converse comigo, Apolo. Tem algo acontecendo, não sou sua inimiga, não me trate como uma, por favor! — suplica.

A mulher, que foi mais minha mãe do que Mônica, demonstra ansiedade e receio para comigo. Talvez deva contar sobre o menino, não pretendo manter segredo para sempre, até porque ele faz parte dos Mendanha. Só preciso ter certeza de que Madu não vai abrir o bico sobre quem sou para Lívia, pois não vou revelar isso para a garota. Ela não tem que saber da minha ligação com o menino, assim será mais fácil mandá-la embora quando chegar a hora.

— João Pedro é filho de Lisandra — solto a bomba.

Madu se apoia no braço do sofá, o choque em suas feições é claro. Involuntariamente dou meio passo para ajudá-la, até declinar da decisão e permanecer impassível.

— Meu Deus! — cochicha. — Como... Como descobriu isso?

— Estou atrás desse povo desde que Lisandra morreu — confesso contrariado por dar informações demais.

Porém, se não fizer desta forma, ela não vai me deixar em paz. E arrumar outro problema para foder com a minha paciência não é algo do qual estou disposto. Melhor satisfazer sua curiosidade, assim para de encher o saco.

— E a menina? — O questionamento vem trêmulo, desconfiado.

— É irmã do Felipo.

Observo sua boca abrir em choque, o entendimento alcança seu objetivo.

— Você... Você não pode estar pensando em...

— Eu pensava exatamente isso — sibilo. — Por que acha que mandei não dar regalias para ela? Por que acha que fiquei tão puto com a sua desobediência? Ela é sangue puro do desgraçado.

Fecho meus punhos de raiva.

— Lívia não tem nada a ver com essa confusão, filho. Acredite. A menina é boa, batalhadora, não a machuque, por favor! — Seus olhos enchem de lágrimas, suas mãos juntam em prece.

Minha vontade é dizer que vou acabar com a bendita garota, mas, por alguma droga de consciência recém-descoberta, não consigo. Lívia está realmente fodendo com a minha cabeça. Porra!

— Não vou fazer mal a ela, não se preocupe. — Aperto o ponto entre as sobrancelhas, irritado por me pegar tentando tranquilizar a mulher e por aliviar a fúria que deveria ter pela delinquente. — Isso que falei aqui ficará só entre nós, Lívia não sabe quem sou nem o que João Pedro significa, quero que continue assim. Estamos entendidos? Assim que ela

for embora comunico a todos que o moleque é meu sobrinho — digo exasperado.
Que merda ando fazendo? Caralho!
Espero que, com essa conversa, Madu peça licença e volte para os seus afazeres, todavia, contrariando o espaço que forneço, se aproxima e me abraça. Sua cabeça bate um pouco abaixo do meu ombro. Fico estático, totalmente deslocado com o afeto que não pedi.
— O Apolo que conheço está aparecendo, não está? Tem muita água para passar por baixo dessa ponte, filho. Acredite em mim. — Ergue o pescoço para mirar meus olhos, ela parece emocionada, quase esperançosa. Sua mão contorna meu maxilar fraternalmente, beija meu rosto e se retira.
Bagunço o cabelo, atordoado. Madu está vendo algo que não enxergo. Posso imaginar uma parcela de como ela ficou com meu distanciamento, nós éramos muito ligados. Até que Ícaro começou a tirar de mim qualquer sentimento bom, deixando apenas o modelo que queria.
Desde que Lisandra faleceu, afastei-me de qualquer aproximação além do profissional com outras pessoas, não que considerasse muito disso antes. Eu me mantive neutro, agindo friamente em relação aos imbecis que cometeram tal atrocidade com a minha família. Mônica não era a mãe exemplo, mas era meu sangue, só não consegui lamentar sua perda, porque a raiva por tudo o que ela negligenciou pesou mais. O único motivo pelo qual busco vingança é por causa da minha irmã, bem lá no fundo eu sei que os Mendanha não são importantes, só Lisandra é. Não me conformo com o que aconteceu, não me esqueço de que o filho da puta do Felipo deu fim ao futuro que minha irmã teria.
Viro-me para a janela, Lívia e Miguel continuam ali, rindo, interagindo. Luto para controlar a ira por vê-la tão à vontade. A merda é que essa ira não é por tê-la sob meu teto, nem por manchar o que considero tão importante, o que é fodidamente errado. Assim que o intrometido do Miguel sai e ela se recosta no banco, fechando os olhos, mantendo a serenidade, decido ir ao seu encontro. Chego quieto, por curiosidade pego o caderno que ela tanto mexia. Fico admirado com os desenhos, o traço preciso. Não sou especialista, porém, não encontro defeito.
Então resolvo perguntar, tentar levar uma conversa civilizada, o que não dá certo. Primeiro, que foi o conquistador fajuto que lhe deu o material; segundo, porque ela passou bastante tempo desenhando o cara; terceiro, porque não me convenço de que os dois não tenham nada, mesmo sabendo que os seguranças me sinalizariam se vissem qualquer passo em falso do Miguel. Dei uma ordem rigorosa sobre isso. Eu sei o que Lívia faz durante o dia, sei que passa grande parte do tempo na piscina com João Pedro ou no jardim com o caderno nas mãos. Ela não anda pela casa xeretando, só perambula pelos mesmos cômodos: quarto, sala e cozinha.

Perco a linha de raciocínio quando seus braços se cruzam em frente ao peito, avolumando seus seios, fazendo-os quase saltar para fora do sutiã. Só que é sua boca ligeira que me deixa pregado no lugar enquanto a maldita me dá as costas, pisando duro em direção à entrada.

Demoro alguns segundos para seguir seu rastro.

Posso pensar o que quiser? Uma porra!

Chego ao hall e a vejo no topo da escada. Com passos largos subo os degraus, as pontas dos meus dedos até formigam em antecedência. Essa pilantrazinha está brincando com fogo sem medo de se queimar. Meu racional até sinaliza sobre estar sendo fraco em vários dos quesitos estabelecidos anteriormente, todavia, não dou atenção. A bendita garota vem tirando meu sono de um jeito incomum, perturbador. Cheguei num ponto em que não ligo para os limites quebrados.

Foda!

Antes que ela possa bater a porta na minha cara, apoio a mão na madeira, barrando sua tentativa de fuga.

Lívia Nascimento

Como sei que não tenho força para fechar a porta, dou dois passos largos para trás, parando rente à parede. No automático coloco o caderno e os lápis sobre o aparador ao lado.

— Saia daqui — peço.

A adrenalina ainda flui pelas minhas veias por, de novo, enfrentar esse homem. Toda discussão com Apolo libera o mesmo sintoma, parece até que esse bendito gosta de me ver perder as estribeiras.

— Não me deixe falando sozinho — diz entredentes.

— Não deixei, só não tinha mais nada para conversar. Você faz seus pré-julgamentos e os toma como verdade. Pra que tentar te convencer do contrário?

Arregalo os olhos ao acompanhá-lo fechar a porta e encostar-se nela tranquilamente.

— É o que vejo, não o que acho. O imbecil do Miguel e você andam grudados, rindo e se tocando. Não sou idiota, garota!

— Eu me sinto bem perto dele, livre. Acha mesmo que seria má ao ponto de envolver uma das pessoas mais incríveis nessa bagunça, Apolo? Você...

Paro de cuspir tudo e balanço a cabeça, indignada com o rumo ridículo que nosso bate-boca pegou.

Que droga esse cara quer? Ele é louco, só pode!

Sem querer acabo rindo, porque chorar não é uma opção, não na frente dele. Para ser sincera, tenho certeza de que estou perdendo a sanidade junto com esse infeliz.

— Tá rindo do quê?

— De você. — Suas sobrancelhas se erguem em confusão. — Pare e perceba o quão idiota é esse lance que criou, Apolo. Você me trouxe aqui para me matar, me ameaçou mais do que posso me lembrar, muda de humor com frequência, discute comigo por nada e agora estamos aqui, debatendo sobre minha interação com o Miguel. Sabe o quanto esses conflitos me deixam maluca? Porque, por Deus, é surreal.

— A culpa é sua, Lívia. Sua, por estar me fodendo ultimamente, por me fazer mudar de ideia sobre meus planos. — Vem andando devagar até onde estou. Não me mexo, seus olhos autoritários não me dão brecha, pois estão cravados nos meus. — Você deve ser a porra do meu inferno, garota.

Seu tórax praticamente cola ao meu. E, de repente, o clima muda. A raiva não é só raiva, é expectativa. Não sei do que nem para que, só sei que é isso. Essa doideira que criamos juntos. Seu braço encosta ao lado da minha cabeça, seu pescoço baixa até que sua boca paire no meu ouvido.

— Eu só consigo pensar no seu cheiro, nos seus sons, na sua boceta quente. Sabe o quanto isso é errado, Lívia?

Não me pronuncio.

— Você. É. Uma. Maldita. Gostosa — pontua. Sua mão encaixa na curva da minha cintura, prendo a respiração com isso. Sua pélvis vem para frente, moendo na minha barriga, deixando claro que está duro. — E está me tirando o juízo.

Com um frio insuportável na boca do estômago, resolvo encará-lo. O marrom de seus olhos escureceu uns dois tons, o nariz afilado quase toca o meu, a boca carnuda está um pouquinho aberta, bem próxima da minha.

Bendito homem bonito que exala perigo!

Ficamos nessa, respirando juntos, sem noção do que fazemos. Porque é impossível que estejamos agindo pela razão. Assim que encontro minha voz, resolvo pedir espaço:

— Apolo...

Não consigo concluir a frase antes que seus lábios se choquem com os meus. Não é delicado, é forte. Seu braço, que estava na parede, circula minhas costas e a mão, que repousava na cintura, sobe para enrolar meu cabelo solto. Não abro minha boca nem fecho os olhos, tenho zero de ação com a iniciativa. Nesses segundos que se passam, Apolo também mantém seus orbes escuros em mim. Parece varrer minha alma apenas com a inspeção tão minuciosa. Cada pelo do meu corpo arrepia, é involuntário.

Então, cansado de aguardar uma atitude minha ou, quem sabe, desistindo de lutar contra a relutância que crispa na sua íris, seus dentes cravam na minha carne, obrigando-me a resfolegar, abrindo passagem para a sua língua que me toca com segurança. Minhas pálpebras baixam, não percebo se as dele me imitam. Não tenho tempo de segurar o gemido baixo que sai da minha garganta com a eletricidade do

contato. Apolo se aperta mais contra mim, um grunhido rouco reverbera na minha boca assim que me entrego ao beijo.
É molhado.
Quente.
Impensado.
Deixando a bagunça deslanchar, sou içada para cima, minhas pernas abraçam seu quadril e, por mais imbecil que seja, desligo minha mente de qualquer problema do final.
— Lívia... Porra! — Apolo afasta um pouco nossos lábios ao apertar minha bunda e esfregar meu centro no seu pau. Não abro os olhos para ver se ele me observa. — Porra... — repete e volta a me beijar.
Minhas mãos, que estão apoiadas nos seus ombros, tomam a liberdade de explorar por sobre a camisa social vinho que ele usa. Inesperadamente sou afastada da parede, meus cílios tremem, escancarando-se para entender o que acontece.
— O que...
Apolo me coloca com delicadeza na cama, acho que meu choque é mais por isso do que pelo que pode se desenrolar.
— Escute, Lívia — diz enquanto sobe suas mãos por minhas coxas, levando a saia junto, enrolando-a na minha barriga. Prendo a respiração por ficar exposta. — Não vou fazer nada que não queira, é só pedir para parar que paro. — Se ajoelha à minha frente. — Tudo bem?
Engulo em seco.
— Tudo bem — balbucio.

Apolo Mendanha

Encaro Lívia ali, deitada na cama com lençóis escuros, o cabelo se camuflando na cor. Seus olhos parecem indecisos, mas seu corpo reage bem a mim.
Ao entrar nesse maldito quarto não tinha planejado qualquer desfecho desses, não sei o que há nessa garota e sua rebeldia irritante que me deixa insano. Beijá-la foi mais para frear sua ladainha do que por qualquer outro motivo. Encarar tão de perto seu verde exótico com rajadas de azul foi afrodisíaco demais. Minha vontade é virá-la de quatro e me afundar o máximo possível na sua boceta. Feito esse que estou ansioso para realizar. Entretanto, levando em consideração o que passou, preciso aliviar um pouco as ações. Não que queira algum romance entre nós, só não sou nenhum estuprador filho da puta.
Seu consentimento ao meu esclarecimento vem baixo, contudo, alto o suficiente para ser entendido. Lívia morde o lábio inferior, estico minha mão para cessar o ataque, aproveitando para esfregar a região afetada. O vermelho absurdamente delicioso volta a preencher o macio bem desenhado.
— Relaxe — peço.

Percorro seus contornos ainda encobertos pela roupa, seu peito sobe e desce rápido. Com a ponta dos dedos toco seu abdômen, sua pele macia. Continuo para o sul, ansiando chegar onde quero. E porra! É a visão do paraíso ter sua boceta aberta para mim, a calcinha é da mesma cor da saia, tão pequena, frágil. Travo o maxilar com a pontada de desejo para provar o sabor direto da fonte. Corro o polegar por sobre o tecido, ela se contorce sem emitir som. Quero seus gemidos, meu nome saindo da sua boca.

Foda!

Estico o pescoço e mordo de leve seu quadril, deixando um beijo de boca aberta; em seguida, escorrego mais para o lado, até o pé da sua barriga, imitando o gesto. Suas respirações agitadas se tornam rasas. Resvalo os dentes mais para baixo, provando sua carne, então deslizo a língua na sua abertura, o pano encharca com a minha saliva.

É aí que um gemido quase inexistente adentra meus ouvidos.

— Delícia — grunho.

Enrosco o mindinho na lateral da calcinha e puxo, dando acesso ao que estava escondido. Meu pau parece prestes a explodir. Ergo suas coxas nos meus ombros e perco o controle de vez ao ficar frente a frente com a paisagem que me tirou o sossego desde o dia em que a vi dormindo. Chupo com vontade sua boceta, sugando os lábios para dentro da minha boca, sentindo o sabor de mulher gostosa tomar conta dos meus sentidos.

— Apolo... — Lívia começa a vir de encontro ao meu ataque.

Puta que pariu!

Ensopo dois dedos na sua lubrificação e lentamente os afundo no seu interior. Um grito rouco ressoa. Querendo livre acesso, rasgo a tira fina que sustenta a calcinha, logo depois arrebento o outro lado. Sem mais barreira, aperto sua coxa com vontade enquanto continuo comendo-a sem trégua. Seu círculo de nervos pulsa no mesmo patamar em que meu pau roga por alívio. Eu nunca, nunca senti um gosto tão carnal, tão inebriante assim.

— Apolo, meu Deus...

Essa necessidade no tom não tem nada a ver com medo, e isso me dá um tesão do caralho. Sei que Lívia está quase no ápice, suas paredes esmagam meus dedos com gosto.

Maldita gostosa!

Espreito a língua uma última vez no seu clitóris e levanto, ainda metendo, mas agora num ritmo mais cadenciado. Puxo-a um pouco mais para a ponta, pairando sobre seu rosto. Seus olhos de pigmento único se abrem para sustentar os meus, que devem estar sedentos. O brilho de prazer lampejando no fundo é extasiante, suas bochechas coradas, a boca muito vermelha.

— Quer gozar, garota? Quer molhar minha mão novamente? Porque eu estou louco para repetir isso. — Minha voz vem grossa por causa do estado no qual me encontro.

Envergo um pouco meus dedos, tocando o lugar certo, ela estremece.
— Eu não aguento mais... — choraminga.
A voz dessa infame é absurda de tão sexy. Porra!
— Vem, Lívia, pode gozar... — sussurro perto do seu ouvido e sugo o lóbulo, soltando-o em um estalo.
Suas pernas se fecham, seu quadril se ergue do colchão. Completamente maluco de tesão arrebato sua boca num beijo cru, erótico, misturando seu sabor mais íntimo com o mais doce dos seus lábios. Lívia gruda na minha nuca, imitando os movimentos da minha língua. Gemendo alto, ela atinge o orgasmo, levando junto qualquer partícula de bom senso que possa existir.

CAPÍTULO 16

Apolo Mendanha

Afasto minha boca da sua devagar e desço minha atenção para os meus dedos que entram e saem da sua boceta. A cena como um todo é enlouquecedora. A blusinha quase transparente marcando seus seios, a saia enrolada na cintura, minha mão entre suas pernas, seus fluidos escorrendo e, para completar o pacote, a calcinha frágil despedaçada embaixo da sua bunda.

Lívia é um pecado divino, é profano, proibido e a quero mais do que consigo lidar. Eu vou comer essa garota, dane-se qualquer empecilho.

Tiro meus dedos da sua boceta para lambê-los com vontade. Eu provei o mais puro sabor de mulher gostosa e parece que não é o bastante. Enquanto meu pau não se enterrar onde quer, nada será o suficiente. Desabotoo meu cinto e abro o botão da calça, libertando meu membro duro como pedra.

— Apolo...

Pisco duas vezes antes de voltar para a realidade. Meus olhos cravam no rosto dela, e lá está o medo que fode tudo. Dou um passo para trás, impelido pelo desespero que reflete na fisionomia da garota. Lívia não se mexe, continua na mesma posição, mas agora não é tesão que transpira dela, é pavor.

Puta que pariu, isso me deixa na borda!

Óbvio que não seria só transar. Além de me envolver com o sangue do marginal, ainda preciso driblar os fantasmas da delinquente. Porra!

Arrumo minhas roupas e bagunço o cabelo, agitado por não ter o que quero.

— Tudo bem, Lívia. Tá tudo bem — garanto calmo.

Uma calmaria que não combina com o turbilhão que estou por dentro. Tento lembrar a mim mesmo que, por mais errado que seja essa situação, não vou violentar ninguém; independentemente de qualquer vingança. Com passos calculados volto para perto, chego a cerrar os punhos ao observá-la se retrair. Para o inferno!

Com cuidado puxo sua saia para baixo e a ajudo a se sentar. Ficamos nos encarando por alguns minutos, até que decido voltar ao meu quarto.

Assim que baixo a tranca da porta, Lívia resolve falar. Sua voz doce fere ainda mais com a minha cabeça fodida.

— Eu não sei por que isso acontece — murmura.

Fecho as mãos em punho de novo. Eu sei por que isso acontece, os malditos estupradores a quebraram.

Lívia Nascimento

Aperto os lençóis entre os dedos ao dizer a verdade mais esquisita que não externo. Por mais que tenha sido vítima dos infelizes, não sei por que travo nessa hora. Só nessa hora. Na possibilidade de ter relação, sexo com sexo. É idiota, bobo e me deixa muito brava.

Apolo me faz sentir coisas que desconhecia. Ele me toca intimamente, me faz gozar na sua boca, lambe seus dedos sujos com o meu orgasmo, mas a merda da ideia de ter ele dentro de mim me apavora. Apolo permanece de costas para mim por longos minutos. Ao se virar é possível enxergar fúria nos seus traços. Encolho-me ao pensar que essa raiva pode ser por não termos terminado o que começamos por impulso.

— Talvez isso aconteça porque você só conhece a porra da violência, Lívia. Porque te tocaram sem sua permissão, porque foi doloroso, nojento, a merda de um estupro. — Apoia as mãos na cintura e fita o teto. — Vou marcar uma consulta com a ginecologista e Madu te acompanha.

Balanço a cabeça em negação.

— Não quero contar pra Madu. Não quero falar disso com mais ninguém — quase suplico.

Escuto seu rosnado de desagrado, todavia, ao invés de me xingar como eu esperava, Apolo apenas traz seus olhos escuros para os meus.

— Vou com você, espero do lado de fora. Assim fica melhor? — solta entredentes.

Anuo.

Sem dizer mais nada, ele se vai. Caio de costas no colchão.

Quando isso vai passar? Quando vou agir normalmente nessas horas?

"Essa não é a dúvida certa, Lívia!", minha intuição grita.

Eu deveria me perguntar por que diacho estou me atracando facilmente com a personificação do mal ou, quem sabe, me interrogar sobre não ter medo do homem que tem minha vida sob seu domínio. Apolo é contraditório e mau. Adjetivos que deveriam me manter distante, mas, pelo jeito, me atraem. O meio no qual fui criada e as etapas que passei devem ter sugado meu bom senso, deixando no lugar apenas a imprudência.

Levanto-me para evitar pensar tanto nas drogas que venho fazendo e vou me limpar. Um discreto sorriso repuxa meus lábios ao pegar o pedaço de pano rasgado na cama. Somos insanos, sem dúvidas. Coloco outra calcinha, uma das tantas que Madu deixou na gaveta do closet, e desço à procura do meu sobrinho.

— Nana, olha o que eu fiz — fala assim que adentro a cozinha.

Um bolo com cobertura de chocolate e muito granulado colorido por cima, descansa sobre o balcão.

— Ficou lindo, JP! Precisamos provar para ver se ficou bom. — Passo o dedo na borda da bandeja onde o doce está, capturando um pouco da cobertura.

— Não mexe, Nana. A tia falou que precisa esfriar, senão dá dor de barriga.

Olho para Madu, que está sorrindo para o pequeno.

— Certo, então vamos aguardar.

João Pedro senta-se em frente ao bolo, cruza os braços sobre o apoio e encosta o queixo neles. Parece um cachorrinho que caiu da mudança, que está ansioso para ter seu pedido de adoção atendido. Para não o deixar sozinho, acomodo-me ao seu lado e acaricio seu cabelo, que precisa de corte.

— Você sabe onde está Miguel, menina?

— Ele foi para casa, Madu. Não o vi depois disso.

— Opa, ouvi meu nome. Quem deseja minha presença? — Ele aparece na porta com seu habitual jeito descontraído e muito convencido.

— Estávamos falando mal de você, não se ache — brinco.

Miguel vem até mim e deixa um beijo na minha bochecha.

— Não minta assim, Deusa — sussurra antes de se afastar.

Bato de leve no seu braço para repreendê-lo. O que não adianta de nada. O metido sabe que é incrível.

— Deixa a menina em paz, rapaz abusado! — Madu ralha.

Sendo como é, seu filho a abraça apertado, enchendo-a de beijos. Fico admirando os dois juntos, eles são muito próximos e encantadores.

— Não fica brava, Maduzinha. Você ainda é a mulher que mais amo no mundo.

— Acho bom!

O filho pisca para a mãe e passa o braço por seus ombros. Logo João Pedro mostra sua obra-prima para Miguel e, como de praxe, ambos tagarelam sobre as sobremesas que mais gostam. Madu volta a cozinhar algo que cheira divinamente na panela grande e eu fico calada, observando as pessoas que estão aqui. O que me assusta é que meus pensamentos desenham Apolo com a gente, conversando, rindo, relaxado...

Fecho os olhos com força a fim de bloquear qualquer cena que o inclua. Preciso parar de sonhar com o que não posso ter e muito menos desejar.

— Está tudo bem, Deusa?

Sinto os dedos de Miguel colocando meu cabelo para o lado, em seguida acariciar meu rosto.

Respiro fundo antes de encará-lo.
— Sim. Só com um pouco de dor de cabeça.
— Quer algum remédio?
— Não, logo passa. Obrigada! — Sorrio de leve.
Miguel se inclina para frente, ficando mais perto. Com a visão periférica vejo JP ir para o lado da senhora simpática, xeretar o que ela está fazendo. Cruzo minhas mãos sobre o colo, sem saber o que dizer.
O que Miguel pensaria se soubesse que há pouco estava tendo um orgasmo na boca do patrão da sua mãe?
— Eu amei demais o retrato, até pendurei ao lado da cama. Um lugar especial para uma garota especial — conta baixinho.
— Não ficou perfeito, mas foi meu jeito de agradecer pelo presente.
— Ei! — Entrelaça nossos dedos, não me afasto porque não vejo malícia no seu gesto. — Ficou magnífico, Lívia! Você tem um dom lindo, deveria investir nele. Talvez, quando voltar para sua casa, consiga se dedicar mais. Eu posso te ajudar com isso.
Eu não tenho casa. Não sei nem como vai ser meu futuro.
Tenho vontade de dizer a verdade. Meu desabafo vem até a garganta, engulo-o em seco. Não tem por que contar porque nem o Miguel pode fazer algo para me livrar. Tudo depende de Apolo. Por esse motivo apenas camuflo meu medo do desconhecido e aperto os dedos que estão entre os meus, antes de agradecer sua preocupação.
— Ficaria muito feliz em ter seu apoio, garanhão. Não pense que vai se livrar de mim quando sair daqui. — Miguel ri, eu também. — Sério, muito obrigada por tudo!
— Não tem o que agradecer. Gosto de te ver sorrir, ajudar é só uma jogada para que isso se torne frequente. E quem sabe assim... — Vem mais um pouco para frente. — Consiga entrar aqui. — Toca meu coração.
Fico sem reação, completamente perplexa. Eu tenho noção de que Miguel joga seu charme para mim, na minha cabeça essa era sua cartada habitual. Só que o que identifico em seus olhos castanhos é intenso e muito, muito verdadeiro.
— Eu não... Eu não quero que você...
Ele sorri de novo. O gesto é como um pedido de desculpas envolvido com desapontamento.
— Não preciso de uma resposta, Deusa. Apenas quis dizer.
Como uma pateta, fico calada. Sequer tenho um ok para verbalizar.
— Nana, vamos comer! — JP grita, arrancando-me da cena complicada.
Sentamos os quatro em volta do bolo, meu sobrinho que corta e me dá o primeiro pedaço. Miguel solta minha mão, sem se afastar. O assunto é esquecido e voltamos a nossa dinâmica leve, o que nem de longe faz com que o último diálogo seja esquecido. Não sei o que vem acontecendo comigo, só que, pelo jeito, dar passos em falso está se tornando comum.

— Tava gostoso demais né, Nana? — JP indaga enquanto deita a cabeça na minha perna, no automático meus dedos acariciam seu cabelo.

Estamos no banco do jardim, fazendo a digestão da bomba de açúcar que devoramos.

— Acho que você leva jeito mesmo, seu bagunceiro. Eu nunca comi um bolo tão delicioso.

— Você *pomete*, Nana? Tava tão bom assim? — A indecisão no tom infantil me faz sorrir.

Se ele soubesse o quanto me faz feliz vê-lo bem, o quanto meu dia melhora somente com seu sorriso lotado de dentinhos de leite.

— Estou sendo sincera, pequeno.

— Será que o tio Apolo vai gostar? Eu guardei um pedaço para ele. Quero que ele fique orgulhoso de mim também — cochicha sonolento.

Meu peito se comprime ao ouvir o que diz. Apolo não é do tipo que come bolo de chocolate simples, feito por uma criança de três anos que fantasia com naves espaciais e planeja morar no espaço. Na verdade, Apolo parece não se encaixar em nenhuma categoria que inclua alguém mais do que ele mesmo.

Como se soubesse sobre meus pensamentos, a personificação do mal passa como um foguete pela porta, em seguida o cão sarnento puxa-saco aparece com o seu carro e há mais um veículo lotado de seguranças insuportáveis. Apolo não olha na nossa direção, até que João Pedro resolve chamar sua atenção.

— Tio! — grita, levantando-se.

O homem para, virando-se devagar no sentido da voz. Seus olhos escuros focam primeiro em mim, e o que vejo no fundo me estremece. Raiva, muita raiva. Aquele tipo de fúria indomável. Ficamos travados pelo que parecem horas dentro dos míseros segundos. Então sua visão cai para meu sobrinho.

— Fiz bolo e guardei um pedaço para você. Quando voltar do seu trabalho, podemos comer?

Conheço JP o bastante para saber que está nervoso, pois suas mãozinhas estão para trás, os dedos se apertam discretamente; um jeito de aliviar a tensão nos momentos em que não pode agir como uma criança normal e chorar.

— Podemos — responde seco, vira as costas e assume a direção do carro.

Apolo Mendanha

Faço as curvas em uma velocidade bem acima da permitida. Foda-se! Preciso chegar logo ao galpão onde meus seguranças colocaram os estupradores do caralho.

Estava em meu quarto, pensando no que havia acontecido com Lívia. No cheiro, nos sons, no quão errado é essa merda. O quão escroto é o que aconteceu com a garota. No meio dos devaneios uma verdade clareou, uma que me fez odiar meus impulsos ridículos: me envolvi tanto com essa atração sem pé nem cabeça, que nem pensei mais no assunto central de toda a minha vingança. Eu deveria ter dado ouvidos para a informação importante que Lívia me deu esses dias, sobre outra pessoa ter entrado na casa, sobre o tiro que ouviu. Pode ser que a garota saiba quem sou e esteja tentando limpar a barra do seu irmão para, como consequência, limpar a sua. Mesmo assim pretendo investigar mais a fundo a estranha visita na noite em que minha irmã foi morta.

Porém, bastou uma ligação avisando que emboscaram os marginais para que todo o restante se apagasse e ficasse apenas a cena dela se encolhendo ao meu toque, do seu relato sobre o dia em que foi violentada. Piso mais no acelerador, levando meu Maserati Levante ao limite. Consigo sentir a adrenalina percorrendo minhas veias como lava. Afinal, poderei descontar nos infelizes um pouco da impotência que Ícaro me fez ter por anos perante suas agressões com Mônica. Olho pelo retrovisor, o SUV preto segue de perto, acompanhando meu ritmo alucinado.

Em vinte minutos chegamos a um dos galpões abandonados da MV, é no meio do nada, em uma chácara que servia de estoque para os materiais; com a ampliação da fábrica organizamos tudo em um local só. Estaciono em frente à enorme porta vermelha, o desgaste da construção é evidente na ferrugem do aço e na pichação que vândalos aleatórios fizeram na parede de tijolos.

Jonas puxa a porta, que range ao se abrir, e me entrega uma arma antes que eu adentre o galpão. Não paro para prestar atenção, somente ergo a camisa e enfio no cós da calça. O odor forte de sujeira misturada com mofo impregna nas minhas narinas, fazendo-me ficar ainda mais puto. Observo que há três seguranças parados em pontos estratégicos e no meio os covardes que logo terão o que merecem. Caminho até os dois para arrancar a venda que os impedem de ver quem vai ferrar bonito com a vida medíocre que levam. Lívia pode ser um trabalho que ainda preciso resolver, mas garantir que esses filhos da puta evaporem do mapa é um contratempo que terei prazer em eliminar.

— Vamos começar a brincadeira? — Sorrio friamente.

CAPÍTULO 17

Apolo Mendanha

O quarto soco que desfiro em um dos marginais faz com que sua cabeça penda para trás de um jeito estranho. Já torturei o outro por bastante tempo, agora é a vez desse verme. Há sangue nos nós dos meus dedos e na camisa social branca, com as mangas enroladas até os cotovelos.

— Quem é você, porra? Se ficamos devendo alguma coisa, fale logo que pagamos! — O resmungo irritado, mesclado de dor, sai da boca imunda do filho da puta.

Jonas e os demais permanecem quietos, acompanhando meu ataque atípico, sem dizer uma palavra. Não costumo me envolver nessa parte para evitar exposição, mas desta vez era preciso. Não conseguiria ficar somente olhando, precisava causar estrago nesses covardes do inferno.

— O que foi, seu desgraçado? Hum? — Seguro com força seu cabelo encharcado de suor. — Agora não é mais o estuprador imbecil?

— Do que você tá falando, cara? Tá ficando maluco, caralho?

Aperto mais os fios sebosos.

— Lívia. Lívia Nascimento.

Demora apenas alguns segundos para que o reconhecimento brilhe nas suas feições.

Desgraçado de uma figa!

— É por causa da cadelinha, irmã do Felipo? — Sua risada debochada eriça todos os pelos do meu corpo. Afasto o punho e choco com seu nariz. Escuto o barulho de ossos quebrando, um som agonizante ressoa.

— Seu filho da puta! — berra.

Solto seu cabelo e agarro seu pescoço.

— Já que se lembrou de quem estou falando, quero deixar claro que cada passo do dia de hoje é sobre o que fizeram com a garota. Cada pancada é por terem tocado nela. No instante em que ver a morte chegar, porque garanto que não sairá vivo daqui, lembre-se de que é tudo por ela.

Desfiro outro soco. O marginal começa a gargalhar e cospe sangue ao seu lado.

— Felipo achou que ia se safar da dívida. — Solta uma gargalhada forçada. — Ele pode até não ter pagado, mas comer a irmãzinha superprotegida dele foi inesquecível. Os pedidos dela para que parasse, sua boceta virgem. Meu amigo aqui e eu fizemos a festa, seu filho da puta! Se está comendo a vadiazinha, saiba que ela engoliu meu pau até o t...

Ele não tem tempo de terminar, porque saco a arma do cós traseiro e descarrego no desgraçado sem um pingo de dó. O estopim seco do tiro apita em meus ouvidos, causando satisfação, contraindo meus músculos, aumentando a adrenalina. A ideia era prolongar o sofrimento o máximo possível, contudo, minha paciência inexistente cansou de ouvir a ladainha do desespero.

Sim, essa é uma das fases do medo: gritar, xingar, tentar atingir quem lhe mantém sob pressão. Conheço muito bem os estágios. Seco a testa com o braço esquerdo, pego meu paletó do chão, largo a arma no colo do defunto e caminho para a saída.

— Apaguem o outro e deem fim nos corpos. — É tudo que digo antes de sair do galpão.

Os seguranças não me seguem. Assumo a direção do carro, fazendo-o voar pela estrada, meus nervos permanecem rígidos. A fúria por sequer imaginar pelo que Lívia passou me causa enjoo, remete-me a um passado distante que até hoje me perturba.

— Pare, Ícaro, por favor. Está me machucando, amor.
— Cale a merda da boca, Mônica! Nem para fazer seu papel de esposa presta? Você é minha, não me diga o que fazer com o que é meu. — As palavras são rudes.

O estalo alto de um tapa faz o silêncio da noite trepidar. Jogo minhas cobertas para o lado, com cuidado abro a porta de meu quarto. Meus pais dormem de frente para mim, fico aliviado por saber que o quarto da minha irmãzinha é no fim do corredor, assim ela não precisa ficar com medo da voz brava do pai.

Eu sei que não deveria estar aqui, não quero apanhar de novo, ainda estou com o couro cabeludo dolorido pelos puxões de ontem, só não consigo ficar parado enquanto minha mãe chora pedindo ajuda.

Alinho meu olho com o buraco da fechadura e me engasgo com a cena. Minha mãe está deitada na cama, só consigo ver seus braços que estão amarrados, meu pai está sobre ela entrando e saindo do meio das suas pernas com brutalidade. As mãos dele apertam com tanta força seu pescoço que Mônica está vermelha, sufocando. As lágrimas escorrem como uma cachoeira por suas bochechas magras, muito brancas. Meu coração gela com a possibilidade de ela morrer. Fecho minhas mãos em punho e abro a porta de supetão. Meu pai estaca com a intromissão, devagar vira a cabeça para mim.

— Larga minha mãe! Larga minha mãe agora! — grito.

Ícaro volta-se para sua esposa e abre um sorriso igual ao que os bandidos fazem nos filmes antes de machucarem alguém.

— Acho que o nosso filho precisa aprender uma lição muito importante, não é, amor?

Mônica permanece calada, parece até aliviada por não ser mais o foco da atenção. Meu pai levanta e eu olho para o chão, não quero ver minha mãe sem roupa, é errado. Até agora a imagem estava bloqueada. De repente, meu braço é puxado com força, tanta força, que preciso morder a língua para não gritar, no mesmo instante o meu cabelo é bruscamente agarrado. Seguro o choro na garganta, será pior demonstrar fraqueza.

— Eu vou te ensinar como a dor pode ser um aprendizado, Apolo. Assim, talvez, você pense antes de se intrometer onde não deve, seu moleque insolente!

Então, meu pai entorta meu braço, não sei ao certo o que faz, só sei que a pontada é tão dolorida que começo a berrar e me debater atrás de alívio. Essa atitude o impele a me machucar mais, porque homem não deve ser fraco, e chorar ou reclamar me torna fraco. Só não consigo dizer a ele que está doendo muito.

Travo meu maxilar ao relembrar a primeira vez em que tive o braço quebrado. A primeira de muitas.

Lívia Nascimento

Observo Apolo sentando no banco onde costumo ficar, tomei um susto quando saí pela porta da frente, com a intenção de ir justamente para aquele cantinho, e dei de cara com ele. Voltei para dentro sem fazer barulho, desde então estou na semipenumbra encarando o homem que exala poder, que deveria me despertar medo, mas não desperta.

Entre assisti-lo esfregar o rosto, encostar a nuca no encosto e arrancar as pétalas das flores ao redor, já se passaram no mínimo umas duas horas. João Pedro está na casa da Madu desde que começou a cair o dia, o danadinho conquistou tanto a senhora simpática que ela não quer deixá-lo. Gosto de ver meu sobrinho feliz, leve, ele merece. Apolo chegou por volta das seis horas, nem em casa entrou. Os seguranças apareceram há mais ou menos meia hora, disseram poucas palavras para o manda-chuva e se retiraram.

Acompanho Apolo apoiar os cotovelos nos joelhos e se envergar para frente, enterrando a cabeça entre as mãos. Não sei qual a força que me puxa para o perigo ou que sentimento me obriga a ir ao seu encontro, só sei que vou. Aérea, ansiosa, sem um pingo de controle. Desde que vim parar nessa mansão enorme, tão vazia quanto, parece que não consigo controlar minhas ações.

— Ei! — chamo baixinho, de pé à sua frente; se ele resolver me enxotar saio sem hesitação. — Está tudo bem?

Seus olhos escuros se levantam lentos para os meus. Há raiva refletindo no fundo escuro como a noite, há também alguns respingos de dor, desordem, deleite. Contraditório, tão compatível com sua personalidade. Nenhuma palavra é pronunciada, o que aumenta minha agitação.

Você precisa começar a pensar antes de agir, Lívia. A personificação do mal não é como um namoradinho disposto a ser acessível com a garota da vez.

Apolo continua percorrendo meu rosto, pensativo. Ele é muito, muito bonito, e o vinco que se forma entre suas sobrancelhas deixa-o ainda mais belo. As pontas dos meus dedos formigam para tocá-lo. Cruzo as mãos em frente à barriga, nervosa pelo ímpeto e envergonhada com a inspeção. Prevendo a briga que, sem dúvidas, vai explodir, preparo-me para ir embora. Não dou nem dois passos antes que a voz grossa, rouca, dê ordem e me pare.

— Não precisa mais ter medo dos estupradores filhos da puta quando estiver livre, matei ambos hoje à tarde.

Meu coração faz uma parada abrupta com a notícia, meu estômago gela, meus olhos se fecham. Não sei se o choque é pela calma com que conta um fato tão cruel ou por alívio de saber que esses malditos não irão machucar mais ninguém. Por mais horrível que possa ser, a segunda opção pesa muito mais na minha consciência.

Fico alguns segundos filtrando o que ouvi. Devagar, volto-me para o homem que mantém uma pose fria, quase indiferente, em relação a ter tirado vidas, e que agora está em pé, a poucos metros de mim. Desço meu olhar por seu corpo, a fim de checar se está tudo no lugar, e me deparo com manchas aleatórias de sangue na impecável camisa branca. Meus olhos enchem de água com a constatação de que a última pessoa da qual esperava misericórdia fez algo pela minha dor, pelo meu medo.

Num rompante, jogo-me em cima dele, sem me preocupar em ser xingada. Só passo os braços por seu pescoço, enterrando o rosto em seu peito largo. Apolo não tem reação, acho até que está assustado com meu ataque. Então, o inesperado se desenrola e sinto seus braços circularem minha cintura, puxando-me para perto.

As lágrimas que sempre tento conter, despencam. Pela primeira vez em tempos choro com vontade, de chacoalhar meu corpo. Nem meu sangue fez tanto por mim. É doentio ter prazer com a derrota dos outros, porém, não fico mal. Foram eles que acabaram comigo, eles que me tocaram sem permissão.

— Obrigada, obrigada — murmuro entre um soluço e outro. — Eu... Você... Obrigada!

Ergo a cabeça para fitá-lo. Apolo tem sua íris focada na minha fisionomia, posso jurar que enxergo zelo no céu nublado que são seus olhos. Sem ter o que dizer, fico encarando-o, dançando por seus contornos rudes, hipnóticos. Pelo que parece uma eternidade, observamo-nos, até que sua mão sobe para o meu rosto. Por mais temerosa que fique com a possibilidade de uma reprimenda, não me mexo, somente prendo a respiração. Ele alisa minha bochecha e ao ver que o fluxo de lágrimas não cessa, seus lábios descem lentamente para beijar cada rastro molhado. Desta vez, o ar se esvai dos meus pulmões, minha pulsação acelera. Intensifico meu aperto na sua nuca.

— Apolo... — É patético o som entrecortado que sai pela minha garganta.

Gostaria de ter domínio sobre meus batimentos, respiração e frio na boca do estômago. Só que não tenho. Todo o meu sistema sente seu toque firme. É ingênuo balançar por Apolo, errado querer o que jamais terei, mas não mandamos nos pensamentos, eles simplesmente se manifestam. E, nesse instante, só conseguem imaginar esse homem no meu futuro.

— Ninguém mais lhe fará mal, Lívia. E, sim, é uma promessa — sussurra com a boca quase encostando à minha.

Desta vez sou eu quem toma a iniciativa, grudando nossos lábios. Diferente de antes, não nos engolimos através do beijo. É calmo, suave, intenso no ponto certo. Sua mão grande espalma minha lombar, enquanto a outra permanece no mesmo lugar, acariciando meu rosto. Eu não faço ideia do que anda acontecendo, mesmo assim é bom. Apesar de ter começado torto, não me pego com essa sensação de cuidado há muito tempo.

Agarrando uma ousadia que não tenho, desço meus dedos curiosos por seu pescoço, escorregando pelo peito em direção à barriga. Antes que possa chegar ao destino proposto, Apolo segura meu pulso.

— Não — dita.

É só uma palavra, que tem o poder de me desestabilizar pela entonação grosseira.

Não sei que merda eu tenho na cabeça, não existe outro final para a nossa interação, é sempre essa: afronta.

Porém, por hoje, não estou com vontade de brigar. Esse é o motivo que me impulsiona a me desprender dele e correr para o quarto. Quero aproveitar que JP vai dormir com Madu e chorar de alívio, mágoa, fúria. Descontar o mínimo da frustração que venho acumulando ultimamente.

Apolo Mendanha

Meus braços caem ao lado do corpo enquanto assisto Lívia se afastar. Eu queria o beijo, queria ela e, puta que pariu, é errado. A intenção não era afastá-la, era levá-la para dentro, há muitos seguranças de olho, muita atenção que não quero. Como sempre, a bendita é impulsiva. Caralho!

Irritado, bagunço o cabelo. O dia foi cheio: os estupradores, as lembranças que não queria ter, Lívia chorando, me tocando, beijando. Tem algo acontecendo comigo, não sei se gosto disso. Lisandra deve estar me amaldiçoando por querer tomar a irmã do marginal. Recolho o paletó que larguei no banco e entro. Na hora que cheguei da rua, preferi ficar do lado de fora esfriando os ânimos, não queria correr o risco de ter de lidar com João Pedro ou de bater com a imagem da garota rebelde que vem desfazendo os traços que fiz para cada objetivo.

Tática que não serviu muito, já que ela veio até mim.

Meus passos firmes se chocam com cada degrau da escada; em vez de ir para o lado direito, onde fica meu quarto, viro à esquerda, em direção ao local onde Lívia ocupa. Minha cabeça alerta sobre o desastre que estou prestes a desencadear, só que minha decisão se recusa a titubear. Baixo o trinco da porta, sem sequer me pronunciar, e adentro o cômodo. A única luz acesa é a do abajur, minha vistoria corre pelo espaço até cair nela. Lívia está perto do closet, para meu deleite veste apenas a calcinha e a blusinha de alça com detalhes em renda. Faminto, danço meus olhos por suas curvas tentadoras.

— O que faz aqui? — pergunta, arisca.

Encaro com intensidade seu verde exótico. Não vou mais dedilhar as beiradas dessa atração insana; já que não consigo me manter afastado, rendo-me de vez.

— Vim acabar com essa brincadeira sem fim, Lívia. Não somos adolescentes, somos adultos. E eu cansei de negar que quero você.

Devagar me aproximo, até conseguir circular sua cintura, puxando-a para perto. Com o dedo indicador ergo seu queixo, trazendo sua atenção real para mim. Os olhos, que tanto se destacam, estão vermelhos por conta do choro e parecem surpresos com a minha confissão. Até eu estou meio tonto com essa tranquilidade em admitir.

Foda!

Encosto nossos lábios a fim de bloquear qualquer recusa da minha mente ou da garota desbocada que me ferrou bonito. Hoje resolvemos isso. Chega de protelar o que parece cada vez mais impossível de evitar.

— A questão é... — Respiro fundo antes de soltar o divisor de águas para todos os meus planos. — Você também me quer?

CAPÍTULO 18

Apolo Mendanha

Observo Lívia frisar a boca perante minha pergunta. As lágrimas que caíam lá no jardim, secaram, mas como punição deixaram seus olhos vermelhos e as bochechas coradas. Fico admirando, pelo que parecem horas, sua fisionomia confusa e seus traços bonitos. A garota é mesmo uma gata sem fazer esforço.

Minhas mãos tomam a iniciativa sem que eu queira, e se apoiam em sua cintura, exercendo uma pequena pressão, como se assim conseguisse barrar minha falta de paciência pela resposta e, mesmo não querendo admitir, minha ansiedade pelo sim.

— Está tentando chegar a uma decisão ou essa demora é só para me irritar?

Tento não soar rude, o que não funciona já que a bendita se livra do meu toque e se afasta o bastante para deixar o ar circular livremente, sem o peso dessa atração ridiculamente insustentável.

— Não tem cabimento o que você faz ou fala, Apolo. Eu sou sua prisioneira aqui, não tente me tornar seu brinquedo só para provar algum ponto.

Solto uma risada debochada. Eu mereço tanto trabalho para apenas matar essa obsessão recém-descoberta do meu pau pela irmã do marginal? Que caralho!

— Não seja paranoica, Lívia. É só sexo. E não venha negar que me deseja, porque essa merda de tesão é quase palpável entre nós, porra! — acabo por soltar entredentes.

Não tenho o costume de aguardar o tempo do outro, e mesmo que tomar à força o que quero não seja uma opção, não consigo barrar meu lado incisivo de aparecer. É só dizer que quer, pronto! Qual o motivo de tanto joguinho?

É nessas horas que me sinto um otário, porque essa garota deve saber quem sou e está adorando me fazer de palhaço. Fecho as mãos em punho. A realidade vem em grandes ondas. Deixei de lado uma vingança real por causa de um desejo inadmissível. Qualquer justificativa para isso é nula. Eu falhei com Lisandra, falhei com os meus próprios princípios.

Desde quando passei a ser tão relapso? Um grande filho da puta traidor?

Deixo de encarar a maldita miragem que fodeu com minhas estratégias. Com raiva fuzilo o chão, a fim de extrair dele algum resquício de bom senso. Não adianta. Estou em um terreno perigoso e instável, onde essa ânsia por ela grita mais que qualquer lucidez.

Preciso de espaço, acima de tudo, preciso com urgência reestabelecer parâmetros. Sem dizer uma palavra saio do quarto. O único jeito de voltar a me concentrar no que, de fato, importa, é me livrando de Lívia.

Lívia Nascimento

Esse bendito homem é bipolar. Por Deus!

O barulho da porta se chocando ao fechar me faz apertar os olhos e esfregar a testa. Apolo é contraditório, insuportável e mexe com os meus hormônios de um jeito inacreditável. Eu o quero, não há confusão nisso. Só não sei o que me prende à zona mínima de segurança que tenho. Talvez seja por medo de não conseguir chegar aos finalmente e somente atiçar a fera dentro do infeliz. Ou porque as possibilidades de me apaixonar começam a ser grandes. Nunca fiquei tão atraída pelo sexo oposto, ainda mais com meu fatídico passado recente.

Tiro o restante da roupa e vou para o banheiro tomar um banho. Gosto de pensar debaixo da água. Li uma vez que, quando você relaxa, seu cérebro entende que não está trabalhando, então as ideias fluem. Pois bem, vou ficar bastante tempo no chuveiro.

Giro o registro e assisto as gotas geladas caírem, para logo darem vazão à água quente. Meu corpo se arrepia com o contato reconfortante.

Esses últimos dias têm sido confusos, perturbadores eu diria. Pior do que estar à mercê do perigo, é pisar em ovos o tempo todo para se safar do desfecho que Apolo tanto prometeu. Não posso ignorar que suas atitudes grosseiras amenizaram, até a forma com que fala meu nome não contém mais aquele quê de fúria. Sua proximidade com JP não parece mais forçada, as conversas entre os dois ganharam leveza. É ridículo, patético, mas não consigo impedir minha mente de montar muitos cenários felizes.

Larga de ser tonta, Lívia!

Meu irmão ficaria decepcionado por saber que esse meu lado sonhador ainda não morreu mesmo tendo motivos suficientes para não existir. Largo o sabonete no suporte e passo os braços à minha volta, mantendo a cabeça baixa enquanto a pressão da água massageia minhas costas.

Tentar manter algum equilíbrio emocional com tanta carga tóxica, não é fácil, só que é de extrema importância para que os medos não tomem todas minhas determinações. Apolo não é o principal motivo de minhas incertezas do futuro, mas é dono de grande parte delas. Por mais diferente que o infeliz esteja, não é garantia de mudança. Bandido é bandido, eles não têm dó de tirar do caminho qualquer obstáculo que atrapalhe seus negócios. E, para o meu total azar, estou sob o teto de um homem frio, que não demonstra remorso.

Por outro lado, sou insana o bastante para querer que me toque novamente. Talvez tentar arranhar a armadura que ele tão bravamente deixa intacta. Deve haver mais por debaixo daquela carranca constante. Apolo é mau, mas não deve ser só isso. Chegando a uma conclusão bem idiota, termino meu banho e me seco.

Em frente ao espelho, vestida com uma das camisolas chiques que ganhei, encaro a garota com curvas acentuadas, cabelo negro, olhos profundos. A decisão férrea que cintila nas minhas feições não se abala.

— Não pense muito, Lívia — murmuro para o reflexo.

Bagunço o cabelo molhado e sigo em direção à porta.

Esse deve ser o passo mais inconsequente que darei na minha vida aparentemente curta, contudo, cansei de deixar meus receios controlarem minhas vontades. Apolo mexe comigo e, pelo que disse aqui, eu também mexo com ele. Então, já que nasci e cresci em um meio incorreto, minha próxima parada é aceitável.

Dane-se o que aconteceu tempos atrás!

Dane-se o fato de Apolo ser quase o demônio sobre a Terra!

Eu quero saber o que é esse frenesi que apenas ele conseguiu aflorar em mim.

Eu quero. Eu vou. Somente minha vontade vai valer aqui.

O depois vou deixar para quando chegar.

Apolo Mendanha

Jogo a toalha molhada em cima da cadeira, vou até o guarda-roupa e pesco uma calça de moletom aleatória, vestindo-a em seguida, sem cueca mesmo.

Meus dedos ainda formigam com a raiva que serpenteia por dentro, tudo culpa daquela delinquente filha da mãe gostosa. Meu pau não amoleceu mesmo depois das duas punhetas vergonhosas que bati no banho. Bagunço o cabelo ensopado, perturbado pela reação do meu corpo a uma garota rebelde e boca suja.

— Foda!

Busco meu notebook com o intuito de dispersar o ímpeto de ir até seu quarto, arrastá-la para o meu e exterminar essa loucura de provar tudo, de ferrar com o nome dos Mendanha de vez.

Não consigo entender como deixei a situação chegar a esse ponto. Jamais tive de passar por uma atração perturbadora dessas. Se quero sexo, eu pago. Antigamente ligava para Eleonor, ela vinha, fazia o que tinha que fazer e ia embora. Sem complicações. Até que a mulher deu para me cobrar ou exigir respostas que não tinha a mínima intenção de lhe dar. Para sair dessa enrascada, voltei a pagar por prazer. E vivia bem assim, com uma rotina sem pormenores. Então encontrei Lívia Nascimento naquele barraco imundo e abri uma lacuna para colocá-la dentro da minha propriedade. Sem falar que deixei a vingança em segundo plano para focar em matar os estupradores que violaram a garota.

Um absurdo pior que o outro, puta que pariu!

Meu celular vibra sobre a cabeceira, estico-me para pegá-lo e checar quem é. Caio.

— Alô.

— *Apolo, preciso conversar com você. É urgente. Descobri algumas coisas, acho que vai querer ficar por dentro.*

— Seria sobre o quê? Adianta o assunto.

— *A falha nas máquinas foi golpe. Eu estava desconfiado desde que nos avisaram sobre, mas só consegui confirmar as suspeitas hoje.*

— Eleonor, não é? — pergunto, mesmo tendo certeza de que o nome por trás dessa merda é o dela.

— *Sim. E tem muito mais. Prefiro falar pessoalmente, pode ser?*

Quase rosno de ódio por não ter o que quero nesse instante. Contudo, paciência em determinados momentos é essencial.

— Ok. Amanhã venha até aqui cedo. Teremos privacidade.

— *Tudo bem... Tudo bem.* — Ele parece nervoso, não questiono o porquê. — *Até logo então.*

Encerro a chamada sem me despedir. Encosto o telefone no queixo, pensativo. Que Eleonor é puxa-saco do Ícaro eu sei. Que ela poderia tentar me foder, era uma opção. Só não entendo por que foi descuidada o suficiente para se deixar ser pega. Aquela mulher não faz nada pela metade, deve haver um meio para um fim nesse deslize.

Parece que todos os problemas juntos resolveram dar as caras. Eleonor tentando me passar a perna. O tal desconhecido, que apareceu na casa onde Lisandra mora na noite da sua morte. Lívia me tentando da pior forma. Minhas ressalvas sobre a maldita garota estar encenando não me conhecer. Agora Caio com revelações sérias o suficiente para deixar o homem fora dos trilhos.

Caralho!

Meu pai quebraria meus ossos se me visse perdendo o controle sobre os negócios. A primeira vez em que perdi uma negociação, que, na verdade, era uma simulação patética com um dos sócios, Ícaro quase me matou.

Seguro o boneco que Lisandra me entrega toda serelepe. Estamos na piscina, e ela insiste para que brinquemos de casinha. Algumas pessoas acham estranho um menino brincar disso, eu não vejo maldade. Quero apenas fazer minha irmãzinha feliz.

— Agora o príncipe salva a princesa de se afogar, mano.

Faço conforme ela pede e escuto uma risada alta de contentamento.

— Isso! Isso, mano.

Eu me preparo para bagunçar seu cabelo claro, quando escuto a voz de comando do meu pai:

— Lisandra, entre. Preciso ter uma conversa com seu irmão.

Sem contestar, minha irmã pega seus brinquedos, sobe a escada na lateral e corre para dentro do casarão. Ela também tem medo do homem que nos deu a vida.

— Que porra é essa, Apolo? Você tinha somente que convencer Arturo a comprar uma empresa falida por um valor razoável. E, em vez disso, sua proposta o fez investir em um negócio bem menor que o seu?

Engulo em seco, ainda dentro da água. Respiro fundo para começar a mostrar meus argumentos:

— Pai, eu apresentei todos os pontos positivos em comprar as ações, conforme o senhor me instruiu. Redigi no documento que o valor estava abaixo do mercado, que os ganhos viriam em, no máximo, seis meses. A proposta era perfeita, não tenho culpa se Arturo preferiu investir em algo sem garantias.

No mesmo minuto que exponho isso, quero engolir as palavras. O olhar que Ícaro me lança não é amigável, tampouco oculta seu desejo assassino. Só que o filho da puta do Arturo não tinha motivos para negar minha oferta, o desgraçado o fez para ver o circo pegar fogo.

— Não me venha com desculpas esfarrapadas, seu imprestável. Hoje vou te ensinar outra lição, Apolo. — Estremeço ao vê-lo entrando de roupa dentro da piscina. — Talvez assim, da próxima vez, você se empenhe mais em não me decepcionar.

O meu maior trauma surgiu naquele dia. Eu tinha quatorze anos e amava nadar, até que meu pai me afogou por horas a fio, só me libertando quando meus sentidos começavam a apagar e voltando à tortura assim que se convencia de que não havia matado o próprio filho.

Ícaro nunca foi piedoso, seu objetivo era conquistar poder sem se importar com quem varria do caminho. Isso foi passado a mim, mas creio que nesses últimos tempos venho relevando demais, aceitando colocações das quais não aceitaria antes. E essa grande merda me deixa no limite da revolta, só não sei por que a insatisfação não parece grande o suficiente para me obrigar a agir conforme deveria.

Porra!

Preciso colocar meu sobrinho no seu lugar e dar um basta na estadia da garota por aqui, isso já foi longe demais.

Caminho para a porta, a fim de ter uma conversa definitiva com Jonas. Chega de brechas nos meus termos. Cansei de concessões inviáveis. Assim que giro a maçaneta e escancaro a porta dou de frente com a obsessão em carne e osso parada no corredor.

— Lívia? — balbucio, confuso por encontrá-la parada ali, de olhos arregalados e vestindo só a porcaria de uma camisola que não deixa muito para a imaginação.

— Eu quero. Quero você, Apolo.

CAPÍTULO 19

Apolo Mendanha

Continuo segurando a maçaneta, exercendo mais força que o necessário na ação, com meus olhos vidrados nos dela, que exalam determinação. Escorrego para baixo, percorrendo as curvas que me convidam ao pecado. A camisola é curta, decotada e transparente. Se forçar a visão consigo enxergar a pinta razoavelmente grande que Lívia tem perto do umbigo.

Essa menina está me testando, só pode, caralho!

— O que te fez mudar de ideia, garota? Até meia hora atrás parecia convicta em não ceder — digo com brusquidão.

Suas mãos se enlaçam em frente à barriga e os olhos exóticos fixam em um ponto na parede, fugindo do meu escrutínio que voltou ao seu rosto. Desde que encontrei Lívia, seu ar inocente me pareceu ensaiado, o que me manteve alerta. O problema é que essa desconfiança, junto com todo o resto, foi ficando em segundo plano. Nesse instante, não sou capaz de discernir se há verdade ou falsidade na sua atitude de vir me procurar. O mais preocupante é que meu corpo está quente como o inferno com a mera possibilidade de provar seu sabor de mulher gostosa.

— Eu não deveria ter vindo — murmura já virando para fugir, o que me tira do torpor.

Tudo para a puta que pariu!

Não sou mais criança para ficar com esse joguinho ridículo. Seguro seu cotovelo, trazendo-a para perto. Suas costas se chocam com meu peito, seu cheiro de banho dança até meu nariz.

— Você sabia do risco quando decidiu me procurar, Lívia. Não me venha com timidez agora. — Meus dedos agarram o cabelo ainda úmido, deixando livre o caminho até sua orelha. — Ou entra e me deixa te foder, ou volta para o quarto e amanhã mesmo está livre. — Percorro seu pescoço com a ponta da minha língua. Ela estremece.

A decisão de deixá-la ir embora ao amanhecer não vai mudar, mas é o que pude usar no momento para, quem sabe assim, evitar a maior burrada da minha vida. Solto seu braço e espalmo a mão em seu ventre, forçando meu pau duro como pedra na sua lombar. Lívia resfolega.

— Quero entrar — sua resposta não passa de um sussurro.

Sem esperar que mude de ideia, dou dois passos para dentro do cômodo, com ela ainda grudada a mim, e fecho a porta. É a sentença dada. Eu vou trair os Mendanha. Vou comer a irmã do marginal. Foda-se o quão errado é!

Lívia Nascimento

Cada terminação nervosa do meu sistema parece em colapso. Apolo me deu duas opções e, em vez de escolher a liberdade, preferi adentrar a jaula do lobo. Eu deveria ter vergonha das minhas atitudes, mas não tenho. Talvez ter sido superprotegida por tantos anos tenha me convencido de que ceder à impulsividade não seja tão inaceitável. Além disso, duvido que esse bendito me deixe levar JP comigo para longe dessa mansão mórbida.

Ele me solta, dá a volta e caminha até uma poltrona no canto do quarto, sentando-se com calma, como se o tempo fosse seu para ser manipulado. Permaneço estática, com medo de travar ou, pior, apavorada com o receio de gostar. Gostar dele.

Engulo em seco.

— Venha até aqui, Lívia — chama com a voz mansa, rouca.

Droga de homem bonito e perigoso! Atraente e arrogante. Sedutor e insuportável.

Vacilantes, minhas pernas obedecem ao comando, levando-me a parar poucos centímetros de Apolo.

— Antes de começar, quero deixar algo bem claro: levando em consideração o que passou, quer mesmo continuar?

Um apito grave em meu ouvido quase me impede de ouvir o que é dito. Apolo é perigoso, óbvio que é. Mesmo ciente dos alertas, anuo com a cabeça. Um sorriso de satisfação brota em seus lábios cheios.

— Ótimo! Tem apenas mais uma coisa: nada aqui será carinhoso. Nós vamos transar, vamos gozar e paramos por aí, está de acordo?

Prendo meu olhar no seu, que transmite impaciência, tesão, intensidade. Por mais que eu saiba o quanto isso pode mexer com a minha cabeça boba, não vou desistir de experimentar o prazer cru que, sem dúvidas, vou encontrar nos braços desse filho da mãe.

— Sim... — digo mais firme do que esperava.

— Boa garota! — Recosta-se mais no estofado, sem deixar de me envolver com sua atenção quase claustrofóbica. — Agora, tire a roupa para mim.

Minha respiração trepida com o pedido. Imagino a cara de assustada que deixo transparecer, porque o infeliz semicerra as pálpebras em desagrado.

Eu quero isso. Eu vim procurá-lo. Eu vou continuar.

Tremulamente, meus dedos sobem até as alças finas da camisola, baixando uma de cada vez, por fim o tecido delicado escorrega por minha pele, adornando meus pés. A calcinha quase do tom dos meus olhos é a única barreira que impede minha nudez.
— Foda! — sibila com ferocidade.
Então se levanta, com no máximo dois passos posso sentir seu cheiro marcante tomando meus sentidos, nossos tórax colados.
— Você deve ser tudo, menos dona dessa figura angelical que parece agora. Eu tenho certeza — baixa a boca até minha orelha — de que é minha ruína, garota. — Seus dentes mordem o lóbulo, arrancado de mim um gemido baixo. — Deve ser o diabo vindo cobrar minha sentença em forma de mais pecado, porque, por Deus, Lívia, eu só consigo me imaginar metendo nessa sua boceta quente por horas a fio. E pouco me importo se depois vou queimar no inferno.
Outro gemido, mais alto, escapa da minha garganta.
Apolo gruda suas mãos grandes na minha cintura e aperta. É forte, sem cuidado, deixa-me em combustão. Ele desce por meu colo, ora lambendo ora mordiscando. Tombo o pescoço para trás, entregando-me de vez.
Tenho um sobressalto quando sua língua molhada captura um dos bicos dos meus seios. Não sei se é o contato que é mais tentador ou o grunhido exótico que ele solta. A lambida generosa se transforma em um ataque doido, preciso me agarrar nos seus ombros para não despencar, tamanho o rebuliço que alvoroça meu estômago.
Apolo junta meus seios e se esbalda sem cerimônia em cada um. Nunca pensei que isso pudesse ser tão erótico.
— Esse seu sabor não é normal, puta que pariu!
Estou tão perdida nos barulhos e na sensação gostosa do ato, que me assusto ao ser içada. As mãos dele encaixam embaixo da minha bunda e me erguem. Circulo sua cintura por puro instinto, deixando nossos sexos encaixados. Apolo me esfrega contra si, chego a fechar os olhos com o contato tão íntimo, puramente sexual. Pendo a testa no seu ombro, chamando seu nome sem pudor algum.
— Delicioso, não é? Imagina quando meu pau estiver todo enterrado aí dentro? — Aperto mais minhas coxas no seu quadril. — Só de imaginar o quão molhada você está, garota...
E para a frase no meio, minha curiosidade quer que termine e minha libido pouco se importa com isso.
Com lentidão, ele caminha até a poltrona e me coloca no chão, sem deixar de me tocar. Impetuoso, Apolo ataca minha boca, girando sua língua com a minha, mordendo meus lábios sem piedade. Tento a todo custo me manter sã, mas minha guerra contra o descontrole perde as forças. Conforme o beijo fica mais necessitado, nossas mãos tomam espaço. Buscando, descobrindo. Minha calcinha é colocada de lado e dois dedos me penetram, finco as unhas nos braços dele com a invasão repentina. Porém, não tem nada de ressalvas, somente tesão.

Tesão no seu estado mais irresistível.

— Nossa... — grunho dentro da sua boca, fazendo com que intensificasse o beijo. Um formigamento agita meu baixo-ventre. — Ah, eu vou... Vou...

Nesse segundo, seus dedos me abandonam, cortando o início do êxtase. Confusa, resolvo encarar o homem que consegue arrancar de mim emoções que me eram desconhecidas, o que é um grande erro. Apolo tem os olhos tão escuros, que quase me engolem. Em câmera lenta, vejo-o levar os dedos que estavam em mim, até a boca. Minha expressão é de choque, admiração, encantamento. É muito sexy vê-lo se deliciando com os meus fluidos.

— Não sei se te dou uns bons orgasmos antes de te foder ou se atendo ao seu apelo silencioso e te como com força bem aqui, Lívia. Você está refletindo cobiça, sabe o quanto isso é irresistível?

Apolo dá um passo para o lado, fazendo meus braços caírem ao lado do corpo. Minha respiração está agitada, o coração frenético. Eu não me imaginei sentindo esse fogo, essa insanidade para ter mais de algo que até então abominava. Procuro empurrar os pesadelos para o fundo antes que eles tomem meus sentidos.

— Apoie as mãos no encosto e abra um pouco as pernas. Preciso chupar você.

Puta merda!

Ele é muito intenso.

Apolo Mendanha

Lívia demora um pouco para assimilar o que pedi. Tenho vontade de eu mesmo dobrá-la ali, porque meu pau está a ponto de explodir com a ânsia de sentir o gosto que me tirou qualquer sanidade.

Assim que se inclina e deixa a bunda empinada, decorada pela calcinha tão verde quanto o exótico dos seus olhos, à mostra, preciso respirar fundo para não rosnar como um animal. Caralho!

O tecido delicado está encharcado e eu estou ficando maluco porque essa imagem é uma das mais tesudas que já vi.

Com uma calma que não existe, beijo cada um dos lados da sua bunda redonda, lisinha, e deixo uma mordida ao lado, quase perto do quadril. O gemido que a maldita solta é hipnótico.

— Apolo... — Não canso de lembrar que meu nome naquela boca é uma puta delícia.

Sento-me entre suas pernas escancaradas e encosto a cabeça na poltrona. A boceta rosada está bem na minha cara. Lívia respira pesado, fora de compasso, não sei se está ansiosa ou lutando para não surtar. Tentando não pensar no que ela passou e querendo fazê-la se desligar do passado, enrosco os dedos na lateral da calcinha e rasgo as tiras. Outro gemido toma o quarto.

— Eu quero seus gritos de prazer, Lívia. Quero você delirando. Goza bem gostoso na minha boca, garota. Porque depois você vai ensopar meu pau.

Como resposta, a desgraçada se empina mais. Grudo minhas mãos na sua cintura e a puxo para baixo, liberando acesso para meu ataque. Não sou carinhoso, eu a chupo com tanta vontade que meus lábios se apressam para acompanhar. O gosto dela é cítrico, tem sabor de tesão. Exatamente como me lembrava.

— Apolo...

Meu nome sussurrado assim é o caralho de uma adrenalina.

Aumento a sucção, adicionando meus dedos na brincadeira. Meus músculos retesam a cada som mais alto que a bendita solta. Meu pau pulsa a cada vez que sua boceta comprime. Minha mente se afasta mais e mais do real motivo de tê-la trazido aqui, a cada segundo que passo bebendo do seu prazer.

Essa filha da mãe não teve piedade em me enredar, eu não tive dó em me jogar nesse vulcão chamado Lívia Nascimento. Continuo meu ataque, querendo prolongar o máximo possível, mas, aos poucos, percebo suas pernas perderem a força e, antes de gozar, ela enfia a cabeça no estofado, praticamente sentando na minha cara.

— Eu não vou... Não vou...

— Vem, Lívia. Deixa essa boceta escorrer para mim.

E assim acontece. Seus gemidos são impulsos para o meu descontrole. Eu chupo, lambo, aperto sua carne para marcá-la mesmo, sem um pingo de remorso.

Foda!

Nossas respirações engatam o mesmo ritmo. É errado e muito, muito excitante. Deixo um último beijo de boca aberta em sua boceta e me levanto. Lívia permanece na mesma posição, o cabelo grudado nas costas por conta do suor. Encosto rente a ela, tirando os fios pesados para cheirar seu pescoço. Até aqui o cheiro é de mulher gostosa, daquelas que fazem homens inteligentes cometerem as piores besteiras.

— Quero que você vá até a cama e se deite, apoiando os pés na beirada. Eu vou comer você.

Os pelos da sua nuca se eriçam. Novamente espalmo a mão em seu ventre, apertando-me ao seu encontro. Meu pau parece pedra de tão duro.

— Vamos lá, Lívia! Esqueça o resto, vamos aproveitar isso aqui. Só você e eu — digo ao perceber que ela trava.

Não quero lidar com o fato do estupro agora, não pretendo deixá-la pensar nessa merda por enquanto. Viro-a para mim, com o dedo indicador ergo seu queixo, trazendo os olhos exóticos para os meus. Não sei explicar, mas levo um baque com o que percebo ali no fundo. Desejo em confronto com o medo. Seus dentes mordem seus lábios com força.

Essa garota está mesmo me ferrando, porque minha vontade é acalentar seus traumas, diminuir seu peso. Engulo em seco com essas sensações estranhas e nem um pouco justificáveis. Sem ficar matutando o que só serve para me deixar puto, beijo sua testa, a ponta do seu nariz, cada lado da sua bochecha e, por fim, sua boca. É lento, cuidadoso, até que seus lábios se abrem para me receber. Lívia ergue os braços e enlaça meu pescoço, recebendo o que quero muito lhe dar. Percorro minha mão até sua nuca e a encaixo ali, em um aperto leve, sem muita pressão. Talvez seja isso que ela precise para não deixar o passado invadir o presente.

Vou andando, sem soltá-la, até a cama. Ali a deito, cobrindo seu corpo com o meu. Suas pernas se acomodam na minha cintura, tímidas, receosas, mas tomam a iniciativa. Meu pau fica exatamente encaixado em sua boceta, sem conter impulsiono meu quadril para frente.

Ela geme, eu intensifico o beijo.

— Me deixe ir até o fim, Lívia. Vou enlouquecer se não me afundar aqui. — Desço minha mão entre nós, enfiando dois dedos em seu interior encharcado. — Desligue sua mente do que te machuca, foque nisso. — Desço minha boca por seu maxilar, pescoço, colo, até onde consigo alcançar. — Seja minha hoje, menina. Só minha por essa noite.

Capturo o bico do seu seio e sugo com ânsia. Meu nome escapa dela, deixando-me ciente de que vou enlouquecer caso tenha de parar agora.

— Apolo... — Ela se enverga, pedindo, sem palavras, por mais.

Minha ideia era comer essa garota do jeito que imaginei. De quatro, rápido, forte. Porém, preciso abrir uma brecha, tem muito mais por trás do tesão e por mais filho da puta que tenha sido com ela, não pretendo marcá-la mais ainda no que se diz respeito ao sexo. Retorno para seus lábios cheios, convidativos, e enquanto me afogo mais no gosto que essa bendita tem, continuo estimulando-a. Com a outra mão abaixo a calça. Meus dedos param o ataque, para que meu pau percorra a umidade deliciosa de sua boceta. Lívia começa a gemer mais, abrir-se mais e, puta que pariu, que delícia!

Paro bem à sua entrada, apenas a cabeça do meu pau escorrega para dentro. Puxo o ar entredentes, fazendo uma força descomunal para manter o controle que ela já levou de mim faz tempo.

— Posso? — Escuto-me perguntando.

Meio atordoado pela preocupação, afasto-me o suficiente para mirar sua íris. Fico surpreso pela satisfação que tenho ao não encontrar aquela sombra encobrindo suas decisões.

— Pode — murmura ainda me encarando.

E é assim que me afundo nela, centímetro por centímetro, sem a porra de uma proteção; sem um resquício de lucidez.

Lívia Nascimento

As coisas que esse homem me desperta são assustadoras. Sua boca no meio das minhas pernas me fez delirar. Seus beijos exigentes me deixaram mole, todavia é o zelo que enxergo nele que me faz decidir que quero.

Com lentidão sinto seu membro me preencher. Uma fisgada de dor pinica minha pele, obrigando-me a agarrar nos seus ombros e abrir a boca em um grito silencioso assim que nossos sexos estão totalmente encaixados.

— Porra! — Apolo ruge. O som percorre cada célula do meu corpo, aumentando o desejo, distanciando o desconforto. — Porra...

Ele toma meus lábios com ímpeto. Sem cuidado, extraindo deles tudo o que quer. Tira todo o seu pau para fora e arremete com firmeza. Grito com o ataque, e não é de dor, é de tesão.

Meu Deus!

— Grita, menina! Berra, porque aqui somos apenas nós. — Sua atenção vai para onde nos conectamos. — Você é uma gostosa do caralho, Lívia!

Os dedos dele vão para meu clitóris, mexendo, circulando, levando-me ao delírio. Nosso suor começa a se misturar assim como nossos fluidos. Nossos beijos são molhados, os barulhos são altos. A cada estocada eu me perco. A cada gemido dele vou caindo mais no abismo. Minha perdição é quando Apolo morde o bico do meu seio, a pressão que sinto ali corre por minha espinha, alojando-se no baixo-ventre, e eu explodo em vários pedacinhos, puxando seu cabelo, pedindo por mais, curtindo uma sensação que jamais cogitei ser possível. Finalmente me entregando por livre e espontânea vontade.

No fundo escuto Apolo dizer meu nome e afundar a cabeça na curva de meu pescoço. Meu coração parece prestes a pular do peito, minha respiração nunca ficou tão descoordenada. Permanecemos quietos, tentando se desprender do clímax, voltar para o momento.

No segundo que a realidade começa a dissipar essa miríade que criamos, começo a gelar com a insegurança de ser escorraçada. Meu movimento de bagunçar seu cabelo molhado do esforço, cessa.

O que vem agora?

Apolo não diz nada, contudo, consigo sentir sua tensão. Com nossa pouca, porém desgastante convivência, afirmo que a porcentagem disso significar um dilúvio é grande, muito grande.

Contrariando meu receio, ele nos desencaixa com cuidado, rola para o lado e me leva junto. Não conversamos, sequer nos olhamos. Seu braço apoia minha cabeça e, sem dar atenção para os alertas que piscam incessantemente, acabo adormecendo na cama do homem que prometeu me matar.

CAPÍTULO 20

Lívia Nascimento

Acordo com um calor insuportável, minha bexiga arde de tão cheia e meu braço está formigando por ficar muito tempo na mesma posição.

Demoro uns minutos para me orientar e me lembrar dos acontecimentos. Apolo e eu transamos! Meu Deus! Viro a cabeça para o lado, dando de frente com ele dormindo. Seu braço firmemente apoiado na minha cintura, o rosto próximo demais do meu. Preciso sair daqui!

Lentamente me arrasto para fora da cama, ainda é noite, somente a luz da lua se esgueira pela cortina, iluminando o quarto, o que me ajuda a caçar a camisola largada pelo chão. Visto-a o mais rápido que consigo. Pé ante pé saio para o corredor, fechando a porta com extremo cuidado para não acordar a fera. Não tem como imaginar qual será a reação de Apolo. Ele pode até ter sido maleável antes, mas não vai continuar sendo. Sei que não.

Chego ao meu quarto, atordoada. Um frio insuportável na boca do estômago me deixa ainda mais apreensiva. Eu fui até o fim, deixei um homem me tocar por livre e espontânea vontade e gostei! Levo as mãos até a boca em choque.

Não sei ao certo como me sentir em relação a isso. Eu deveria repudiar esse tipo de contato, só que não é o que faço. Apolo me levou a um estágio desconhecido no sexo, mostrou-me um prazer que até então era impossível eu ter. Deito-me no colchão macio, encarando o teto. Não nego que foi maravilhoso o que fizemos, cada toque me arrepiou e atraiu. O quão errado é ter me entregado a ele? Nem quero pensar muito nisso.

Aconteceu, ponto. Eu queria, não fui obrigada e agora sei que intimidade nem sempre significa coação, medo, dor. O único problema é que, nesse caso, Apolo não é um cara apaixonado que vai me beijar quando me vir, é bem provável que me ignore ou me xingue. E essa incerteza está me corroendo.

Apolo Mendanha

Faz uns dez minutos que acordei e ainda não consigo acreditar que aquela bendita garota saiu sorrateira da cama. Porra!

Eu deveria ficar satisfeito com essa merda, já que não sei qual seria meu próximo passo caso acordássemos juntos, todavia estou puto com isso.

O celular toca fazendo com que o ímpeto de ir atrás da filha da mãe se dissipe.

— Apolo. — Atendo ao ver que é Caio.
— *Estou indo para a sua casa, no máximo em meia hora estou aí.*
— Tudo bem, estou te esperando.

Quero saber o que aquela sacana da Eleonor está aprontando. Antes de cair matando em cima da maldita, vou juntar todas as provas para que ela não tenha escapatória. Eleonor sempre quis a MV, e saber que teria conseguido caso meu pai não tivesse endoidado, deve deixá-la furiosa. Preciso também ver alguns pontos com Jonas, descobrir quem foi até a casa onde Lisandra morava com o marginal na noite do crime.

Faço o que tenho de fazer no quarto, o que inclui jogar no lixo a calcinha rasgada que ficou esquecida perto da poltrona, e desço para tomar café. Eu me aproximo para puxar a cadeira quando escuto a risada inconfundível da Lívia, o som é despreocupado porque é tão alto que arde em meus tímpanos. Sem me importar em ser enxerido, afinal estou na minha casa, passo pelas portas da cozinha.

E lá está Miguel sendo irritante e ela sendo uma infeliz esperta do caralho. Ambos sentados lado a lado. Ele com o dedo cheio do que parece ser glacê de bolo, prestes a sujar o rosto dela.

— Nada mais justo, Deusa. Você me encheu de doce primeiro.
— Mas foi só um pouquinho.
— Claro que foi! — Ele ri.
— Tio, suja *bastantão* a Nana. Aí nós vamos lá *se* lavar na piscina.

Noto João Pedro de frente para os dois, sua testa toda manchada de cobertura.

O menino me enxerga petrificado ali na entrada, assistindo à cena patética de Lívia e Miguel.

— Tio Apolo! — a criança grita e corre para o meu lado.

Acho que sua intenção era me abraçar, mas breca assim que percebe minha cara de poucos amigos. Seus pés se remexem impacientes.

— Eu fiz bolo ontem, guardei um pedaço grande pra você. Nana, Madu e Miguel adoraram. Você quer comer o seu?

Seus olhos idênticos aos da minha irmã estão ansiosos. Se ele soubesse que quando sua mãe fazia essa expressão ganhava qualquer coisa de mim...

— Peça para a Madu colocar à mesa, vou tomar café.

Ergo a cabeça para voltar ao casal e vejo Lívia me encarando. Meu olhar deve ser mordaz, pois a bendita frisa a boca. A mesma boca que gemeu meu nome horas antes.

Foda!

— Bom dia, Apolo! — Miguel saúda.

Apenas balanço a cabeça e saio do cômodo. Dane-se! Se a garota quiser dar para ele também, que se esbalde. Ela não é nada, não significa nada, e hoje mesmo some daqui.

João Pedro parece saltitante quando volto à sala de jantar onde a mesa impecável me espera. Tento ao máximo relaxar minhas mãos, que sem perceber fechei em punho.

— Tenho certeza de que você vai gostar, tio. Eu fiz do jeitinho que Madu falou.

Observo o prato com dois pedaços grandes de bolo, todo despedaçado e com muita cobertura, que foi colocado onde vou me sentar.

Acomodo-me e pego o garfo ao lado. O menino quase não se aguenta de ansiedade pelo meu veredicto. Com calma tiro um pedaço do bolo para levar à boca. É doce, muito doce, e me lembra das vezes em que me enfiava na cozinha para fazer a mesma coisa com Madu. Sem perceber acabo sorrindo.

— E aí, tio?

Foco minha visão no meu sobrinho, que já não está com a testa melecada. Sua semelhança com minha irmã chega a ser sufocante, o que me leva a pensar como seria se Lisandra ainda estivesse aqui.

— Ficou ótimo, João Pedro — garanto, comendo mais um pouco.

Como se tivesse ouvido algo espetacular, o menino sai do seu lugar, com um sorriso que não cabe no rosto, e vem até onde estou. Seus braços cercam meu pescoço. Um ato que me pega de surpresa.

— Que bom, tio! Vou lá contar pra Nana.

Do mesmo jeito abrupto que se aproximou, ele sai. Balanço a cabeça descrente com o que anda acontecendo e volto para o meu café da manhã.

Tento a todo custo ignorar Lívia e Miguel. Tento não dar importância para a aproximação dos dois ou para qual deve ser o objetivo dela. Não posso perder tempo com isso. Foi sexo, como eu mesmo deixei claro antes, então por que essa raiva disfuncional não para de atiçar meus nervos? Que caralho!

Por sorte, Caio chega e seguimos para o escritório. Quero entender o que está se passando bem debaixo do meu nariz, assim podemos planejar como agir.

— Aqui está, Apolo.

Ele vira o notebook para mim, a imagem da minha advogada pilantra aparece. Eleonor mexe no celular antes de levá-lo ao ouvido. Em seguida, o som irritante da sua voz ressoa.

— Estou ligando para avisar que o esquema das máquinas não deu certo. O intrometido do Caio ficou em cima, dizendo que já estava cuidando do caso. Além disso, Apolo estava desconfiado. — Ela para e escuta. — *Sabendo, oras. Eu o conheço bem o suficiente para saber que não acreditou na minha desculpa de estar no pavilhão conversando com um dos técnicos.*

Eleonor parece nervosa.

— *Não fui descuidada, foi apenas uma jogada de azar. Vamos pensar em algo.* — Mais silêncio. — *Tudo bem.*

Ela encerra a chamada e sai da sala. Caio pausa o vídeo.

Não acredito que essa filha da puta está aprontando. E, pelo que entendi, há cúmplice. O pior é que esse infeliz pode ser qualquer um.

— Acho que você entendeu a conversa, não é? — Caio indaga.

— Precisamos descobrir com quem ela estava falando. Não vou tomar uma atitude agora, quero que Eleonor se enforque sozinha.

— Foi o que pensei. Por isso tomei a liberdade de colocar câmeras com escuta em algumas salas, inclusive na minha. Configurei para que você possa acessá-las quando quiser. — Ele me encara, sério. — Fiz isso para que possamos validar as provas quando necessário. Assim não fica evidente que estávamos monitorando justamente Eleonor.

Muito eficiente, penso. A polícia não aceitaria os vídeos, caso entendessem que o intuito foi investigar somente uma pessoa.

— Ótimo, Caio! Vamos esperar mais alguma merda dela, então agimos.

— Vou te pedir para mantermos isso entre nós, Apolo. Não sabemos quem é o outro envolvido, até lá é melhor mantermos a discrição.

Concordo. Não sei mais em quem posso confiar.

Como sempre, Caio diz o necessário e logo se despede. Eleonor tem um objetivo e eu vou descobrir qual é antes que a vadia cause mais estragos. Ícaro pode estar biruta, mas nada me impede de cogitar seu envolvimento. Mesmo a contragosto vou precisar visitar o desgraçado para ver se descubro alguma coisa.

Lívia Nascimento

— Como andam os desenhos, Deusa? — Miguel pergunta assim que saímos para o jardim.

Após o olhar mortal de Apolo lá na cozinha, fiquei meio sem foco. Eu sabia que ele seria maldoso quando me visse, só não esperava que aquele infeliz me encarasse com tanto nojo. Nem quando invadiu o barraco expôs aquela repulsa. Trato de empurrar essa mágoa repentina e dar atenção ao meu amigo.

— Está sendo incrível demais poder voltar a desenhar. Não posso ver nada que já quero passar para o papel.

Miguel segura minha mão, entrelaçando nossos dedos. Não tento me afastar.

— Fico feliz por saber disso. Ultimamente, não tem nada que eu queira mais do que te fazer sorrir, Lívia.

Levanto a cabeça para fitá-lo. Ele não me chama pelo nome desde que nos conhecemos.

Há tantas emoções no seu fundo marrom. Não tive muitas paqueras, para ser sincera, consigo contar nos dedos de uma única mão quantas foram, mas eu sei que Miguel está me paquerando de verdade nesse momento. Ele arruma alguns fios do meu cabelo, e aproveita para acariciar meu rosto.

— Você é linda demais, Deusa. Tão linda, que não sai dos meus pensamentos, tudo o que desejo é te beijar. E, droga, isso vem tirando o meu sono. — Por instinto tento dar um passo para trás. Não por medo dele, sim, pela pressão em meu peito. — Não precisa tomar espaço, jamais faria algo sem seu consentimento, só estou deixando claro quais são as minhas intenções. Se decidir que quer o mesmo, basta dizer. Tudo bem?

Engulo em seco, ganhando tempo para acomodar o que ouvi. Miguel é mesmo maravilhoso, em todos os quesitos. E por mais que me sinta confortável ao seu lado, não posso querer, não devo envolvê-lo em uma confusão danada com Apolo. Por isso apenas concordo, sequer pronuncio uma palavra. O sorriso costumeiro, que é sua marca registrada, desenha seus lábios antes que eu seja puxada para um abraço.

— Ok, pelo menos não escutei um "vai para o inferno!". Isso é um bom começo.

Dou risada.

— Larga de ser bobo. Jamais falaria isso. Talvez para o seu ego, mas para você, nunquinha — brinco.

Ele me afasta, a careta de ofendido é tão falsa que não consigo segurar a gargalhada.

— Meu ego é muito eficiente! Não seja injusta.

— Claro, claro que é! — Bato no seu peito de leve, como se o consolasse.

JP chama Miguel para ver algum inseto, que acha ser raro. O garoto está com a mania de explorar a propriedade e leva o coitado do Miguel junto. Aviso que vou subir e logo volto, preciso tomar banho, não fiz isso mais cedo, o que significa que o cheiro do Apolo está impregnado em mim.

— Eu me lembro de ter mandado você ficar longe dele.

Dou um pulo com a voz cortante.

Viro-me na direção do som, Apolo está parado embaixo do arco que divide o hall da sala. Não sei se sinto vergonha pelo que fizemos ou temor pelo que o infeliz pode usar para me atingir. Apolo tem muita informação minha, enquanto eu não sei nem seu sobrenome.

— Miguel é meu amigo, e vai continuar sendo mesmo depois que você me mandar sair daqui.

A fúria crispa em seus olhos. Ele dá um passo à frente e recua dois, exatamente como fez na cozinha antes.

— Não me teste, garota. A gente fodeu, isso não te dá o direito de pensar que pode me enfrentar.

Olho para os lados para me certificar de que ninguém ouviu. Aperto as unhas na palma das mãos. Bem lá no fundo, eu tinha esperança de que ele não fosse tão escroto. Acabei de perceber que foi uma baita ingenuidade.

— Você é um completo imbecil, Apolo! Maldita hora que escolhi entrar naquele cômodo em vez de preferir minha liberdade. — As palavras saem baixas e com muito ódio.

Apolo solta uma risada debochada. Uma que odeio desde que a ouvi pela primeira vez. É maldosa, carregada de asco.

— Não se preocupe com isso, logo vai poder sumir. — Enfia as mãos nos bolsos da calça, sua postura austera não titubeia. — Confesso que está sendo inteligente, mantendo Miguel no seu radar, assim não precisa voltar a ser uma favelada, não é? Bem do seu feitio, ser uma interesseira do caralho! — cospe a última frase.

Esse cara que vá se ferrar! Bipolar insuportável de merda! Bloqueio qualquer lágrima que queira sair e mantenho o nó que se formou na garganta devidamente quieto. Só não tenho tempo de frear minha língua.

— Pois é, talvez você não seja o único que saiba usufruir de uma situação. O mundo é dos espertos, certo? — Mantenho o tom mais frio possível.

Ficamos nos encarando por bastante tempo, pelo menos parece ser. Sua hostilidade para comigo é mais que evidente. Quebro o duelo quando corro para cima, louca para me isolar dessa tensão ridícula que eu mesma criei por causa de um desejo pungente. Apolo é mau, isso irradia dele, fui tola em pensar que poderia lutar de igual para igual.

Claro que um homem como ele, com o poder que tem, não faria nada sem um objetivo. Apolo me odeia, não tenho dúvidas, e tirar vantagens da prisioneira, irmã de quem lhe deve dinheiro sujo seria uma conquista da qual não abriria mão. Eu deveria repudiar suas tentativas, odiá-lo com todas as forças, porém não é assim que funciona.

Droga, Lívia!

Arranco a camisetinha que visto e jogo em cima da cama, o short ganha o mesmo destino. Abro o fecho do sutiã e o puxo pelos braços.

— De novo você me deu as costas, garota.

No automático levo as mãos para me cobrir, um arrepio sobe por minha espinha com a presença exagerada dele.

Apolo para logo após a entrada, seus olhos castanhos se estreitam ao me ver praticamente nua. Devagar, ele corre sua inspeção pelo meu corpo, demorando-se mais no lugar onde cubro e ainda mais no meio das minhas coxas. Sua língua lambe os lábios, um rosnado sai de seu peito, dançando até meus ouvidos. Então, Apolo volta a me encarar. Recuo um pouco, porque, além do tesão que escurece seus olhos quase deixando-os pretos, há ira ali.

Não consigo me expressar nem para pedir que se retire. Ele faz valer sua presença dominante e acaba com o espaço entre nós, prensando-me contra a parede ao lado do banheiro. Suas duas mãos vêm cobrir as minhas, que estão em meus seios. Sua boca para perto da minha orelha, inalando meu cheiro. O nosso cheiro misturado, na verdade. Outro grunhido, ainda mais excitante, reverbera.

— Você está com meu cheiro, Lívia. — Seu nariz percorre meu pescoço. — Se soubesse o quanto me deixa louco saber que a minha porra ainda marca sua boceta, o quanto me odeio por estar insano para te comer.

Seus dentes capturam meu lábio inferior, mordendo a carne sem cuidado. Eu me contorço de prazer e dor.

— Apolo... — Finco as unhas em seus braços.

— O quê? Hum? Você é uma maldita gostosa, garota.

Desce seus dedos até minha vagina, infiltrando-os por dentro da calcinha e esfregando minha intimidade. Eu não deveria sentir o que sinto com ele me tocando. É errado. Muito errado. Que porcaria!

— Apolo... — repito, não sei se implorando por mais ou suplicando para que pare.

Puxa sua mão para fora e leva até sua boca, chupando, provando. Aperto as pernas, uma à outra.

— Foda! — pronuncia sem deixar de me fitar.

De repente, como o furacão que é, ele me beija forte.

Meu cabelo é puxado, colando-nos ainda mais. Meus braços permanecem em seus ombros. Resfolego ao ter sua língua exigindo passagem, porque, por Deus, não consigo resistir a esse rebuliço no meu estômago, a essa sensação gostosa de estar provando o que sempre pareceu ser amargo e agora descubro o quão doce é. Nunca me intitulei como burra, até porque, no mundo do qual vim, precisava ser esperta ou me ferrava, contudo, no que diz respeito a minha atual situação, posso confirmar que sou muito, muito idiota.

Apolo pega minha mão e leva até sua virilha. Por instinto, aperto-o por cima da calça. Ele sibila. Vou me desfazer de tesão aqui!

— Porra que delícia, menina!

Agindo pela confiança, esfrego a palma, uma vontade esmagadora de pegá-lo na mão. Apolo parece adivinhar, porque abre o zíper e puxa seu membro para fora.

Paro o beijo e abaixo a cabeça para olhar, nas vezes em que nos pegamos, não tive chance ou coragem de fazer isso. É grande, com veias salientes, está muito duro. A contenção do meu cabelo aumenta.

— Coloque essa boca logo nele, Lívia. E pare de me secar assim, porque juro que vou te virar aqui mesmo e me enterrar na sua boceta.

Levo os olhos até os dele, que estão revoltos como a noite em dias de tempestade. Escorrego pela parede, até me prostrar de joelhos à sua frente. Que se dane minha razão, eu quero muito saber como é tê-lo em minha boca! Decido isso agora.

Ainda observando Apolo, que agora apoia a testa na parede, coloco a língua para fora e toco a ponta de seu pau. O gosto salgado, que não consigo comparar a nada, explode em meu paladar. Ele agarra meu cabelo com tanta brutalidade, que parece estar buscando equilíbrio nesse gesto.

— Chupa, Lívia! — Sua voz está mais grossa que o normal.

Sem a mínima ideia se estou fazendo certo, seguro seu comprimento pela base e desço minha boca. Subindo e descendo. Às vezes arrastando os dentes de leve, ora masturbando-o. Os sons que Apolo libera são um impulso a mais. Queria poder ver a cena, ele em pé, todo vestido. Eu abaixada, praticamente nua.

— Caralho! Eu vou gozar, menina. Se não quiser minha porra na sua boca, saia daí.

Meu lado rebelde não me permite largá-lo. Então aumento o ritmo, até ter seu sêmen espesso descendo pela garganta e os gemidos de Apolo embalando meu sistema, mesmo assim continuo com o que estou fazendo. Só paro meu ataque quando sou puxada para cima e arrebatada em um beijo cheio de fome.

— Agora você está com o meu cheiro em todos os lugares — fala ao me largar. Seu peito arfa, assim como o meu. Apolo se afasta o mínimo para se arrumar, minha atenção está pregada nos seus movimentos. — Espero que entenda que não quero Miguel por perto, Lívia. Não quero ter que falar de novo. É só por mim que você fica assim, garota. Entenda de uma vez.

Minha respiração engata descoordenada. Esse bendito filho da mãe só veio provar seu ponto e eu caí facilmente.

Muito idiota, realmente!

— Suma daqui, seu imbecil! — rosno.

Ele ri.

— Não se esqueça de que essa casa é...

— Para o inferno com isso, Apolo! — corto sua ladainha. — Se não for me matar ou me deixar ir embora, suma daqui. Agora! — grito.

O infeliz me observa como se estivesse planejando minha morte. Apesar do medo do que pode acontecer, não baixo a guarda. Apolo esfrega o rosto, irritado. Sem dizer nada, retira-se. Consigo enfim soltar o ar que prendia.

Antes que me estapeie por continuar fazendo merda, mesmo tendo ciência de que ele não é alguém razoável, vou para o banho. Quero lavar qualquer vestígio desse homem e colocar na minha cabeça que não posso mais ser imprudente.

CAPÍTULO 21

Apolo Mendanha

— Que merda eu fui fazer?
Deve estar acontecendo algo comigo, porque só assim para justificar os passos mais que errados que venho dando.

Aquela maldita consegue nublar minha razão, fazer-me desejá-la mesmo que minha fúria seja maior. Porra! Eu fiquei observando Miguel e ela no jardim, o jeito que ele a olha, a forma como ela se solta na presença do irritante. Mas o que me deixou puto foi ouvi-la afirmando que não vai se afastar. Só fui atrás por isso, admito. Não foi por ter sido ignorado, muito menos pelo tom ousado dela. Foi simplesmente por ciúmes.

— Caralho!

Para foder de vez com tudo, a desaforada tinha de estar quase nua. As imagens de ontem à noite, os sons, os toques vieram como um dilúvio em minha mente. Só que nada, nada mesmo, se compara a ter aquela boca em meu pau. Puta tesão dos infernos! Eu queria comer ela de novo, só mais uma vez e para frear essa cagada toquei no assunto que sabia ser certeiro para uma discussão. O problema é que ouvi-la berrar daquele jeito, com tanta raiva apenas porque falei sobre Miguel, levou-me até a borda.

Bagunço meu cabelo, meio aturdido.

— Apolo? — Vejo Madu no início do corredor. — O que faz aí, parado?

Porra, nem percebi que estou em frente à porta do quarto da Lívia ainda. A governanta enxerida se aproxima, desconfiada, coloca as duas mãos na cintura assim que chega à minha frente. Lá vem bronca.

— Escute aqui, menino, se você...

— Madu, basta! — Barro seu sermão antes que o pequeno resquício de minha paciência seja esgotado. — Vim atrás do João Pedro, vou levá-lo para a empresa comigo. Você pode arrumá-lo? Saio em uma hora.

Com passos pesados sigo para longe. Somente quando chego ao meu quarto para me trocar é que percebo o que aconteceu. Por que menti para me livrar da situação? Não tenho de dar satisfação para ninguém, muito menos para Madu.

Pressinto que velhos hábitos idiotas, aqueles que antes me faziam apanhar igual cachorro, estão vindo à tona. Preciso realocá-los, porque eles só servem para negligenciar objetivos.

Foda!

É exatamente o que venho fazendo, esquecendo-me dos planos e me concentrando no que não deveria importar.

Lívia Nascimento

Eu me lavo e me visto no automático. Madu entrou aqui logo que liguei o chuveiro, avisando que JP iria sair com o bendito Apolo. Aquele homem testa meus nervos de todas as formas, não é possível. Como da outra vez em que eles saíram juntos, vou surtar sem saber o que se passa. Sem dizer que minha paranoia, sobre qual é a posição de Apolo entre o crime, piora tudo. E se o infeliz enfiar meu sobrinho em meio ao perigo?

Que grande porcaria!

Quero muito ir até lá e mandá-lo deixar João Pedro em paz, contudo, precisei jurar para Madu que não faria nenhuma bobeira. O pequeno explorador passa saltitante pela porta, arrancando minha mente das várias teorias desse passeio repentino.

— Nana, vou trabalhar com o tio Apolo hoje. Você me arruma para ficar bem *repeitoso*.

Impossível não rir com suas palavras, ainda mais com a que foi dita errada. Prefiro ocultar minha preocupação e rezar para que nada de ruim aconteça.

— Vai tomar um banho que escolho a roupa, senhor. — Faço uma reverência fajuta, apenas para escutar sua gargalhada infantil lavando meu desespero.

Nem meia hora depois nós estamos no hall, aguardando. Eu não paro de pedir para o JP recusar qualquer coisa perigosa que lhe oferecerem.

— Eu sei me cuidar, Nana. Não se preocupe. Tio Apolo é legal, você deveria sair com a gente qualquer dia.

— Vamos ver sobre isso — solto aleatoriamente.

Encaixo o último botão em sua respectiva casa e aliso a camiseta, que sequer tem algo amassado. Estou nervosa. João Pedro puxa a gola para baixo, incomodado com o tecido.

— Não gosto de roupas chiques, quero minha camiseta do Capitão América! — ralha, azedo.

Balanço a cabeça.

— Aquela velharia está no lixo faz tempo.

— Tadinha, era tão *confotável*!

Sequer tenho chance de corrigi-lo, pois o perfume forte de Apolo encontra minhas narinas. De relance, observo-o descer as escadas. O terno escuro combina com perfeição à sua aura de poder. Meu corpo inteiro estremece por me lembrar do que fizemos, do que eu fiz. Volto-me para o meu sobrinho, tentando ignorar a presença claustrofóbica do homem.

Tarefa muito difícil, devo ressaltar.

Apolo Mendanha

Desço as escadas arrumando a gravata. Convidar João Pedro para ir até a MV foi um tiro no pé, hoje será um dia corrido. Por outro lado, é bom inseri-lo em seu novo mundo, assim posso mandar Lívia embora o quanto antes. Por falar nela, a maldita está perto da porta, abaixada em frente ao meu sobrinho. Seu cabelo molhado cai por sobre os ombros, ela veste mais um dos tantos vestidos da minha irmã. Esse é jeans, curto e deixa suas coxas à mostra.

— Está pronto, garoto? — chamo a atenção de ambos para mim.

Ela parece travar no lugar, levantando-se rapidamente. Sua postura pode estar rígida, porém o olhar intenso, que me percorre de cima a baixo, é bem explícito. Espero que a sem-vergonha volte para meu rosto, então pisco, indicando que notei sua inspeção. Lívia fica com as bochechas vermelhas; como é uma bendita desaforada, não deixa transparecer na postura seu constrangimento.

João Pedro me lembra de mim mesmo quando era pequeno e tentava a todo custo agradar ao meu pai. O coitado está com o cabelo bem penteado e roupa social. Dá para ver que a camiseta polo, fechada até o pescoço, incomoda-o. Ele é determinado demais para reclamar.

— Sim, tio.

Piso no hall e largo a pasta em cima do aparador antes de andar até ele. Abro três dos cinco botões da camiseta. O garoto suspira de contentamento. Lívia não se move, o que significa que estou ao seu lado, meu braço roçando no seu. Viro o pescoço, pegando seu verde exótico me fitando quase admirado, se não fosse a pequena sombra de indiferença que ela mantém no fundo. Enrugo a testa.

— Vamos, tio? Estou curioso para conhecer seu trabalho.

Uma das mãos pequenas agarra a minha. João Pedro não nega que gosta de mim, mesmo que eu tenha perseguido sua tia e ele, mesmo que tenha queimado o único presente que ainda tinha de sua mãe. Independente do mal que lhe causei, ele ainda me admira.

Não repilo seu toque, ao contrário, fecho meus dedos em torno dos seus. Sinto que estou sendo observado e óbvio que Madu estaria parada no meio da sala, com as mãos no peito, entre elas um espanador, quase às lágrimas.

Puta que pariu! Mais uma coisa para que ela fique sonhando acordada com o antigo Apolo. O que Madu não entende é que Ícaro fez o possível para foder minha cabeça.

Prevejo que ela vai arranjar um jeito de falar o que não deve, por isso sigo para fora, pedindo para que Lívia pegue minha pasta. Raul já nos espera. Jonas não vai nos acompanhar; como ficou incumbido de verificar Eleonor, designou outro para manter minha escolta quando preciso. Abro a porta para que João Pedro entre.

— Toma! — Lívia me entrega a pasta, meus dedos se demoram mais do que o necessário tocando sua pele. — Cuide dele, por favor!

Observo seu rosto bonito e absorvo seu pedido simples. Ela não se importa com a sua segurança, mas implora pela do garoto. Indo contra minha personalidade, alivio sua preocupação.

— Prometo trazê-lo inteiro para você.

O choque nas suas feições, pela minha resposta, é evidente. Também fico surpreso, por isso lhe dou as costas e entro no veículo. Preciso respirar fora dessa propriedade, longe dessa mulher que vem ferrando meu juízo.

— Uau, que legal! — João Pedro para em frente à máquina de tecelagem.

Consigo ouvir sua exclamação porque estou muito perto, pois o barulho aqui é alto e os protetores auriculares que usamos abafam tudo.

— Essa é a parte da tecelagem, onde o algodão se transforma em tecido. — Eu me abaixo um pouco para que ele possa entender a explicação. — Antes disso, ele foi plantado, colhido, separado e transformado em fio.

— Muito irado! — grita por sobre os ruídos.

Continuamos nosso tour pela fábrica. Sano as dúvidas que o menino tem e seus olhos brilham com cada nova descoberta. Passamos em todos os setores, mas o que mais deixou meu sobrinho surpreso foi a parte do tingimento. Onde o tecido é colocado em grandes tonéis para receber o pigmento desejado. Aproveito para conferir o novo barracão, onde estamos confeccionando as peças que serão exportadas. Os funcionários estão a todo vapor, empenhando-se para que o trabalho seja concluído no prazo.

Demoramos mais ou menos uma hora nesse passeio. Quando estamos subindo para a minha sala, João Pedro para em frente a uma das tantas máquinas de alimentos que têm pela MV. Ele me encara, pedindo em silêncio que compre as guloseimas.

— Vamos lá, o que você quer?

— Posso escolher três, tio?

Para poupar papo só aceno em concordância. João Pedro pega salgadinho, refrigerante e bala. Finalmente satisfeito, retomamos o caminho até o último andar. Repasso alguns pontos com Caio, revejo os papéis enviados pelo financeiro e, sem que eu espere, recebo a visita de Eleonor. Tenho vontade de apertar seu pescoço alvo até que fique roxo. Essa vadia tem a cara de pau de vir aqui fingir que me apoia quando, na verdade, está aprontando pelas minhas costas.

— O que quer, Eleonor? — questiono grosseiramente.

Ela para em frente à minha mesa, contudo, sua atenção está em João Pedro deitado no sofá, comendo como se não houvesse amanhã.

— Eleonor, estou ocupado. Se não tem o que dizer faça o favor de sair.

A mulher pisca umas duas vezes antes de voltar ao foco.

— Vim ver se está tudo bem ou se precisa de ajuda.

— Está tudo ótimo! Ajuda com o quê?

Aperto os papéis que estava lendo. Ser paciente não é um ponto forte da minha personalidade, só me contenho porque preciso de provas concretas antes de derrubar essa maldita.

— Não sei, talvez com esses documentos. Assim terá mais tempo com o seu amável sobrinho.

Semicerro os olhos com a petulância que ela usa em destacar, amável.

— Obrigado pelo empenho em ser útil, mas não preciso!

Volto para o relatório, tentando ignorar a presença dela, que não demora em se retirar.

Se eu fosse me comportar como devo, arrancaria a verdade à força de Eleonor. Eu vou descobrir o que essa corja anda planejando, depois vou esfregar na sua fuça o que acontece com quem mexe com um Mendanha.

Jonas me liga minutos depois dizendo que a minha advogada saiu da empresa e segue rumo à clínica onde Ícaro está internado. Faz quase dois anos que meu pai foi colocado lá e não fui visitá-lo uma única vez; olhar para aquele filho da puta abusivo me dá asco. Ícaro merecia a morte, merecia ter ido no lugar de Mônica, mesmo que ela tenha sido o pior exemplo de mãe que pudesse existir.

Tenho quase certeza de que ele está envolvido nisso, sua loucura foi diagnosticada, todavia, os momentos de lucidez ainda são comuns. Eu dei um jeito de tirá-lo da frente da MV, eu mesmo me dediquei a demonstrar perante a justiça que Ícaro Mendanha não tinha mais condições de dirigir os negócios, imagino a raiva do escroto por seu filho inútil ter conseguido o que queria.

Eleonor implorou para continuar exercendo sua função, por meses fiquei em total alerta em relação as suas ações, baixei a guarda quando comecei a fodê-la, e olha a merda que deu. Estou sendo traído bem debaixo do meu nariz. Caralho! Apesar do que já esperava, era só questão de tempo até ser revelado.

Encaro João Pedro ali na minha sala, tão à vontade, como se fosse acostumado a vir aqui. Lisandra era assim, alegre, carinhosa, feliz com a vida, mesmo nas cenas mais obscuras. Minha irmã não merecia o final que ganhou...

— Vamos para casa, JP — digo do nada, tentando me livrar da raiva repentina dessa merda de destino.

Lisandra foi vítima de um marginal dos infernos. E João Pedro não tem culpa por ser sangue do desgraçado. Tem muito da minha irmã no menino e é isso que conta.

A criança pula sobre seus pés, sorrindo.

— Vamos, tio! Tô muito ansioso para contar sobre a *telesagem* pra Nana.

— Tecelagem. O correto é tecelagem — corrijo-o.

Ele encolhe os ombros pequenos.

— Esse negócio aí — responde, rápido.

Balanço a cabeça e, tarde demais, percebo que estou sorrindo.

Lívia Nascimento

— Deusa, cheguei! — Miguel grita ao descer da sua moto; uma grande e enorme moto.

— Ser o dono do negócio é bom, não é? Entrou tarde, saiu cedo.

Ele torce a boca. Estou só provocando, imagino o quanto deve ser complicado gerenciar tudo, torcendo para que dê certo.

— Acho que depois de tantos anos virando a noite trabalhando, eu mereço algumas regalias — fala enquanto tira a jaqueta de couro.

Miguel é muito bonito, mas vestido como um *bad boy* inconsequente fica muito quente. Ele sobe os degraus da entrada e tasca um beijo em minha bochecha.

— Além disso, prefiro sua companhia do que a de um monte de homem suado e sujo de graxa.

— Você perde o amigo, não o xaveco, né! — caçoo.

— A ocasião faz o ladrão, linda. Uma hora dá certo — cantarola, descontraído, e passa o braço pelos meus ombros arrastando-me para dentro. — Vamos lá ver o que a Maduzinha fez de bom.

Embarco no lanche e na conversa leve, assim consigo me desprender do aperto em meu peito. Apolo ainda não trouxe JP e já passa das quatro da tarde. Miguel e eu engatamos uma conversa sobre investimentos e como ganhar dinheiro fazendo o que gosta. Deixo minha imaginação viajar para um futuro onde possa me dedicar em desenhar para receber por isso. Parece longínquo, não impossível. Lisa sempre dizia que não existe nada que não possamos realizar, desde que se acredite. Eu me agarro a essa frase, mesmo não tendo motivo algum.

— Posso arrumar uma exposição para você, Deusa. O que acha? É uma galeria pequena, mas a dona é muito querida. Ela é uma cliente fiel da oficina, acredito que vá aceitar meu pedido.

Sinto euforia por cogitar ter um quadro meu, exposto. Jesus! E me entristece ter que declinar do convite, os únicos quadros que tinha foram queimados junto com todo o resto do barraco.

— Seria um sonho realizado, Miguel. Só que não tenho quadros prontos no momento.

— É só pintar, oras! Aí, quando estiverem terminados, nós damos um jeito — afirma todo faceiro com sua resolução fantástica.

Sorrindo, deixo uma bitoca em seu rosto.

— Já disse que você é genial?

— Ainda não. Só não se esqueça de incluir irresistível nessa descrição.

Pego ar para chamá-lo de metido, mas paro com a entrada desesperada de Madu na cozinha. Ela segura o telefone contra o peito e está branca feito papel. Miguel corre até lá para acudi-la. Eu não me movo, sequer respiro, meu sexto sentido grita que a notícia é ruim.

— Mãe, está passando mal? Conversa comigo.

— O carro onde Apolo e JP estavam foi... foi alvejado.

Depois disso, o único barulho que escuto é do apito em meu ouvido, do meu coração batendo na garganta. Meu sobrinho precisa estar bem. João Pedro tem de estar bem, meu Deus!

CAPÍTULO 22

Apolo Mendanha

Fico observando João Pedro desembrulhar outra bala e colocar na boca.

— Você vai acabar passando mal comendo tanto doce, menino.

Ele desvia sua atenção da janela para mim.

— É muito gostoso, tio. Podemos não contar para a Nana?

Ergo uma das sobrancelhas. Muito esperto! O pior é que acabo me envolvendo com o meliante ao dizer que tudo bem.

Volto-me para as câmeras que estão abertas na tela do celular desde que saímos da empresa. Caio as colocou em salas aleatórias, mas a que me interessa é a da Eleonor, que ainda está vazia. Essa maldita logo vai cair nas próprias armadilhas, porque eu vou foder sua vida sem dó.

Escuto Raul praguejar ao fundo, o carro freia do nada. Estranho, pois estamos em uma rua movimentada, com tráfego intenso, sem congestionamento.

Sequer tenho tempo de entender a parada brusca, pois um estopim ruge e logo o vidro da frente se estilhaça. Tiroteio. Puta que pariu!

Puxo João Pedro para baixo, dobrando meu corpo sobre o seu. A criança arregala os olhos, apavorada, essa é sua única reação. O veículo acelera, preciso me agarrar como posso para não ser jogado de um lado para o outro na tentativa de fuga.

— Que merda é essa, Raul?

— Não sei, senhor. Estão mirando diretamente em nós, o que significa que somos o alvo. Fiquem abaixados!

Era só o que faltava para completar toda a confusão que venho acumulando nos últimos tempos. Tem alguém querendo minha cabeça. Para o inferno tudo isso!

Sinto um ardor em meu braço e acabo rosnando por conta da queimação, de relance percebo que uma bala me atingiu de raspão, logo a camisa branca ensopa de sangue. Porra!

— Vai ficar tudo bem, João Pedro.

Ele apenas balança a cabeça, concordando, com seu corpo encolhido entre os bancos.

— Filhos da puta! — Raul profere.

Pelo canto percebo que ele pega sua arma e vira um pouco para trás, atirando. Preciso fazer algo.

— Escute, JP, tenho de ajudar o Raul. Fique aqui, não se levante em hipótese alguma, tudo bem?

Tento manter a calma para não assustá-lo mais. Novamente, o menino só concorda, sem palavras.

Pulo para o banco do passageiro, Raul levanta as sobrancelhas com minha presença.

— Vamos trocar de lugar — digo.

— Isso é perigoso, Sr. Mendanha.

— Não vou ficar parado para morrer, Raul. Agora faça o que mando.

Seguro o volante e enfio um pé no acelerador para não diminuirmos de velocidade. Lá atrás Raul saiu por uma rua paralela, aqui não há trânsito. A pista da esquerda está vazia e é por ela que seguimos. O segurança se joga meio de lado para o outro banco, dando-me espaço para assumir a direção. Pelo retrovisor identifico um furgão cinza, dois ocupantes. Ambos com os rostos cobertos.

Raul mira e atira. Eles revidam.

— No pneu, acerta no pneu! — grito com a adrenalina correndo livre pelas minhas veias.

Raul faz o que digo, um estouro alto corta o ar e então outro. O furgão balança e, aos poucos, para. Aproveito para acelerar, deixando quem quer que seja para trás.

— Precisamos ir a um hospital — constato ao ver que Raul também foi baleado.

Trinco a mandíbula só por cogitar que Eleonor esteja envolvida nessa porra. Eu posso estar sendo precipitado, mas não costumo errar quando farejo sujeira e a minha advogada exala encrenca desde que a conheci.

— Venha aqui, Apolo — meu pai me chama assim que piso no hall.

Com passos lentos e cambaleantes adentro a sala. Uma loira muito gostosa e ele estão sentados no sofá.

— Essa é Eleonor, a nova advogada da MV.

A gostosa sorri de lado, um sorriso frio. Assim como o de Ícaro, penso. Tento me manter indiferente, só que o odor de álcool irradia do meu corpo. Preciso de um banho.

— Estava na farra de novo, não? Sempre soube que era um merdinha incompetente. Tenho vergonha de tê-lo como filho — meu pai se apressa em destilar veneno.

Antes eu me importava com sua opinião, no momento não dou a mínima.

— Veja, Eleonor começou como estagiária, agora está assumindo um cargo grande. Aposto que ela chega à presidência antes que você pense em embarcar em seu legado.

Quase dou de ombros, contudo o brilho de satisfação da tal advogada me faz parar.

Ela está adorando isso. Outra maldita como Ícaro Mendanha. Por isso conquistou espaço, meu pai idolatra quem não se importa em passar por cima dos outros para conquistar o que quer. Uma característica muito forte na nossa família e que, infelizmente, não se estende a mim e a minha irmã. Esse é motivo da raiva do velho.

— Estão fodendo para dizer com tanta certeza que essa senhorita ocupará um cargo, que é meu por direito? — acabo por soltar.

A mulher abre a boca em choque. Ícaro, por outro lado, levanta-se e, sem que eu espere, levo um soco em cheio no queixo. Cambaleio para trás, derrubando alguns enfeites que Madu colocou sobre a mesinha pela manhã.

Não me arrependo das palavras que disse, Ícaro não esconde seus casos e para ter em tão alta conta uma mulher, porque, sim, além de abusivo, o filho da puta é machista. Ela deve trabalhar muito bem no seu papel de puta.

Coloco a mão onde lateja. Uma ira insana aquece meus membros.

— Suma daqui, seu insolente!

Eu faço o que me pede, só que antes percebo o olhar triunfante que Eleonor me lança.

Aperto com força o volante. Desde o início desconfiei dela, não em relação ao meu pai, porque Eleonor aparenta ser fiel a Ícaro, mas com todo o resto. Eu tinha dezenove anos quando a conheci, e desde então a mulher fez de tudo para me mandar para longe. Tanto que meus estudos foram todos fora do país, assim ela teria tempo de conquistar o que queria.

Acabo percebendo que só a mantive por perto para mostrar ao meu pai que eu conseguia ser como ele. Só a fodi para provar que, se ele conseguia, eu também conseguia. Tudo girava em torno de Ícaro, e acordar para isso é o caralho de um tapa na cara. Sempre lutei para me superar, para ser frio, para não titubear perante uma dificuldade, chego à conclusão de que até minha personalidade foi moldada para suprir as expectativas do meu pai.

Foda!

— Senhor, obrigado pela ajuda!

Desvio meus pensamentos da minha grande descoberta e encaro Raul.

Ele está olhando diretamente para mim. Enrugo a testa, pareço estar tendo um *déjà vu*.

— Sem problemas. Não íamos morrer no meio da rua sem ao menos tentar.

Ele meio que sorri e olha para trás, para o canto onde meu sobrinho está.

— Pode sentar, filho. Já passou.

Chegamos ao pronto-socorro e somos prontamente atendidos. João Pedro não desgruda de mim; enquanto a enfermeira limpa o ferimento, ele se mantém quieto ao meu lado, sua mão firmemente presa a minha. A realidade desse menino é pesada demais, ele tem apenas três anos e foi obrigado a amadurecer antes do que deveria. João Pedro não chorou, sequer esboçou reação durante a confusão, somente ficou parado, da forma que mandei. Lisandra se mudou para uma bendita favela, onde perdeu a vida, e nem repensou antes de colocar seu filho nesse meio.

— Quero ir para casa, tio — ele cochicha assim que a enfermeira se retira.

— Daqui a pouco estamos indo.

Somos liberados duas horas depois. Ligo para a mansão, contando por cima o que houve. Aviso Caio também e cito sobre minhas suspeitas, combinamos de falar sobre o assunto amanhã. Raul pede reforços e, em menos de vinte minutos, Jonas e mais quatro homens aparecem.

— E Eleonor? — inquiro quando o chefe da segurança se aproxima.

Minha vontade é esganar aquela vadia até que me conte se tem algo a ver com todo esse circo. Seria muito baixo, até para ela, submeter-se a um crime desses por causa de poder. Apesar de que — com a infeliz sendo aprendiz de Ícaro — não posso duvidar da sua capacidade em ser ridícula.

— Ainda na clínica, senhor.

— Ok, vamos para casa.

Durante o percurso penso em como Lívia deve estar desesperada por notícias e quais as chances de me trucidar por colocar nosso sobrinho em perigo.

Nosso, não dela ou meu. Nosso.

Que porra é essa?

Lívia Nascimento

Estou tentando segurar as pontas, mas cada avanço do ponteiro do relógio é um desespero sem fim. Onde eles estão?

Preciso ver meu sobrinho, tocar, certificar-me de que está tudo no lugar.

— Deusa, vem cá — Miguel me chama. Continuo andando de um lado para o outro. — Vem logo, daqui a pouco vai furar esse chão. Eles estão bem.

— Como pode saber? — pergunto ao aceitar seu convite e me sentar no grande sofá da sala.

— Apenas sei.

Meu pé começa a bater no piso, impaciente. Estou uma pilha de nervos. De repente, o som de carros parando na entrada chama minha atenção. Saio em disparada, quase esbarrando em Madu, que estava na cozinha.

O primeiro a descer é Apolo, em seguida ele pega João Pedro no colo. Quase grito de alívio ao ver meu garoto vivo. Desço as escadas feito louca.

— Meu Deus, como você está? Se machucou? — Disparo, arrancando JP dos braços do Apolo.

Ele abraça meu pescoço com um dos seus bracinhos finos. É reconfortante seu toque.

— Tô bem, Nana. O tio cuidou de mim.

Só então percebo que meu sobrinho continua segurando a mão de Apolo.

— Obrigada! — agradeço.

Ele me encara por breves segundos, então desvia para sua mão, que ainda está unida à da criança.

— Não me agradeça por isso — acaba dizendo.

Com cuidado se solta dos dedinhos que o agarram e sobe as escadas. Minha atenção é atraída para o sangue no seu braço direito, quase perto do ombro... Primeiro JP, depois vejo o que houve.

Eu me preparo para entrar, quando um dos seguranças para ao meu lado. Ele não diz nada, apenas me olha. Franzo as sobrancelhas em estranheza, não uma que seja ruim, uma quase familiar. Antes que eu possa abrir a boca, ele já se foi.

Povo doido!

Aliviada por ter meu menino a salvo, vou para o quarto. Ninguém me para no caminho, Miguel e Madu somente sorriem ao me ver passar. Coloco JP na cama e me deito ao seu lado, acarinhando seu cabelo escuro, que precisa urgentemente de corte.

— Você está mesmo bem, meu amor?

— Eu tô, Nana. Fiquei com muito medo, porque os barulhos eram como quando brigavam lá onde a gente morava — conta baixinho.

— Eu sinto muito que tenha passado por isso, JP. — Minha voz sai embargada.

Esse menino passou por tanta coisa e parece que a vida não está disposta a aliviar.

— Não chora, Nana. — Passa o dedinho em uma lágrima que escorre. — Tio Apolo tava lá, eu não fiquei sozinho — garante.

Acabo sorrindo com sua inocência e a pouca importância que dá ao ocorrido. Então, como a criança agitada que é, meu sobrinho conta sobre as máquinas enormes que fazem fio. Eu não sei qual é o trabalho de Apolo, pelo que ouço deve ser confecção ou, o mais óbvio, lavagem de dinheiro.

— Aí ele comprou doce. — Seus olhos claros se arregalam e suas mãos tapam a boca. — Não briga com ele, Nana. Fui eu que quis.

Engulo em seco ao escutá-lo defendendo Apolo. João Pedro se apegou ao cara que deveria temer.

Assim como você!

Assim como eu.

— Não vou falar nada, meu amor. Não se preocupe.
— Ah, ele me chamou de JP também. Duas vezes — enfatiza. — Eu gostei, porque a gente é camarada, né?

Estico o braço e o puxo para perto.

— Claro que são — afirmo mesmo sem ter certeza. — Um dia, a gente vai embora daqui e vamos recomeçar. Você e eu.
— Mas eu não quero ir, Nana.

Fecho os olhos bem apertados.

— Quero te fazer feliz, JP. Quero que a gente seja feliz.

Ele pousa sua mão pequena em minha bochecha.

— É aqui que tá nossa felicidade, Nana. Bem aqui, na casa do tio Apolo.

Resfolego e não digo mais nada. Ao invés de encher minha mente com possibilidades de um futuro improvável, começo a cantarolar a canção que Lisa usava todas as noites para fazer seu filho dormir.

Apolo Mendanha

Não sei por qual motivo estou indo até o quarto deles. Só sei que preciso ver se João Pedro não está apavorado com os acontecimentos de mais cedo. Paro alguns passos antes da porta, sem vergonha escuto a conversa dos dois. Meu sobrinho tagarela sem parar, sorrio em alguns momentos. Confesso que ele é agradável, inteligente, educado. Lívia criou muito bem o menino.

Ouvi-lo afirmar que a felicidade deles está aqui, mexe com algum ponto estratégico dentro de mim. É uma mistura de satisfação e insegurança. Dois sentimentos que não são comuns e que não me deixam confortável.

Tudo fica silencioso, em seguida meus olhos começam a arder com a música que ressoa no ar. A mesma música infantil que eu cantava para a minha irmã nas noites em que meu pai batia em Mônica. Lisandra chorava por horas, porque os gritos eram audíveis pela casa toda.

— Deixa eu ficar aqui, mano.

Acordo com minha irmãzinha ao lado da cama.

Os gritos de "pare" da minha mãe arrepiam. Como não despertei antes? Meu quarto é em frente ao deles, por isso pego Lisandra e vou para o seu, que fica no fim do corredor. Ela se agarra em mim como se fosse seu ponto de equilíbrio. A menina de dez anos que é obrigada a presenciar o que não deveria.

— Tô com medo. Eles não param, não param. — Lisandra chora descontroladamente.

Afago seu cabelo loiros, tentando acalmá-la.

— Vai ficar tudo bem, pequena. Agora pare de chorar, o mano não gosta de te ver triste.
— Canta pra mim? — pede docemente.
Eu já apanhei muito por cantarolar enquanto Lisandra dorme. Porque, segundo meu pai, isso é *coisa de viado*. Aquele filho da puta escroto! Ele podia morrer, assim ficaríamos em paz.

Eu canto pra você dormir
A terra gira sem ter fim
O sol se esconde não sei
Onde
Escurece a noite cresce
Eu canto e você já dormiu
A terra gira por um fio
A lua brilha...

Canto baixinho, ela não demora a pegar no sono. Permaneço quieto, sem me mexer, zelando pelo seu descanso. Eu sou o irmão mais velho, preciso protegê-la.

As memórias são claras, quase palpáveis. Lisandra era incrível e eu a amava mais do que qualquer coisa. Não ligava de apanhar por ela, de assumir a culpa por algum problema que a colocaria na mira de Ícaro. Minha irmã não merecia sofrer, não era justo. E no final acabou sendo morta por Felipo, pai de João Pedro, irmão da garota que eu fodi sem remorso.

Lívia falou sobre a visita na noite do crime, fato que não tem como comprovar. Ninguém além dela diz que é verdade. O que me leva ao início dessa loucura: deixei minha vingança de lado para deitar com o suposto inimigo. Caralho!

CAPÍTULO 23

Lívia Nascimento

Com cuidado viro JP para o outro lado e saio da cama. Apesar de ele não ligar muito para o que houve, fico preocupada com quais podem ser as consequências de toda essa carga negativa a qual meu sobrinho foi submetido desde muito cedo. O pior é que todas as pessoas que passaram por sua vida deixaram marcas nada bonitas. A mãe foi assassinada. O pai era viciado em drogas e acabou morto porque devia dinheiro. Eu sequer tive condições de lhe dar um lar decente, mal tínhamos comida. Agora tem Apolo e a chance absurda de que João Pedro tenha outra decepção.

Dou a volta e tiro seu sapato, vou deixá-lo dormir de roupa mesmo. Meu sobrinho chega a ressonar, de tão pesado que é seu sono. Apago a luz e fecho a porta antes de me virar. Quase caio dura no chão ao dar de cara com Apolo.

— Quer me matar do coração? — solto assim que me recupero do susto.

Ele apenas me encara, com a mesma intensidade de sempre, só que parece estar mais carrancudo que de costume. Meus olhos são atraídos para o seu braço, o sangue destacado no tecido branco. No automático estico minha mão, no intuito de tocar o local.

— Não — é um comando frio, que me trava.

Enrugo a testa.

— Quero ver se você está bem.

— Foi de raspão, não se preocupe. Como João Pedro está?

Dou de ombros com a sua atitude, que ele é bipolar eu já sabia.

— Bem, dentro do possível. Acabou dormindo.

— A música que você cantou, onde ouviu?

— Estava escutando nossa conversa — acuso.

— Responda o que perguntei, Lívia — diz entredentes.

— Lisa, a mãe do JP, cantava todas as noites.

— Vocês duas se davam bem?

— Sim, muito bem — afirmo achando estranho o rumo da conversa.

Sua careta de bravo não se desfaz em momento algum. Apolo me observa minuciosamente, quase como se pretendesse desvendar segredos. Então, do nada, vira-se e começa a se afastar.

— Apolo — chamo-o antes mesmo que o arrependimento apareça.

Pode ser idiota, é idiota, achar triste que ele não tenha ninguém que se importe. Com uma calma irritante, o bendito insuportável se volta na minha direção.

— Diga.

Torço meus dedos um nos outros, encucada com o que pretendo pedir. Não sei muito bem por que me importo com ele, mas sei como é não ter apoio nos dias mais difíceis. E por mais que Apolo seja mau, não consigo ignorar o quão melancólico é ser sozinho.

— Deixe-me cuidar desse ferimento. Depois volto para cá e te deixo em paz.

Apolo Mendanha

Eu quero dizer que não precisa, pois fui ao hospital, a enfermeira deixou claro que foi de raspão, nada grave. E de novo essa merda de sentimentos que vem me aborrecendo, não me deixa agir como devo. Lívia parece genuinamente preocupada e, porra, isso mexe comigo.

Tentando manter pelo menos uma parcela de cautela, anuo discretamente com a cabeça. Sigo para o meu quarto, não paro para ver se ela me segue, mesmo querendo que o faça. Acho que desde que coloquei essa garota dentro de casa sabia que muitas convicções iriam mudar, a começar pelo fato de tê-la deixado ficar aqui. Lívia deveria estar morta, ela é uma lembrança pesada da perda de Lisandra. E, independente de todas as questões que me fariam odiar essa mulher, acabei por ser enredado nela inteira.

Foda!

Adentro o cômodo espaçoso, sem muitos detalhes, olho por sobre o ombro e a vejo entrar, parando logo depois da porta.

— Feche — peço.

Ela executa a ação devagar, pesando os desfechos de ficar.

Se Lívia fosse inteligente sairia correndo, porque eu não vou aliviar. O desejo e a fúria que tenho por essa garota são em exatas porções. O que me deixa ainda mais irritado é que há poucos minutos estava convicto de que daria um fim nessa merda que ando fazendo com a memória da minha irmã. Agora já estou revendo minhas decisões.

Como ficamos ambos calados, acabo me virando para ela. E lá está a imagem que vem me ferrando bonito. Lívia é uma contradição entre o angelical, determinado e sedutor. O cabelo cai em ondas, os olhos exóticos demais me fitam, porém, sua postura é quase tímida, insegura. Não é para menos, a garota vive pisando em ovos na minha presença.

— Tome um banho comigo. — Meu timbre sai macio, o que gera estranheza na sua fisionomia. Sua boca gostosa se abre para pronunciar algo que vai me estressar. — Sem perguntas, menina. Só tire a roupa e venha.

Por milagre, ela não retruca. Sua mão abre o zíper lateral do vestido, em seguida puxa as alças para o lado e assim a peça escorrega, deixando-a somente de calcinha. Lívia tem seios médios, coxas grossas, bunda empinada. Um tesão dos infernos! Meu pau pulsa com a visão mais erótica que já presenciei. Isso porque tive várias mulheres executando a mesma ação, nenhuma se compara a isso. Prova de que essa bendita é todos os meus pecados reunidos em uma coisinha que exala perversão. Que caralho!

Começo a desabotoar minha camisa, então, para me tirar ainda mais o juízo, Lívia pede para que eu pare.

— Deixe-me fazer isso?

Pela primeira vez sinto um frio no estômago em antecipação, mesmo incomodado acabo liberando. Cautelosa, ela se aproxima, seus dedos instáveis fazem o trabalho, suas mãos tocam meu peito, desnudando-me da cintura para cima.

Como não permiti que fizessem curativo, a enfermeira apenas limpou o corte. A ferida está exposta.

— Não dói? — Sua voz baixa chega aos meus ouvidos, desvio a atenção do meu braço e fixo em seus olhos. Eles brilham para mim, hipnóticos.

— Não.

Ela se abaixa devagar, sem deixar de me fitar, exatamente como fez ao me chupar mais cedo. Meus braços estão caídos ao lado do corpo enquanto assisto minha calça ser aberta e abaixada. Lívia não tira minha cueca, também não levanta. Sua boca a poucos centímetros do meu pau é uma merda de tentação. Não dizemos nada, por isso percebo que minha respiração aumentou de ritmo. Dou um passo para trás, livrando-me da calça que ficou embolada em meus pés, estabelecendo uma distância razoável, preciso me manter na linha. Parece que todo o meu controle está esvaindo e eu não faço nada para resolver.

Lívia se levanta um tanto sem jeito, percebo que procura suas roupas largadas no chão. Ela vai embora. Dane-se tudo!

Estico minha mão para que a pegue, mesmo indecisa acaba aceitando meu convite. Levo-nos para o banheiro e abro o chuveiro, puxando-a para debaixo da água quente. Os pingos encharcam seu corpo aos poucos, o vapor parece deixar seu verde quase azul. Encaixo minha mão em concha na sua nuca e trago seus lábios para os meus. É insano o que esse contato faz. Ele derruba barreiras das quais nem sabia existir. Joga por terra a vingança que tanto busquei. Porém, é bom.

Foda! O que está havendo?

Um tempo depois ela diminui a pressão do beijo, que tornei quase doloroso, aos poucos desgruda sua boca da minha e beija minha testa, a ponta do meu nariz e, por último, meu queixo. Sua bochecha encosta no meu peito.

— Obrigada por cuidar do JP, por gostar dele.

Reteso meus músculos ao pensar que...

— Você está aqui por isso? Esse é seu jeito de agradecer? — A grosseria não é camuflada.

Lívia toca meu rosto, correndo os dedos pela lateral.

— Claro que não! Por que pensa tão mal de mim? Estou aqui porque quero, Apolo. Se não for o que quer é só pedir que me retire.

Seguro firme sua cintura, não querendo dizer em palavras que quero sua companhia, mas esperando que ela compreenda.

— Tudo bem — murmura em entendimento.

Como fiz antes ela dá um passo para trás, não para se afastar, sim, para pegar a esponja no aparador. Despeja sabonete líquido e me lava. Ela. Me. Lava.

Não sei como reagir a isso, nem o que pensar sobre. A única pessoa que cuidou de mim com essa devoção foi Madu. A mulher que considerava como mãe, a mesma que hoje em dia finjo não ser nada. Contudo, com Lívia é diferente, o calor que aquece é novo. Nunca experimentei na vida e assusta como o inferno.

Lívia Nascimento

Continuo mexendo no cabelo de Apolo, mesmo depois que seu sono ficou pesado o suficiente para que sequer se remexa. Talvez esse homem mau aqui seja um garotinho assustado, com muitas cicatrizes, assim como meu sobrinho. Percebi a forma como me olhou enquanto limpava seu ferimento e lavava sua pele. Notei como ficou mais maleável ao ponto de me abraçar ao nos deitarmos na cama. Nós não fizemos nada, Apolo só pediu para que eu ficasse um pouco. Falamos, na maioria, sobre minha antiga vida.

— Me conte sobre a mãe de João Pedro.

Tenho um pequeno sobressalto. Estávamos quietos desde que saímos do banho.

— Bem, Lisa era um doce. Cuidava de todos nós, seu dom para a maternidade era apurado. Ela percebia de longe se precisávamos de um abraço, bronca ou desabafar. No começo, antes de se mudar para nossa casa, minha cunhada cursava Psicologia, era sua grande paixão. Então, veio a gravidez, sua mudança e Lisa acabou abandonando a faculdade.

Apolo me aperta mais contra si.

— Ela sofreu com isso? — Seu questionamento vem com raiva.

Essa é a terceira vez que fico confusa tanto com a conversa quanto com seu interesse.

Resolvo continuar falando, gosto de contar sobre Lisa e é bom ter um lado mais calmo de Apolo.

— Por incrível que pareça, não. Sabe o que ela dizia? "Minha família vale muito mais que um diploma." Ela era a luz que precisávamos, Apolo. Perdê-la foi difícil para mim, triste para o João Pedro e devastador para meu irmão. Sinto falta da risada exagerada dela todos os dias.

Resfolego, minha voz embarga, melhor parar por aqui. Lisa é um assunto complicado, até porque sua morte é uma incógnita.

Após nosso papo, que praticamente só eu falei, voltamos ao silêncio. Fico pensando o quanto é diferente minha interação com esse homem, que não me sinto pressionada na sua presença, nem para tirar a roupa. Nosso entrosamento não é dos melhores, mas consigo ver uma mudança sutil nele. Ou estou ficando realmente louca, até cogitei síndrome de Estocolmo. Credo!

Dou uma última olhada em Apolo, sua vulnerabilidade nesse instante é encantadora. Sua boca um pouco aberta, sua cabeça no meu braço, uma das mãos embaixo de mim e a outra na minha cintura. Posição esquisita e muito íntima. Ele é lindo, a barba por fazer traz um ar mais indomável do que o normal, o nariz afilado, queixo quadrado, sua boca bem desenhada. Sem falar na sua altura imponente.

Ok, pareço uma babona apaixonada!

Relanço o olhar para a janela, deve ser madrugada, o sono começa a bater. Dormir aqui não é uma hipótese, ainda mais sem saber como será a reação dele pela manhã. Com toda cautela possível saio da cama. Apolo nem se move. Cato minhas roupas, depois faço o caminho até o meu quarto. Visto uma calcinha e um short antes de me aconchegar com o meu menino. Apago com a esperança de que nossas vidas possam mudar para melhor, acreditando que talvez não tenha mais dias contados.

Sou despertada por um João Pedro serelepe, quase implorando para que desçamos tomar café.

— Que fome é essa, rapaz? Posso me arrumar antes?

— Minha barriga tá doendo, Nana. — Usa sua cara de cachorro pidão. Muito conveniente! — Podemos ir comer, depois a gente volta pra cá? Por favor!

Ah, que não consigo dizer não para esse traiçoeiro. Faço apenas um coque no cabelo e escovamos os dentes. Cinco minutos mais tarde entramos na cozinha, que exala cheiro de café. Que delícia!

— Caíram da cama hoje?

Madu coloca alguns pães na cestinha. Eu pego seu sorrisinho sacana ao notar que uso uma das camisas de Apolo. Sinto meu rosto esquentar de constrangimento, apresso-me em retomar o assunto para fugir da linha de frente.

— JP acordou faminto, parece até que não come há dias.
— Não é minha culpa, tia. É minha barriga que não para de fazer *barulo*.

Semicerro meus olhos para a aula de chantagem emocional que meu sobrinho de quase quatro anos está dando. Sem-vergonha! Pelo menos surte efeito, pois a atenção vai toda para ele.

— Ai, que dó dessa criança! Venha aqui que a tia Madu vai fazer um achocolatado quentinho e cortar uma fatia generosa de bolo.

Ela pega o abusado no colo e pisca para mim. Acabo sorrindo.

Acomodo-me ao balcão, gosto de fazer minhas refeições aqui, é menos formal e mais receptivo que a sala de jantar. João Pedro senta-se à minha frente, ansioso, espera que Madu arrume seu prato e não perde tempo em devorar tudo. Arrumo meu pão com queijo devagar, confortável com as pessoas que estão próximas.

— Bom dia, damas e cavalheiro!

Miguel aparece para melhorar o clima, porque sua mãe está me rondando, querendo perguntar o que não quero responder. Eu devia ter me trocado.

— Bom dia! — dizemos os três quase juntos.

Ele se empoleira na banqueta ao meu lado e deixa um beijo casto em meu rosto.

— Tudo bem, Deusa? — Viro a cabeça para afirmar que sim, paro quando Miguel escorrega seu olhar para baixo, para a maldita camisa. — Acho que perdi mesmo — sussurra.

Não há condenação no seu tom, muito menos raiva. Não que ele sinta algo por mim, mas vai que Miguel realmente falou sério ontem, sobre suas intenções. Encolho os ombros sem saber o que dizer.

— Sem ficar encabulada, Deusa. A vida é sua, você não pode se obrigar a gostar de alguém. Só tome cuidado com Apolo, lidar com o humor insuportável dele não é fácil.

Jogo a cabeça para trás e gargalho. Miguel é uma pessoa muito iluminada.

— Larga de ser bobo, não é nada disso...

— Não é nada disso o quê, Lívia? — Bem nesse segundo o bendito escolhe dar o ar da graça. — Por que saiu da cama sorrateira de novo?

Fico embasbacada quando Apolo se senta ao meu outro lado e, ainda por cima, me dá um selinho em frente a todos. Um silêncio enorme recai no cômodo até que JP bate palmas.

— Você tá namorando a Nana, tio? — Língua de criança não tem freio mesmo.

Apolo me encara, acho que só agora se tocou do que acabou de fazer. Ele coça a garganta, buscando uma explicação plausível para dar ao menino empolgado.

— Bom dia, filho. Vai tomar seu café aqui conosco? — Madu é o anjo salvador.

— Vou sim! — solta, autoritário; voltamos ao modo ogro.

— O que está fazendo? — pergunto o mais baixo que consigo.
— Nada. A minha camisa ficou ótima em você — cochicha no meu ouvido, com a voz grossa. — Agora coma — dita, ignorando-me.

Busco ajuda em Miguel, que está rindo. Meu sobrinho parece ter se esquecido do episódio e come como se sua vida dependesse disso. Madu tem um sorriso escancarado.

O que está acontecendo, meu Deus?

CAPÍTULO 24

Apolo Mendanha

Preciso controlar minha fúria por acordar sozinho mais uma vez. Aquela garota gosta de testar meus nervos.
Foda!
Apesar de ter sido abandonado durante a madrugada e de que não deveria me sentir enganado, acordei de bom humor. Não sei o que Lívia anda fazendo comigo, mas vingança não é mais um dos fatores que se sobrepõe na minha lista. Porra! Não acredito que acabei de admitir essa merda para mim mesmo.
Tomo um banho demorado, visto-me e, antes de tomar café, ligo pedido que Jonas vá ao escritório.
— *Bom dia, Sr. Mendanha*!
— Preciso que investigue algo para mim. Lívia me disse que, na noite em que Lisandra foi assassinada, tinha outra pessoa na casa. Ninguém me falou sobre isso, também não sei se a informação é verídica. Assim que tiver notícias me avise.
— *Certo, senhor*!
Ele se retira rapidamente, sem estender o assunto. Gosto disso. Sanar essa suposição é importante, assim posso concluir se Lívia é inocente ou uma vigarista interesseira, assim como o marginal. Nenhum tesão absurdo vai me fazer poupá-la, caso seja culpada.
Saio para o corredor e, antes mesmo de chegar à sala de jantar, a gargalhada dela invade meus ouvidos. Fecho as mãos em punho só por imaginar Miguel aproveitando um lado de Lívia que não tenho acesso.
Silencioso, entro na cozinha e lá estão eles! Miguel quase babando em cima da bendita garota. Ela, por sua vez, rindo e tocando no ombro dele. Madu balança a cabeça, achando graça. João Pedro está concentrado em sua comida. Eles parecem uma família feliz, uma que nunca tive. Aperto meu maxilar com força, uma raiva diferente coloca fogo em minhas veias, fazendo-me agir por um impulso que não sinto há muito tempo.
— Larga de ser bobo, não é nada disso... — ela começa a justificar, não deixo que termine seja lá o que pretende negar.

— Não é nada disso o quê, Lívia? — Os olhos de um verde exótico se arregalam. Quero tirar Miguel de jogo, para isso não há saída melhor que confirmar um envolvimento. — Por que saiu da cama sorrateira de novo?

Identifico choque em suas feições, porém nada é dito. Sento-me na banqueta ao seu lado e, por puro descaso, deixo um selinho em seus lábios. Só desperto do transe patético ao qual me submeti com a pergunta de João Pedro. Ainda bem que Madu resolve mudar o rumo da conversa, porque não consigo inventar uma justificativa para sair pela tangente. O melhor é Lívia confusa, querendo saber o que está acontecendo. Minha vontade é dizer que também não sei, mas que não quero parar. Pelo menos, não agora.

Que caralho é isso?

Enquanto como, encaro Miguel de canto, que sorri e relanceia o olhar para Lívia, em seguida para mim. Ele não parece contrariado com minha intromissão, não que me importe. Lívia come seu pão, devagar, aérea. Ora ou outra dá pitaco na conversa de Madu com o filho, no restante permanece em silêncio. Eu não faço questão de desenvolver um diálogo. Pena que meu sobrinho tem outros planos.

— Quando vamos à empresa de novo, tio? É muito irado!

Estico a mão e bagunço seu cabelo crescido.

— Logo, menino.

— Podemos levar a Nana dessa vez?

— Podemos negociar. — Pisco na brincadeira. Ele dá risada. — Vou te levar para cortar o cabelo, aproveito e corto o meu. Daqui a pouco conseguimos amarrar essa juba aí.

João Pedro ri mais.

— Nana queria fazer trancinha, mas não deixei. Não gosto — cochicha alto demais.

Não seguro uma risada alta. Miguel e Lívia fazem o mesmo. Escuto um engasgo às minhas costas, viro-me para ver o que é. Madu está com as mãos em frente à boca, com os olhos marejados. Enrugo a testa.

— O que houve, mãe? — Miguel é mais rápido em agir.

— Nada, querido! Nada! — De repente, ela beija meu rosto e sai da cozinha.

Todo mundo resolveu ser maluco hoje, inclusive eu.

Finjo que não ocorreu uma cena estranha e termino meu café. Miguel se despede de todos, JP avisa que vai trocar de roupa para ir à piscina. Ficamos a mulher que vem me fodendo bonito e eu. Estamos lado a lado, sem dizer nada. Os dedos dela batem incessantemente no balcão.

— Por que saiu antes de amanhecer?

Ela para, olha-me por longos minutos e volta para o tique nervoso.

— Preferi fugir a lidar com sua grosseria logo cedo — acaba dizendo.

Tudo bem, não posso julgá-la. Por mais que quisesse acordar com sua boceta pronta para meu pau, já que não fizemos nada ontem, o que significa que estou com um tesão dos infernos, não sei como reagiria com tamanha intimidade. Ainda mais sabendo o quão errado é seguir com essa loucura em vez de agir com a razão. Como não me pronuncio, Lívia volta a me encarar.

— O que estamos fazendo, Apolo? Você queria me matar, eu deveria te odiar...

— Mas não odeia. — Freio suas palavras irritantes de tão verdadeiras.

— Não, não odeio.

Porra! Não deveria ficar satisfeito com essa merda.

Sem saco para lidar com os erros, puxo Lívia para meu colo, tomando sua boca em um beijo forte, tentando puni-la por me obrigar a desejá-la, tentando inutilmente encontrar culpa no ato.

Suas pernas se encaixam uma em cada lado do meu quadril, minhas mãos descem da sua nuca para a bunda, apertando a carne, esfregando-a em meu pau. Gememos juntos.

— Você é muito gostosa, menina. — Puxo seu lábio inferior com os dentes.

— Apolo...

Caralho, é esse tom manhoso pronunciando meu nome, que leva qualquer vestígio de sanidade.

Estou prestes a arrastá-la para o quarto, quando me lembro de que estamos na cozinha, que João Pedro pode chegar. Com calma, seguro seu cabelo puxando-o até que tenha seu verde exótico me fitando.

— À noite vou te buscar no quarto, quero você comigo. Sem roupa — murmuro antes de morder sua orelha. — Gritando de prazer, Lívia.

— Apolo...

— Bem isso que quero ouvir, menina.

Ela se aperta contra minha virilha, a pressão me faz grunhir. Seus olhos parecem vidrados de desejo, não estou diferente. Deixo um último beijo em seus lábios e a coloco novamente na banqueta. Dois minutos mais tarde, Madu e meu sobrinho aparecem.

— Nana, trouxe sua roupa. Madu ajudou a escolher — diz orgulhoso entregando um biquíni minúsculo para a sua tia.

Foda!

Lívia Nascimento

Sigo em silêncio para a piscina, enquanto JP e Apolo conversam sobre as máquinas de tingir roupas, é assim que meu sobrinho chama.

Esse bendito homem me deixou fogosa, sinto o meio das minhas pernas molhado, um calor no baixo-ventre por nos imaginar transando. Respiro fundo.

Observo os dois um pouquinho mais à frente, conversando como adultos. Apolo presta atenção nas palavras do meu menino e responde o que ele pergunta. É a primeira vez que o vejo tão à vontade, sem sua habitual postura de ataque. O que não diminui sua presença, sua autoridade.

Corro até o banheiro que tem perto da churrasqueira para me trocar. O biquíni é vermelho sangue, pequeno demais, por isso coloco por cima o short jeans que usava. Encontro JP montado na boia de tubarão e Apolo sentado em uma das espreguiçadeiras.

— Não vai entrar? — questiono ao me aproximar.

— Não. — Sua resposta é seca.

Lá vamos nós com a mudança doida de humor. Meu Deus!

Tiro o short, para provocar mesmo. Homem ranzinza! Quase comemoro ao ouvir um ranger de dentes, seguido por um rosnado.

— Você me paga, menina! Me aguarde!

Sorrindo, junto-me ao meu sobrinho. Gosto desse "menina" que ele usa em certos momentos. É delicado, sem aquela repulsa que "garota" remete.

Apolo Mendanha

Assisto Lívia caminhar até a beirada e mergulhar. A cor vermelha a deixa ainda mais vibrante, tentadora, gostosa. O biquíni é só alguns fios amarrado, porra!

Preciso controlar minha raiva por não poder entrar naquela água. Pensei que tinha superado essa merda, e me enganei. Acho que não vou superar porque o trauma é ridículo, sempre foi.

— Você é uma merdinha, Apolo. Um merdinha que merece aprender a como ser um homem.

Luto para respirar debaixo da água. Meus pulmões queimam, minha cabeça parece leve, a voz dele fica anasalada, como se meus sentidos estivessem apagando. Então, para o meu alívio, Ícaro me deixa emergir. Tento respirar entre as tossidas.

— Já falei que seu lugar é na porra do escritório, seu incompetente! Não aqui, brincando de boneca com a sua irmã! — diz alto, fúria pulsando dele.

Eu não estava brincando de boneca, estava enchendo a banheira para que Lisandra tomasse banho. Mas esse filho da puta apareceu, bêbado e louco, para machucar alguém. O alvo, como de costume, sou eu. Nem reclamo, melhor aguentar do que ver minha irmã sofrer.

Assim que consigo me estabilizar, abro os olhos. O sorriso cruel de Ícaro entra na minha linha de visão, estremeço. Ele vai me afogar de novo.

— Apolo, Apolo... — Encaro Lívia na beirada da piscina. — Tudo bem?

Ela olha para as minhas mãos. Estou com ambas apoiadas na espreguiçadeira, a força que exerço deixa meus dedos brancos.

Puta que pariu! Esse filho da puta do meu pai está infiltrado em cada parte ruim da minha vida, o pior é que não consigo controlar de ficar voltando para isso. Parece um *looping* infinito.

— Sim.

Levanto-me num rompante e volto para dentro. Preciso achar algo para me distrair, ou juro que vou até a clínica e enforco o velho devagar para ver nele o mesmo pavor que despertava em mim.

Como não fui para a MV hoje, resolvo organizar as pendências que foram ficando nos últimos tempos. Revejo contratos, dou uma checada nos rendimentos e, dentro de uma pasta escondida na última gaveta da mesa, encontro um projeto da Lisandra. Minha irmã tinha vocação para Psicologia, mas amava o mundo da moda também. Quando cursei Administração e resolvi encarar meu suposto legado, ela veio até mim para pedir que lançasse uma linha própria. Tínhamos nome para a marca e muitas ideias que aparentavam gerar lucros. *Libelle* é o nome que Lisandra escolheu. Uma merda ela não ter tido oportunidade de montar o negócio dentro da nossa empresa.

Tamborilo os dedos sobre o papel. Ao que parece, nele minha irmã criou um roteiro.

A marca seria somente para mulheres, roupas sexys para todos os tamanhos e metade da renda iria para alguma instituição de caridade.

Sorrio.

Lisandra sendo ela mesma. Um coração enorme com muitos planos e muita esperança de mudar o mundo. Engulo em seco com a dura realidade que tenho. Pego os papéis para guardá-los de novo e nisso uma ideia me ocorre. Lívia desenha, parecia ser muito próxima da minha irmã e não duvido que aceite o desafio de criar modelos que seriam confeccionados pela MV.

Só tenho um problema: ela não sabe quem sou e, a essa altura do campeonato, onde estou mais propenso a acreditar na sua inocência, não sei como reverter a situação em meu favor.

Que caralho!

O celular começa a vibrar. É Caio. Estranho, pois combinamos de nos encontrar à tarde.

— Algum imprevisto?

— *Você não vai acreditar, Apolo.* — Não há calmaria em sua voz, o que é raro. — *Consegue visualizar as câmeras?*

Abro o notebook e faço o que me pede. Vou direto àquela que me interessa. Eleonor anda de um lado para o outro, agitada.

— *Como não conseguiram? Eles estavam em desvantagem. Será que eu mesma vou ter de matar aquele imbecil do Apolo? Que droga!*

Filha. De. Uma. Puta!

— *Você conseguiu achar o documento?* — Ela senta na cadeira pomposa, irritada. — *Precisamos de algo, qualquer coisa. Não aguento mais esse moleque que se acha apto para dirigir a empresa. Ok, me mantenha informada.*

Fecho o notebook com força. A vadia está mesmo agindo pelas minhas costas.

— *Acho que não precisamos de confirmação, Apolo. Isso seria o bastante para solicitar um mandado.*

Com isso tiraria Eleonor do caminho, mas e o cúmplice? Preciso de nomes, quero foder todos eles. Bando de desgraçados!

— Tenho de saber quem é o pau mandado dela, Caio. É só dar corda, mais um pouco ela se enforca. Vou falar com Jonas, pedir que descubram quem é o nome por trás da ligação.

— *É arriscado, Apolo. Por mais que tenha confiança nele, não é seguro espalhar sobre o que estamos fazendo.*

— Não se preocupe, dou meu jeito. Enquanto isso, fique de olho na empresa. Quero que reveja quais informações da MV ela tem acesso, vai que a pilantra está nos roubando de alguma forma. Também precisamos descobrir que documento é esse que a infeliz quer.

— *Certo!*

Encerro a chamada e com ódio dou um murro no aparador ao lado. Que caralho! O filho da puta do Ícaro deve rir da minha idiotice, porque não tenho dúvidas de que aquele infeliz está envolvido. O ponto é: até onde? Não que isso importe, Ícaro vai pagar.

Jonas entra no escritório cinco minutos depois de tê-lo chamado.

— Descubra quem são os contatos de Eleonor, o que ela conversa tanto com meu pai para ir à clínica com frequência. Se precisar, grampeie o telefone. Tem uma semana para me entregar um relatório.

— Temos um motivo em específico? Assim posso ter uma ideia de por onde começar.

— Não, não temos — respondo rudemente.

Para o inferno sua curiosidade, ele tem que obedecer e não ficar pedindo explicações. Porra! Com um aceno de cabeça, o chefe da segurança sai. Ando pelo cômodo, preso, inútil, não costumo ser paciente, ajo pela raiva, ainda mais em assuntos pessoais, e esse é um assunto pessoal. Mas com Eleonor vou tratar como uma transação, e para os negócios eu tenho que ter calma. O que me consola é saber que nesse trâmite terá apenas um final: a vadia na cadeia.

A merda de ontem podia ter tido um desfecho trágico, vai saber o que mais Eleonor arquitetou para alcançar seu objetivo. Tenho que aumentar a segurança, proteger JP, que é o alvo, assim como eu, e Lívia. Ninguém vai encostar nos dois. Esfrego o rosto frustrado, odeio ficar no escuro. E aqui temos uma situação em que preciso adivinhar qual o próximo passo do inimigo.

— Maldita!

CAPÍTULO 25

Apolo Mendanha

Permaneço no escritório o dia todo, não saio nem para almoçar. Estou uma pilha e, para não fazer merda, preciso me distrair. No momento, o trabalho serve como válvula de escape. Perto das oito vou até a sala buscar uma dose de conhaque. Parece que a raiva não diminui, que estou mais e mais possesso por constatar que Eleonor é uma vadia e, mais indignado ainda, por ter mantido essa cobra ao meu lado apenas para provar a Ícaro que o que era dele era meu também.

Foda!

Paro em frente à janela que dá para o jardim, Lívia está sentada no banco de sempre, mexendo no caderno de desenho. Largo o copo sobre a mesinha e sigo para fora. Antes de me fazer presente, observo seu cabelo caindo para um único lado, os dedos delicados alisando a folha branca, ela parece fascinada com o que vê ali.

— Cadê João Pedro? — pergunto ao me aproximar.

Seus olhos de um verde exótico focam nos meus, o caderno é colocado às suas costas.

— Foi dormir com a Madu, acho que sua governanta roubou meu menino de mim.

Ela sorri, parece feliz por ver o nosso sobrinho bem.

Nosso...

Novamente essa palavra.

— Madu é alguém que as crianças gostam.

— Você gostava muito dela quando era pequeno, não é?

Sento-me ao seu lado, apoiando os cotovelos nos joelhos.

— É. Madu era para quem eu corria nos momentos difíceis — acabo confessando.

— E isso parou por quê?

Volto a encarar essa mulher que vem derrubando muitas das minhas barreiras sem permissão.

— As pessoas mudam, Lívia. Crescem e se desapegam. Foi o que aconteceu.

Ela ergue seu olhar para o céu limpo, lotado de estrelas.

— Eu nunca tive uma família normal, Apolo — começa do nada. — Meus pais eram bandidos, relapsos, egoístas. Não tive muito deles quando criança, tenho somente cenas de Felipo sendo o melhor que podia. Aí, o mesmo meio que me tirou meus progenitores, arrancou-me ele e minha cunhada. Sobrou apenas JP. Eu daria minha vida pela dele sem pensar duas vezes, não só por amá-lo, mas porque sem João Pedro não teria motivo nenhum para continuar. Acredito que as pessoas não esquecem quem amam; só deixam de se importar com o que é importante, para dar atenção ao que acham que vale a pena. Foi o que houve com você.

Sua íris límpida me fita.

— Nesses últimos dias venho pensando que você não é mau, só não tem por que ser bom.

Fico sem reação tanto pelo que me contou tanto pela última frase. Lívia sofreu demais, criou João Pedro sozinha, em uma situação deplorável, contudo não desistiu dele. É nisso que concordo com a parte final do desabafo: a única pessoa que me sobrou é justamente a que odeio com todas as forças.

Para não dar vazão a um assunto desconfortável, porque nem fodendo que vou ter um papo desses com ela, acabo questionando um detalhe insignificante que pode me tirar dessa merda sentimental.

— Por que João Pedro te chama de Nana?

Lívia enruga a testa com a mudança de tema, porém não tenta forçar o que fica claro que não quero. Pontos para ela.

— Para ser sincera, era para ser mana. — Ri de leve. — Quando João Pedro nasceu minha cunhada queria dar a ele o nome do irmão, que não faço ideia de qual seja porque esse assunto era meio proibido lá em casa — diz, deixando-me completamente atônito. Lisandra fez o possível para que Ícaro não a encontrasse, escondeu quem era em função dos que amava. — Não sei por que mudou de ideia. Então, pediu para que eu deixasse JP me chamar de mana, porque era uma lembrança boa da sua infância. Só que o pequeno encucou com Nana, e assim ficou.

Lívia termina de contar sem perceber que estou por um fio, mano era como minha irmã me chamava. Lisandra me amava, mesmo depois que a abandonei, sem querer, com o filho da puta do nosso pai. Dói ter ciência de que suas recordações boas giram em torno de um apelido. Ela merecia muito mais, merecia um mundo inteiro e não teve nem um terço dele.

Engulo com dificuldade para segurar a postura. Tentei fugir pela tangente e me ferrei. Que caralho!

Querendo disfarçar minha fraqueza, puxo Lívia pela nuca e a beijo. Não é forte, é calmo, provando, tentando deixar a mente em branco. Enredo meus dedos em seu cabelo, aprofundando o contato. Ela enrosca sua língua na minha, permitindo que a angústia seja drenada pelo seu toque. Suas mãos apoiam em meus ombros, então sobem para meu cabelo. Quando dou por mim, Lívia está em meu colo, devorando meus lábios com a mesma ânsia que faço com os seus.

— Vamos para o quarto comigo? — O desejo assume o comando.

— Sim...

— Sem fugir durante a madrugada — digo sem nos desgrudar.

Ela se afasta o mínimo para me olhar.

— Vou ter de lidar com a sua grosseria amanhã? Porque se for assim, Apolo, prefiro não ficar — fala baixinho.

Os fios escuros emolduram seu rosto bonito, trazendo um ar ainda mais jovem à garota. Fico em silêncio por vários minutos, pensando no que ouvi. Lívia é diferente de tudo o que já provei, deve ser por isso que meu peito infla, obrigando-me a garantir que não serei um escroto pela manhã.

— Não vou ser grosso.

— Tudo bem.

Sem esperar qualquer outra confirmação, coloco-a sobre seus pés, ela pega o caderno, prensando-o contra o peito, minha mão procura a sua e assim, juntos, caminhamos para o interior da mansão.

Preciso admitir que estou ruindo e não há nada que possa mudar esse fato.

Lívia Nascimento

Entramos no quarto ainda de mãos dadas, coloco o caderno sobre a cômoda no canto e aguardo. Apolo me solta para fechar a porta, devagar se vira em minha direção. Um brilho perigosamente sedutor crispa no fundo marrom.

— Tire a roupa, menina!

O comando vem rouco, arrepiando-me em antecipação.

A única peça que visto é um vestido florido, leve, que coloquei após sair da piscina. Desamarro as alças, em seguida o vestido longo escorrega pelo meu corpo. Apolo puxa o ar entre os dentes. Gosto de saber que posso desestabilizá-lo, que não sou apenas eu que mudo na sua presença.

— Nua, Lívia? Você quer mesmo me deixar na borda, não é?

Permaneço parada, enquanto ele dá um passo de cada vez até onde estou. Suas mãos grandes deslizam pelos meus braços, parando na cintura. Meu coração parece prestes a pular do peito. Eu sei que caí na dele, tenho certeza de que estou fascinada pelo homem que até então pretendia me matar. Se esse era o objetivo de Apolo, concluiu com êxito. Todos os seus lados, principalmente o que vem se mostrando esses dias, envolvem-me.

Sua boca desce sugando a pele sensível do meu pescoço, e estremeço. Escorrega mais para baixo, até ter meus seios na sua mira.

Lanço a cabeça para trás assim que sua língua circula um dos bicos e os dedos apertam o outro.

— Se você tiver noção do quanto é gostosa, menina, vai entender por que me deixa tão maluco — grunhe.

Sua mão livre encontra o meio das minhas pernas e brinca ali. Estimulando os pontos certos, deixa-me à beira de explodir.

— Apolo... — Não passa de um murmúrio lânguido.

Então seu toque para, obrigando-me a abrir os olhos abruptamente.

— Ainda não, Lívia. Quero te deixar sedenta antes que goze. Quero que se solte, que seja minha hoje, sem barreira alguma — externa, fitando-me.

Minha garganta tranca com o pedido. Ser dele. Eu sei que, por trás disso, Apolo quer dizer sobre não ter espaço para me lembrar do que aconteceu comigo. Sei também que ele se segurou na primeira vez que fizemos sexo, não sei se por ele ou por mim, mas fiquei feliz porque em nenhum momento a escuridão quis me ameaçar.

— Estou aqui, Apolo — sussurro.

Um sorriso de tirar o fôlego repuxa seus lábios grossos, um frio na boca do estômago se manifesta com isso. Quando conheci esse homem e me vi atraída por ele, eu me culpava, martirizava-me por achar errado; não de uma forma, sim, de várias. Eu queria me livrar das amarras, queria não ter remorso por conta do prazer. Apolo me proporcionou esse alívio ao mostrar que sou capaz.

Apolo Mendanha

Essa mulher é a porra de uma delícia. E não por ser linda, Lívia é muito mais por baixo da casca. Volto a me enroscar em sua boca, raspando os dentes sem dó em seus lábios, tirando dela os murmúrios que adoro. Não sei qual o fetiche com meu nome sendo dito, só sei que é um tesão dos infernos.

Foda!

Seguro suas coxas e a ergo, caminhando até o colchão. Caio por cima do seu corpo, aproveitando para contornar as curvas avantajadas. Desço meus beijos para o pescoço, seios, barriga, até chegar onde quero. Ela se contorce com seus dedos firmes em meu cabelo.

Encaro sua boceta pequena, depilada, molhada... Minha língua escorrega até sua entrada, forçando ali e voltando para circular o clitóris. Um gritinho ressoa, seu corpo se enverga. Grudo as duas mãos na curva cheia do seu quadril e a chupo com vontade. Lívia tem um sabor de mulher gostosa viciante. Que caralho!

Cada gemido dela é um grunhido meu. A cada indicação de que o orgasmo está chegando, aumento a pressão de minha boca. Meu pau está tão duro que incomoda.

— Goza, menina — mando, antes de deixar um tapa em cheio no meio das suas pernas e meter dois dedos em sua boceta.

Meu nome sai alto, bem alto de sua boca:

— Apolo!

Feito um louco liberto meu pau e me masturbo, sem deixar de beber seu orgasmo. Não tem nada tão erótico que isso. Uma fisgada na minha barriga anuncia que não vou aguentar.

Lívia respira pesado, lânguida. Fico de pé.

— Vem cá, menina. Chupa meu pau, quero minha porra em você de novo.

Não preciso pedir duas vezes, ela fica virada para mim, de quatro. Puta que pariu! Guio meu pau até sua boca e Lívia me leva ao limite, engasgando no processo.

Foda!

Eu me inclino, um dedo sonda seu ânus, outro desliza por seus fluidos que ainda escorrem. Ela geme, empurrando-se para trás. Seus dentes raspam minha carne, seus lábios sugam avidamente. Não consigo segurar os grunhidos. Meu corpo inteiro pega fogo. É insano, gostoso demais.

— Eu vou gozar — aviso.

Seus olhos exóticos se erguem, capturando minha atenção.

— Goza — murmura. Entreabro os lábios, alucinado com essa energia.

Meu orgasmo vem queimando, lavando, libertando esse tesão dos infernos. O nome dela sai como um mantra. Não desvio o olhar de Lívia, assisto sua garganta engolir meu sêmen. E, o mais delirante, é ela gozar de novo, com meu dedo enfiado em sua bunda e outro na boceta.

É o caralho do céu!

Sem pensar eu a viro com a bunda empinada na beirada da cama e me afundo em seu calor, estocando forte. Meu pau não amoleceu nem depois de gozar como nunca. Meu punho enrola em seu cabelo, minha mão desce a palma para marcar sua pele com um tapa estalado. Lívia grita. O suor escorre de nós dois, o calor fica quase insuportável e nenhum pensa em parar. Freio minhas investidas para realizar uma das muitas fantasias que essa garota desperta, e vou até a poltrona, a mesma que serviu de apoio para que eu pudesse chupá-la da primeira vez.

— Quero você cavalgando em meu colo do mesmo jeito que imaginei, menina.

Consigo notar certa insegurança nela, não tem como esquecer o que houve, todavia quero que hoje Lívia foque em nós. No que sou. No que ela pode ser.

— Não pense muito. Apenas venha, não vou fazer nada que não queira — garanto, isso parece tirá-la do torpor.

Seguro meu membro pela base, correndo a mão por seu cumprimento. Lívia lambe os lábios e vem para mim. Seus joelhos acomodam ao lado da minha cintura, guio meu pau até sua entrada e a bendita senta com tudo. Engasgo com a fisgada de prazer que sobe pela espinha.

— Que delícia essa boceta assim, menina, quente, molhada, me esmagando.

Seus braços vão para trás, suas mãos apoiam em minhas coxas, então Lívia se solta. Começa um ritmo rápido, subindo, descendo, fazendo-me perder o controle. Mordo, chupo, belisco seus seios, deliciando-me com o sabor de mulher gostosa.

— Apolo... Assim, Apolo... — Sua voz sai entrecortada.

Meus dedos apertam tanto sua carne, que ficarão marcas. Travo os dentes para não gozar antes dela, duelando com meu lado contido e o que parece querer explodir por essa mulher.

— Quero você gozando, menina. Grita, Lívia. Grita muito e se desmancha no meu pau.

Impulsiono o quadril para cima, ela se joga para baixo, chegando ao limite. Um grito deixa sua boca carnuda. Puxo seu cabelo até que eu consiga beijá-la, permitindo-me chegar ao clímax logo após Lívia alcançar o dela. Seu corpo amolece, pendendo no meu, respirações descoordenadas exalam, o mormaço pós-sexo domina meu quarto.

Ficamos na mesma posição por um tempo considerável, até que nos levo para o banho. Meia hora mais tarde estamos deitados, saciados, em completo silêncio. Enquanto fito o teto, relembro como isso começou. A fúria que nutria pela família de Felipo acabou se dissipando contra a minha vontade, Lisandra deve ter vergonha do quão fraco sou, nem com essa constatação considero parar. Admito que essa atração é mais forte que qualquer vingança.

— Você tá quieto — Lívia fala, acariciando os poucos pelos do meu peito.

— Eu sou quieto, menina.

— Está mais quieto do que o normal — explica.

Viro a cabeça para seu lado, dando de frente com seu olhar intenso. Uma sensação de lar me toma. Sensação essa que só tive com Lisandra e Madu.

— Tem certeza de que seu irmão não matou a esposa? — A pergunta estoura antes que eu possa refazê-la.

Lívia murcha na hora, o olhar reluzente se transforma em receio.

— Tenho. — Ela se cala por um tempo. Permaneço calado, correndo os dedos por seu braço. — Felipo amava Lisa, não tinha a mínima chance de fazer mal a ela. Foi a pessoa que nos visitou naquela noite. Depois do disparo, meu irmão começou a berrar. Nervosa, acabei saindo do quarto e... Meu Deus, Apolo! Foi horrível! Lisa estava caída, baleada, ainda respirava. Meu irmão chorava, suplicava para que ela não o deixasse, infelizmente Lisa fechou os olhos e nunca mais abriu. JP estava seguro em meus braços, perdeu a mãe cedo demais. Nem se lembra dela. No mesmo dia, Felipo saiu feito doido falando sobre vingança.

O marginal veio até a mansão matar Mônica. Não tem muita lógica no que Lívia diz. Lisandra foi morta sem chances de defesa, à queima-roupa. Covarde e injusto. Preciso descobrir a verdade, o que houve de fato.

— Depois disso, tudo desandou... — continua.

Lívia pode ser sangue de Felipo, as comparações param por aí. O infeliz largou a irmã e o filho para se afundar nas drogas. Tudo bem sofrer, curtir o luto, mas ele tinha pelo que lutar e preferiu abrir mão.

— Vem cá. — Puxo-a mais para perto, meu braço embaixo de sua cabeça. — Queria te pedir desculpas pelo que fiz, por ter descontado em você um erro do seu irmão.

Um beijo leve é deixado em meu ombro.

— Pode me contar por que tanta raiva?

Reteso meus músculos mediante o questionamento. Não tem como falar, não tem jeito certo de falar.

— Não. — Soo mais rude do que pretendo, ela se retrai. — Não quis ser grosseiro, Lívia. Entenda que não sou de dar explicações e não quero falar disso.

— Ok.

Merda de assunto que fode tudo. Respiro fundo para manter uma calma que passo longe de ter. Para não abrir brecha para uma possível discussão, que não é difícil de acontecer já que a mulher é rebelde e eu tenho uma personalidade do cão, fecho os olhos tentando relaxar. Lívia fica quieta, logo sua respiração fica ritmada, calma.

Procuro dormir também, jogando à sorte nossa interação amanhã.

CAPÍTULO 26

Apolo Mendanha

Eu me remexo antes de abrir os olhos, para me certificar de que Lívia não saiu correndo durante a madrugada. E ali está ela. Deitada de bruços, quase na beirada do colchão. Com cuidado a trago para perto, passando o braço por sua cintura. Lívia se aconchega de conchinha a mim, mas não acorda. Inalo o cheiro de xampu de seu cabelo, experimentando uma calmaria mesmo com o caos que preciso resolver lá fora. Não sei como lidar com esses sentimentos, não sei ao certo como nomear cada um. É uma vontade de ficar aqui, aproveitando sua companhia. Um desejo de agradá-la, de mostrar que posso ser melhor.

Porra!

Saio da cama devagar, de repente fico sufocado, necessitando de espaço para pensar com clareza. Isso tudo é repentino, improvável. E se Lívia estiver fingindo para arrancar o que Felipo não conseguiu? Contradição do caralho! Odeio não ter certeza do que faço. Essa garota é uma brecha do desconhecido, esse fato transtorna minha personalidade.

Tomo banho de água fria para ver se minha cabeça desacelera. São tantos acontecimentos inesperados, que não dou conta. Ao sair do banheiro, encontro-a ainda dormindo. Suas feições serenas, os lábios um pouco separados, o lençol cobre parcialmente sua nudez. Mulher gostosa do cacete, que vem me deixando doido!

Sigo até o closet para pegar uma roupa antes que a acorde com minha boca. O caderno de desenhos que repousa sobre a mesinha, chama minha atenção. Por curiosidade passo as folhas, admirado com a precisão dos traços. Lívia quase não tem estudo, porém é inteligente, talentosa, determinada. Seria o encaixe certo para desenvolver os modelos do projeto *Libelle*.

Absorto em planos futuros, travo quando foco na página em que parei. Um desenho meu e de João Pedro, ambos lado a lado, de costas. O cenário é o jardim, com a piscina ao fundo e o céu límpido. É lindo, arrisco dizer perfeito. O menino olha para mim, Lívia colocou emoção na fisionomia dele, eu estou com uma das mãos apoiada em seu ombro.

Coço a garganta, uma súbita estranheza com a combinação da imagem.

Deixo tudo como está, visto-me e saio. Prefiro resolver algumas pendências, não estou preparado para lidar com as mudanças impensadas que me abri. No meio do corredor encontro meu sobrinho encostado no parapeito da escada.

— O que houve, menino?

— Você viu a Nana, tio? Ela não tá no quarto. — Ele parece preocupado.

— Está no meu quarto — conto.

Os olhos idênticos aos da minha irmã se arregalam.

— Vocês estão namorando mesmo? Tia Madu falou que não ia demorar muito para vocês se inra... ira... *arabicharem*.

— Enrabichar — corrijo-o. Acabo rindo por causa da ansiedade do menino, que parece prestes a gritar. — É complicado, mas digamos que estamos nos acertando, tudo bem?

João Pedro pula em cima de mim, pedindo colo. Meio sem jeito, pego-o nos braços. Meu pescoço é circulado e um beijo é deixado ema minha bochecha.

— Que máximo, tio! Nana é bem legal. — Eu me seguro para não acrescentar gostosa. — Você também é. A gente pode ser uma família! Eeeee!

Agita-se para descer, então sai saltitando.

— Vou lá contar para a Madu que vocês se *arabicharam*.

Ergo um dedo para pedir que o fofoqueiro fique de bico fechado, não tenho tempo. A criança some em segundos. Porra!

Lívia Nascimento

Um mês, esse é o tempo que passou desde a primeira noite em que realmente dormi com Apolo. De lá para cá, muitas coisas aconteceram.

João Pedro se apegou a todos de um jeito familiar, ri mais, brinca, fala sozinho, está sendo a criança que sempre deveria ser.

Madu não esconde o quanto está feliz pelas mudanças, principalmente no que diz respeito a Apolo.

Miguel continua o mesmo de sempre. Adoro as provocações dele com Apolo. Mesmo que o Sr. Ranzinza faça cara feia, Miguel continua testando.

Comecei a considerar esse lugar enorme um lar e tomei algumas liberdades, que até o momento não foram censuradas. Pintei quadros e pendurei pelas paredes. Coloquei uma flor aqui, outra ali. Abri cortinas, que parecem nunca terem sido abertas. Não foi mais tocado no assunto do meu irmão, as ameaças cessaram, Apolo continua insuportável, mas tem momentos em que é fofo sem perceber.

Puxo o ar e solto com uma lufada, relaxando os ombros. Largo o pincel e finalmente me afasto para admirar o quadro. Faz umas duas semanas que Miguel chegou aqui com outra surpresa, desta vez trouxe um cavalete, muitas telas, pincéis e uma quantia absurda de tintas. Agradeci tanto, que o coitado ficou sem jeito. Desde então, a cada segundo que posso, estou desenhando. A imagem eternizada ali é de Apolo e JP, na tarde após o desastre que sofreram na rua, em meio ao tiroteio. Ambos parecem tranquilos, lindos, uma cena que guardei a ferro na minha mente.

Eu não sei ao certo onde isso tudo vai dar, não tenho garantia de que continuarei aqui, mas tenho certeza de que está sendo uma das melhores épocas da minha vida. O que é bem estranho, já que vim parar nessa mansão por um motivo: ser morta. Ainda não consigo decidir se a louca sou eu ou o Apolo.

Isso me remete a um passado nada distante, quando a fofura do Sr. Ranzinza apareceu pela primeira vez.

— Menina, arrume-se. Temos uma consulta.

Enrugo a testa, confusa.

— Como assim?

— Consegui um horário com uma ginecologista conhecida. Sairemos daqui a meia hora.

Abro a boca e fecho de novo, sem saber o que dizer. Não quero ir, e se a médica descobrir o que houve comigo? Não estou preparada para falar sobre esse assunto. Até porque foi superado.

— Apolo, eu não...

— Você vai, Lívia. Sem discussão.

Seus olhos castanhos me fitam com determinação, até que compreendem meu receio e se tornam quase amáveis. Ele senta ao meu lado na cama, essa foi mais uma noite que passei no seu quarto.

— Escute, menina, ninguém vai te obrigar a falar. Eu vou junto; se quiser, entro na sala. Só me deixe te levar até lá. Você precisa ver se está tudo bem, e também tem que tomar contraceptivos, estamos transando sem proteção.

Seus dedos colocam uma mecha do meu cabelo atrás da orelha.

— Não seja teimosa, deixe-me cuidar de você.

Foi um dia atípico e gostoso. João Pedro foi junto, a médica é um doce e, por incrível que pareça, está tudo bem comigo. Optei por tomar injeção uma vez por mês, porque nunca me lembraria do comprimido todos os dias. Saímos do consultório e fomos tomar sorvete, depois Apolo nos levou até um parque da cidade, onde os ricaços costumam fazer caminhada. Nós nos divertimos, vi meu sobrinho correr pela grama, presenciei Apolo sorrir. Nem os quatro seguranças em nosso encalço tiraram a magia daquela tarde.

Outra recordação que me deixa boba, foi o presente que Apolo me deu.

— Tenho uma coisa para você — diz, encabulado. Seguro o riso por vê-lo constrangido.

Estamos na cozinha jantando, faz alguns dias que ele começou a comer aqui com a gente, acho que se cansou daquela sala enorme e sem graça.

— Sério? Cadê? — questiono ansiosa.

Madu, JP e Miguel prestam atenção na conversa. Apolo coça a garganta, parece nervoso. Pede um minuto e sai, logo volta com uma sacola preta nas mãos que coloca à minha frente, e volta a se sentar.

— Espero que goste. Se precisar de ajuda para mexer é só pedir.

Quase caio de costas ao encontrar dentro do pacote um celular que deve ter custado uma fortuna. Um celular! Eu só tive um aparelho quando era mais nova, meu irmão que me deu; provavelmente pegou como pagamento de drogas.

— Eu amei, Apolo. Uau! — Pulo do meu lugar e enrosco meus braços no pescoço dele, por impulso deixo um beijo em seus lábios. Agora sou eu que fico sem graça. — Muito obrigada! — murmuro me afastando.

— Salvei meu número como primeiro contato. Fiz o mesmo com o seu no meu celular.

Dá de ombros como se não fosse nada de mais, mas é muita, muita coisa.

— Obrigada mesmo!

Um pequeno sorriso repuxa sua boca carnuda.

— Fico feliz que tenha gostado.

Pensando bem, as mudanças foram gritantes. Longe de mim, reclamar, só que essa calmaria em excesso me assusta um pouco. Foi assim antes de Lisa falecer. Nós estávamos em paz, achando que tudo se ajeitaria, em seguida veio o dilúvio. Peço a Deus que não seja esse o caso.

— Nana! Nana! — JP grita do hall.

— Estou aqui, meu amor!

Ele entra na sala correndo.

— Olha que maneiro, tio Apolo me deixou fazer um risco no cabelo. — Vira a cabeça de lado para mostrar.

Apolo saiu com ele mais cedo para ir novamente até a fábrica e avisou que ia ao cabeleireiro. João Pedro estava com o cabelo enorme.

— Ficou lindo, JP. Já mostrou para a Madu?

— Não, queria que você visse primeiro. — Beijo sua bochecha. Eu amo tanto esse malandrinho. — Vou lá procurar a tia.

Do mesmo jeito afobado que chegou, ele sai. Não demora para que Apolo apareça.

— João Pedro parece que ganhou na loteria, mas só cortou a cabeleira — fala.

Dou risada e vou até ele. No começo ficava com medo de chegar perto sem permissão, agora estou mais solta nesse quesito. Antes mesmo que possa abraçá-lo, sou puxada para o sofá, caindo sentada em seu colo. Apolo segura minha nuca, seus lábios tomam os meus com força. É um duelo excitante de línguas, somente nossas bocas são ousadas. As mãos dele permanecem na minha cintura e as minhas em seus ombros.

— Vim o caminho todo pensando em beijar você — admite.

Meu coração tropeça bonito com isso. Não nomeio o que sinto para não correr riscos caso acabe, porém Apolo me conquistou sem sombra de dúvidas. O que é perigoso, irresponsável e muito bom. Essa euforia é nova para mim, esse frio na boca do estômago é uma sensação diferente, que não havia experimentado ainda.

Apolo Mendanha

Eu desisti de tentar não admitir que gosto dessa garota. Perdi a batalha para minha parte sensata. Lívia Nascimento passou a ser o primeiro número na minha agenda e a única companhia na minha cama.

Foda!

— Hum, que bom saber disso — sussurra com os lábios grudados nos meus. — Finalizei o desenho, quer ver?

Concordo e a ajudo a se levantar.

Lívia estava pintando um presente para mim, o quadro está virado para a parede, no cantinho onde ela pegou para si. Arregalo um pouco os olhos com o que vejo, o mesmo desenho que descobri em seu caderno. Os traços são ainda mais vivos com tinta.

— Ficou lindo, menina!

— Obrigada! Você decide onde pendurar, é todo seu — diz baixinho.

— Onde você quiser, sei que vai achar um lugarzinho especial, não é? — brinco.

— Larga de ser bobo, só dei mais cor para essas paredes sem-sal.

— Não estou achando ruim, se a MV falir podemos abrir um museu.

Lívia dá um tapa em meu peito.

Prenso seu corpo contra a parede e seguro seu cabelo entre os dedos, percorrendo meu nariz por seu pescoço.

— Obrigado, menina. Adorei o presente — cochicho perto da sua orelha. — Para ficar ainda melhor, você pode aceitar subir até o quarto e me deixar comer você?

Uma risada rouca atiça meu desejo.

Antes que ela possa responder, uma batida de leve à porta quebra o clima. Porra! Viro-me devagar para ver quem é. Jonas está parado na entrada, com as mãos para trás.

— Fala.

— Senhor Mendanha, podemos conversar?

— Um minuto, estou indo. — Ele se retira em silêncio, volto-me para Lívia. — Tenho de ir.

— Tudo bem!

Largo suas curvas generosas e vou até o escritório para ver se tenho novidades.

Jonas não trouxe muitas notícias sobre a noite em que Lisandra foi morta. Está confirmado que havia outra pessoa na casa, só não descobriram quem ainda. O que me deixa muito puto, tanto tempo para quase nada. Que caralho! Hoje exigi atualização, ele e seus homens que se virem para completar o trabalho.

A vadia da Eleonor está quieta, continua indo com frequência até a clínica onde o filho da puta do Ícaro está e nenhuma outra conversa pelo telefone aconteceu em sua sala. Só nos vemos quando necessário, senão sou bem capaz de esganar a infeliz. As reuniões que tivemos, para falar sobre a segunda remessa da exportação que vamos fazer, foi pesada. Ela falava, eu me segurava para não mandá-la se foder. No final deixava Caio cuidando de tudo e me retirava. Estou quase apresentando as provas que tenho para mandar essa insolente para a cadeia. Caio tem tudo pronto, só precisa do meu comando.

Esse é outro ponto que preciso acertar com o chefe da segurança. Os relatórios sobre a minha advogada parecem mais um copia e cola do anterior. Impossível que aquela pilantra tenha a mesma rotina toda semana.

Tenho que resolver esses dois assuntos logo, os dois são importantes e estão me deixando no limite.

Lívia Nascimento

Vou até a cozinha conversar um pouco com Madu e dou de cara com Miguel e JP comendo bolo de chocolate, como se fosse o fim do mundo.

— Vão acabar passando mal com tanto doce.

— Deusa, venha aqui se deliciar com essa guloseima que a Maduzinha fez.

Vou até a pia pegar um copo no escorredor, então me sento com os três. Madu toma café, ela é diabética e por isso evita doces.

— Vocês parecem dois esfomeados, mastiguem antes de engolir — provoco.

João Pedro assente sem parar, mas continua enfiando bolo na boca. Miguel bagunça meu cabelo, rindo.

— Larga de ser chata, está convivendo muito com Apolo!
Solto uma gargalhada.
— Quanta maldade, Miguel. Credo!
— Não adianta, Lívia. Falei mais de uma vez, eles não me escutam. Até parece que a forma vai sair correndo da bancada. — Madu tenta repreender, no final acaba rindo também.

Ficamos um bom tempo conversando. Miguel conta que vai abrir outra oficina em um ponto movimentado da cidade, ele está muito contente com o novo passo. Eu torço para que seja um sucesso enorme. Madu fala sobre o segurança estranho, o mesmo que fica me encarando quando estou no jardim. Chega a ser desconfortável. JP gosta dele, até bola os dois já jogaram. Se Apolo souber manda o cara embora.

Após os dois comilões estarem satisfeitos, ajudo Madu a tirar a mesa e lavar louça. Aproveito que Miguel sai para ver sua garota, vulgo moto, e vou procurar onde colocar o quadro. Ando pelos corredores pensando, entrando nos cômodos, explorando. Nem sabia que tinha tantas peças nessa casa, achei até uma biblioteca. Vou até a última porta do corredor e abro. Estou com a cabeça baixa, olhando o piso que difere do restante, aqui é colorido, listrado. Diferente, mas bonito. Assim que olho em volta, apoio-me no trinco para manter minhas pernas firmes.

Ai. Meu. Deus!

CAPÍTULO 27

Apolo Mendanha

— Como assim, nada? Porra, você só pode estar de brincadeira com a minha cara! — solto entredentes.

— Não é fácil levantar informações quando não temos nenhuma outra testemunha além de Lívia, senhor. Só confirmamos a presença de uma quarta pessoa na casa por causa do depoimento de um vizinho, porém, a maioria que morava no local na época se mudou.

Esfrego o rosto irritado. Para a puta que pariu com desculpas!

— Não quero saber, façam o caralho do trabalho e se empenhem mais. Não pago vocês para ficarem brincando de detetives. Sejam úteis, inferno!

Além de sequer ter uma ponta solta de Eleonor no último mês, ainda preciso ouvir que não chegamos a lugar algum com o caso de Lisandra? É muito fodido!

— Vou reunir o pessoal e fazer uma varredura agora mesmo. — Ele se prepara para sair.

— Jonas, ou volta com notícias ou nem volte.

— Sim, senhor.

Sento-me à mesa para matutar sobre o que tenho. Em relação à morte da minha irmã não posso fazer muito, não por enquanto. No que diz respeito a Eleonor, cansei de esperar um passo em falso, vai que essa desgraçada está armando outra emboscada e que, desta vez, obtém êxito. Mesmo sem saber quem é seu cúmplice vou tomar as medidas necessárias para proteger o meu negócio e quem importa.

Ligo para o meu advogado; no segundo toque, ele atende.

— Caio, pode seguir com o caso da Eleonor, vamos ferrar essa filha da puta.

— *Até que enfim, Apolo. Com a polícia envolvida conseguiremos desbancar quem a estava ajudando. Vou apresentar as provas, espero ter o que preciso em breve. Te mantenho informado.*

Eu protelei por um período grande demais essa merda, fiquei focado em Lívia, na culpa que tinha por querê-la e nesse desejo absurdo que acabei aceitando. Agora preciso desenrolar dois problemas enormes. Um deles perturba minha paz de espírito, o outro coloca em xeque todo o legado dos Mendanha.

Foda!

Espero que logo tudo se resolva, assim vou poder contar tudo para Lívia e dizer ao JP que ele é meu sobrinho. Fechar essas ramificações para poder dar uma chance a essa família, que montei sem ter planejado. Subo para o segundo andar a fim de trocar de roupa, esse conjunto de terno parece pesar uma tonelada. Ao virar no corredor percebo a claridade que vem do quarto de Lisandra.

Junto as sobrancelhas, Madu sabe que não pode deixar a porta aberta. Paro em frente ao cômodo, que permanece do mesmo jeito que minha irmã deixou, e preciso piscar várias vezes para entender quem está ali dentro, olhando fixo para a foto onde Lisandra está empoleirada nas minhas costas, rindo e segurando a câmera. Eu mostrava a língua só para provocá-la.

Lívia parece petrificada. Mesmo de costas sei que o entendimento domina suas feições. Não era para acontecer assim, porra!

Lívia Nascimento

Não consigo acreditar, não dá para assimilar.

Apolo é algo da Lisa, mas o quê? Namorado? Parente? Meu Deus! Sei que, independente da verdade, não será bom. Esse ódio que Apolo tem do Felipo, as perguntas sobre o relacionamento deles. Não tinha nada a ver com dinheiro, a raiva é bem mais complexa do que eu imaginava.

— Lívia...

Desvio minha atenção da fotografia muito íntima para virar em direção à porta.

O homem que virou meu mundo de cabeça para baixo está ali, parado, com a postura austera, inabalável. Apolo exala poder, exige respeito, faz valer seus comandos. Ele desestruturou minhas defesas, derrubou cada uma das minhas inseguranças e adentrou fundo no meu coração. Eu sabia que isso não tinha como dar certo, mesmo assim preferi acreditar.

Engulo o choro, nem ferrando vou desmontar. Passei por momentos piores, bem mais complicados, não é um contratempo desses que vai me desestabilizar.

— Qual sua ligação com minha cunhada? — Jogo logo.

Apolo dá dois passos para dentro do quarto, analisando-me minuciosamente, estudando qual a melhor forma de lidar comigo.

— Lisandra era minha irmã.

O choque no meu rosto deve ter ficado evidente, porque ele estica a mão para me tocar.

— Não! — exclamo, todas as peças se encaixando. — Você sabia que Felipo estava morto, sua vingança seria descontar em mim e JP, mas aí descobriu que tinha um sobrinho, não é? — cuspo, com as mãos em punho.

Esse filho da mãe ia nos machucar para aliviar sua raiva, porque acha que foi meu irmão que matou Lisa.

— Menina, me escute — pede, calmo.

— Não me chame assim, Apolo. — Ranjo os dentes para trazer à tona a fúria, assim evito a mágoa. — Você me enganou, me fez de trouxa. A favelada que não tem estudos, que não vale nada, caiu no seu jogo! — praticamente rosno. — Você me fez contar sobre ela, me fez acreditar que se importava. E ficava o quê? Rindo pelas minhas costas! Qual seria o final desse circo? Hum? Me matar e me jogar em uma vala qualquer? Você. Não. Vale. Nada.

Limpo uma lágrima que ousa escorrer, não quero chorar, droga! Só quero pegar o restinho da minha dignidade e sumir daqui.

— Não é assim, Lívia. Não mais. Me escute, por favor — pede baixo. Seus punhos estão cerrados como os meus. — No começo só queria causar dor em vocês, assim como eu senti ao perder a única família que me interessava. Não vou mentir, meu objetivo era torturar Felipo; como não podia me contentei com o que ele havia deixado. Mas João Pedro surgiu, e como consequência você. Você me fez abrir brechas, desculpas para não cumprir o que prometi. Você só foi tomando espaço, aos pouquinhos, sem que eu percebesse e, quando me dei conta, dominava tudo. Nunca me peguei em uma situação assim, porque sempre optei pela lógica. Até... você.

Solto uma risada amarga. Não vou cair de novo, não mesmo. Eu não tenho para onde ir, estou com meu coração quebrado por amor pela primeira vez, e nada disso vai me obrigar a ceder. Ele teve chances e mais chances de contar.

— Não me venha com palavras doces, Apolo. A delinquente aqui pode ter sido burra, mas o raio não cai duas vezes no mesmo lugar. Eu vou sair daqui ou chegou a hora de me matar?

O deboche derrama pelas palavras.

Ele chacoalha a cabeça em negação.

— Não, não faça isso. Jamais te machucaria.

— Claro que não, você é um exemplo de bom senso e humanidade. Humpf! — Faço um sinal de desleixo com a mão.

Tento passar ao seu lado, sou impedida. Apolo não me toca, mas barra a saída. Inferno!

— Lívia, vamos conversar. Não aja de cabeça quente.

Essa porcaria é o ápice para eu explodir.

— Você é pior que qualquer pessoa que eu tenha conhecido, e olha que conheci alguns bem podres — murmuro indignada. Ele se encolhe. Dane-se! — Fique com a sua riqueza, sua ignorância e solidão, Apolo. É isso que merece, é isso que vai ter pelo resto dos seus dias. Porque eu posso não ter dinheiro, mas tenho índole, tenho ideais pelos quais luto. Você não tem nada.

Falo entre o embargo causado pelo choro que quer verter. Os olhos marrons, que mesmo em meio à névoa de ódio me atraíam, me dão calafrios. Ele foi baixo ao ponto de me enredar só para brincar com a caça. Lembro-me de ter me considerado imbecil por querer o que não deveria, hoje percebo que ignorei muitos dos alarmes de perigo. A culpa é minha por ter dado ouvidos ao que sentia, que homens maus não estão nem aí para garotas bobas como eu. Sou carne fácil para alimentá-los. Nem quando fui estuprada me vi tão... violada.

Tento sair de novo e se ele me impedir... Sua mão segura meu pulso, volto-me pronta para lhe dar um tapa, sou impedida pela careta de desespero que distorce seus traços.

Apolo Mendanha

Não sei como explicar que os fatores mudaram, minha última cartada é ser sincero, algo que não pretendia porque, porra, não é fácil me abrir. Os olhos verdes parecem perfurar minha alma, procuro pensar que não é apenas asco que vejo neles.

— Eu fiquei apavorado, droga! — começo, minha voz nunca pareceu tão vulnerável, o medo de vê-la indo sem prazo para voltar só apareceu nesse instante em que as probabilidades são gigantescas. — Fiquei perdido ao te ver adentrando ainda mais o que não devia. Pode ter começado com as intenções erradas, mas mudou, tudo mudou a partir do momento em que você me fez sentir.

— Você. Mentiu. Pra. Mim. Sabe como fui idiota? Eu sabia que você era mau, Apolo, mesmo assim arrisquei. Isso nunca acabaria bem, era certo antes mesmo de começar.

Ela não grita, sequer funga em meio às lágrimas que tanto lutou para segurar e que são a única prova de que também sente. Ergo minha outra mão, com cuidado passo por sua bochecha, secando o rastro molhado. Lívia fica ainda mais linda chorando, seus lábios incham, os olhos ficam mais claros. Contudo, meu peito dói por saber que sofre, essa merda não é comum para mim, o controle está se esvaindo e não faço ideia de como recuperá-lo.

— Não vá, menina. Não me deixe, agora que descobri que te amo. E eu nunca amei na vida, Lívia. Isso é só seu. Apenas seu. — Assim que termino de falar, dou um passo para trás, assustado com a revelação abrupta.

Foda!

Eu a amo? Que caralho!

— Nem você aceita o que disse, Apolo.

Sua íris parece tremular na minha, como se uma pontada de esperança tivesse sido despertada para logo em seguida morrer. Puta que pariu! Por que não admito? Por que travo com a verdade mais que nítida? Lívia espera uma ação que não vem.

— Eu não posso levar João Pedro, não vou arriscar de colocá-lo para dormir na rua; quando me estabilizar, volto para buscá-lo. — Seu timbre é firme, irrevogável. — Cuide dele, aquele menino já sofreu demais, Apolo. Por favor...

Essa é a única parte em que sua voz trepida. Lívia daria a vida pelo nosso sobrinho, não é novidade.

Sequer pronuncio um ok. Acho que acabei de foder tudo. Ela ainda me fita por um tempo, correndo sua inspeção por meu rosto. Faço o mesmo, gravando seus contornos. Então ela sai, sem relancear o olhar para quem deixa para trás. Não a culpo, eu não mereço nada, assim como Lívia deixou claro.

Lívia Nascimento

Procuro JP pela casa toda, acabo encontrando na garagem, sentado em uma caixa de madeira enquanto assiste Miguel mexer na moto.

— E esse é pra quê, tio? — Aponta para uma das ferramentas.

Sua vozinha causa uma pontada no peito. Vou partir sem o único fio que me mantém intacta.

— Essa é uma chave de boca, serve para... — Miguel para de explicar ao me notar parada na entrada. — Deusa, o que houve?

Sua preocupação somada com o que vou fazer, estoura minha camada de força.

Caio no choro no segundo em que sou abraçada. Meus dedos apertam com força sua camiseta, buscando ali apoio para como realmente estou me sentindo. Não tem nada mais perturbador do que estar sonhando com o que sempre quis e ser acordada para a realidade incontestável. O que eu esperava? Um conto de fadas? Sou muito burra.

— Nana, por que tá chorando? — Meu sobrinho agarra minhas pernas. Eu me desprendo de Miguel para me abaixar, puxando a criança para meus braços.

— Eu amo você, meu pequeno. Sabe disso, não é?

— Eu também te amo, Nana. Por que tá chorando? — Os olhinhos azuis como o céu são inundados por lágrimas.

— Escute, JP. Você sempre foi forte, um menino inteligente, por isso sei que vai entender a Nana — soluço, não consigo me conter. — Eu preciso ir embora, mas prometo que volto para te buscar, tá bom?

Sua cabecinha vira de um lado para o outro, negando. Seguro seu rosto, deixando um beijo na sua testa.

— Aqui você tem muito mais do que pude te dar. Por mais que doa dizer, não posso te levar comigo, não nesse momento. A tia vai arrumar um cantinho pra gente, conseguir um trabalho, então vem aqui pegar você.

— Não quero ficar sem você, Nana. Não me abandona.

João Pedro gruda em meu pescoço, chorando baixinho. Afago suas costas, preciso pensar nele, não em mim. E por mais bizarro que pareça, esse lugar é o melhor para ele por enquanto. Apolo cuidará do meu sobrinho, além disso, tem Madu e Miguel.

— Eu também não, pequeno. Só que não vou mais te colocar em perigo por ser egoísta. Nana jamais vai te abandonar. Jamais. Certo?

A contragosto, João Pedro concorda. De mãos dadas procuramos Madu. Explico por cima que preciso partir, a senhora simpática respira fundo para não desabar, agradeço por isso; se me descontrolar de novo, não sei se consigo me recompor. Madu promete cuidar do meu menino, eu prometo que vou me arranjar o mais rápido possível.

Miguel se mantém quieto até que saio da cozinha, onde deixei JP comendo besteira para se distrair até arrumar... Arrumar o quê? Eu não tenho nada aqui. Nada é meu.

— Vai me contar?

— Mais cedo ou mais tarde ia acabar, Miguel. Hoje foi o dia.

Ele espera uma justificativa que não vem, não quero falar.

— Tudo bem, aceito suas meias-verdades de novo. Só me deixe fazer algo por você. Tenho um flat não muito longe daqui, fique lá. É seguro, vou ficar mais tranquilo sabendo que está bem.

Quero negar, o que me impede é a sensatez. Melhor aceitar ajuda do que morar na rua. Até porque o barraco não existe mais, aquele bendito fez questão de me deixar sem nada.

— Só até achar um trabalho e poder alugar um canto para mim e João Pedro. Não vai demorar, espero — cochicho o final.

Miguel segura minhas mãos, levando minha atenção até seus olhos.

— Fique o tempo que precisar, Deusa.

Acaricio sua bochecha coberta pela barba. Ele é muito incrível.

— Obrigada por tudo! Você e sua mãe foram os melhores presentes que ganhei nessa mansão sombria. — Tento fazer graça. — Vou só me trocar, já volto.

Subo as escadas, viro à direita, quinze passos depois à esquerda. Abro a segunda porta e entro na prisão chique em que fui colocada, que mesmo quando pensava ter sido liberta, permanecia enclausurada.

Não é hora de chorar, Lívia. Lembre-se: nunca é.

Engulo em seco caminhando até o closet. Em um cantinho, embaixo dos tantos cabides de blusas do meu sobrinho, está a roupa que cheguei aqui. Madu lavou e perguntou se podia jogar fora, não deixei. Talvez, inconscientemente, soubesse que precisaria delas num futuro não muito distante.

Tiro as peças caras que visto e coloco o que é meu por direito. Saio com o celular na mão, vou deixá-lo no aparador da sala, não quero nada dele. Nada que possa me lembrar quão manipulável fui e em como Apolo foi frio.

Antes mesmo de alcançar o final do corredor, ele aparece. Ou é um *timing* perfeito ou premeditado. Não me abalo por fora, mesmo que esteja me remoendo por dentro.

— Toma. — Estendo o aparelho que ganhei.

— Leve-o, menina. Assim pode conversar com JP quando quiser.

— Não há necessidade, Miguel leva-o até mim.

Apolo aperta os lábios em uma linha fina.

— Vai sair com Miguel? — A pergunta é direta, não respondo.

Ele não faz esforço para pegar o que entrego, seu ar superior me irrita. Ficamos no duelo cansativo que travamos desde o primeiro encontro. Respiro fundo, sem energia para discutir, vou deixar o celular lá embaixo. Minhas pernas se movimentam, no intuito de sair. O bendito me impede.

— Desculpe, Lívia! Eu não... não sei lidar com essa situação.

— Você não tem de lidar com nada. Eu resolvi, estou de saída, só me deixe passar.

— Não quero que vá — diz, não há um vestígio de autoridade na frase.

Apolo parece... desprotegido.

— Isso não significa que vou ficar. Quem garante que não é outra mentira, outro joguinho que pretende fazer para se vingar.

— Não se trata disso, menina. Acredite!

— Não acredito, Apolo. Agora, por favor, se não é mentira, se sente qualquer coisa por mim além de raiva, me deixe ir — sussurro.

O que ele fez foi grave, pelo menos para mim. Estou esgotada de pessoas que querem me fazer mal, minha vida é permeada de acontecimentos ruins, gente maldosa, problemas. Não quero mais que seja assim. Tenho o direito de estar magoada, caramba! Eu acreditei que ele era bom, que sua fúria não era a essência, somente uma casca. Errei feio.

— Eu... — Apolo suspira e me solta. Passo por ele. — Nada foi mentira, menina. Nada.

Não paro para contestar sua forma destorcida dos fatos. Vou focar em resolver minha situação para vir buscar meu sobrinho e recomeçar longe de toda essa sujeira que meu passado faz questão de arrastar junto.

CAPÍTULO 28

Lívia Nascimento

Entro no flat do Miguel, embasbacada. O local é espaçoso, a sala confortável é dividida com a cozinha toda vermelha, há luminárias de garrafa de bebida penduradas no teto, os móveis ornam com o ambiente rústico. O charme final é o mezanino, com uma cama enorme e um guarda-roupa sem portas.

— Uau, é muito bonito!

— Obrigada, Deusa, sei que sou irresistível!

Ergo as duas sobrancelhas para o ego enorme dele, no fim acabo rindo de leve. O que não dura nada porque minha mente faz questão de me lembrar pelo que estou passando, a pior parte é ficar longe do JP.

— Vem cá. — Estende a mão para mim, depois que larga sua mochila. Sequer penso em aceitar. — Sei que guarda muitos segredos e que talvez não mereça saber deles, mas estou aqui caso precise.

Solto o ar em uma jorrada, acho que não existe ninguém mais confiável que Miguel, ele é o único, além de Madu, que demonstra se importar. Bem diferente de Apolo, penso. Está tudo acabado mesmo, não terá problema desabafar.

— Bom, vamos sentar que a história é longa.

— Estou ao seu dispor, donzela.

Bato no seu braço.

— Larga de ser oferecido! — Só ele para me fazer rir em um momento como esse.

Deixei meu sobrinho chorando, uma Madu contrariada pela partida e Apolo na janela de seu quarto assistindo minha saída; provavelmente se divertindo com o desfecho.

Nós nos acomodamos no sofá e conto tudo o que sei, porque não posso afirmar se há mais por trás da mentira que aquele bendito me fez fantasiar. Miguel permanece atento a cada palavra, sua fisionomia séria não condiz com seu humor descontraído. Em algumas partes, engulo em seco umas duas vezes antes de prosseguir. Não sei se o que mais me fere é ter noção de quão ingênua fui ou se é acordar para a realidade. Mesmo depois que termino a "historinha" Miguel continua em silêncio, retorço minhas mãos no colo, ansiosa.

— Apolo e eu erámos muito apegados quando criança — começa; seu olhar fixo na parede de tijolos aparentes. — As coisas começaram a mudar após Mônica, a mãe dele, engravidar de Lisa. Ícaro era abusivo, Lívia. E, como não se contentava em bater na mulher, espancava o filho.
Estremeço.
— Lisa era a única pessoa que Apolo amava, ele fazia qualquer coisa para protegê-la. Então, Ícaro deu um jeito de afastá-lo. Apolo sempre foi orgulhoso, queria mostrar ao pai que podia ser melhor, e o velho usou isso ao seu favor. Quando ele aceitou entrar para os negócios dos Mendanha, Ícaro o mandou para outro país terminar a faculdade e se especializar. Para torturá-lo ainda mais, deixou-o incomunicável. Foram tempos ruins, as surras sobraram para Lisandra, Ícaro queria prendê-la, castigá-la sem motivo. Foi quando Lisandra conheceu seu irmão. Da última vez que falei com ela, parecia muito feliz; depois disso, não nos vimos mais. Ela fugiu da mansão e o fim você já sabe.
Miguel me fita, muitas nuances perpassam seus olhos marrons.
— O que quero dizer com tudo isso? Apolo aparenta ser um monstro, só que não é. Ele teve motivos para se tornar quem é hoje. Perder a irmã foi devastador e, por mais errado que seja, acabou se apegando à vingança. Nada justifica ele querer cobrar de você algo que não é sua culpa. Talvez, no início dessa loucura esse fosse o objetivo, mas mudou. Eu vi, Deusa. Minha mãe viu. Você percebeu. Não te julgo por ter ficado magoada, foi preciso mesmo sair de lá, deixá-lo pensar e ceder a você esse tempo também.
Balanço a cabeça, irredutível com minha decisão.
— Não é um tempo, Miguel, é definitivo.
— Ok, sem discussão! — Sorri, então me analisa com atenção. — Como disse: estou aqui para o que precisar.
— Obrigada!
Ele fecha os olhos, resolvendo algum impasse interno, ao abri-los parece determinado.
— Tenho um segredo também, Lívia. Primeiro preciso que me prometa não dividi-lo com ninguém, pelo menos até que descubram.
Não faço ideia do que se trata, todavia, posso pressentir que é sério.
— Prometo, nem precisa me pedir.
Afago a ruguinha que marca o meio da sua testa.
— Eu guardo isso comigo há muito tempo...
Miguel desanda a falar, deixando-me com um frio incomum na boca do estômago. É muita maldade envolvendo Apolo. É injustiça demais para assimilar.

Apolo Mendanha

Acordo com a claridade batendo em minha cara, esqueci de fechar as cortinas na noite passada. Que merda! Viro para o lado, fugindo da luz irritante, e dou de frente com João Pedro dormindo. Fico parado, encarando meu sobrinho que surgiu do nada no meio de toda a bagunça. Sua tia e ele chegaram jogando por terra meus planos, confundindo minhas ideias, desintegrando as barreiras tão bem construídas. Dois polos iguais que atraíram um distinto, que lutava para se manter distante de tudo que pudesse fazer sentir demais. Sentimento só serve para nos tornar vulneráveis, acessíveis à dor.

Faz quatro dias que Lívia partiu, noventa e seis horas que fiquei pensando se foi melhor assim ou não. Tive um espaço enorme para debater com a emoção e a razão. Lívia e JP foram invasivos, não consigo discernir em que momento me afeiçoei nem quando passei a amar ambos. É louco, sem precedentes, assusta como o inferno. Não quero que nada de mal aconteça com eles, eu mesmo não quero fazê-los sofrer, desejo dar o que não tiveram. Foram muitas vezes que vim mais cedo da MV para aproveitar a companhia que era indesejada e se tornou indispensável. Se isso não é amor, não faço ideia de como nomear.

Madu tinha razão, estou descamando, trazendo à tona um Apolo que mantive enterrado por anos.

— Eu não sei o que aconteceu, filho, mas garanto que a menina ainda vai voltar — diz ao me ver virando o terceiro copo de conhaque seguido.

Madu apareceu à porta há uns trinta minutos, desde então não abriu a boca, ficou somente me observando.

— Não fale bobagens, Madu. Não me importo com a garota, acabou e pronto — grunho sem paciência para intromissão.

— Continue tentando mentir para si, só não pense que engana quem está a sua volta. Você está voltando... voltando a ser o meu Apolo. — O olhar duro que lhe dirijo basta para que entenda minha total insatisfação com o comentário e sua presença. — Tudo bem, com licença!

Não quis admitir para ela que doía me lembrar de Lívia saindo daqui com a mesma roupa esfarrapada com que chegou, que estava louco para buscá-la ou que escutar João Pedro chorando, pedindo para dormir comigo porque não queria mais ficar sozinho, sanou meus últimos resquícios de contrariedade com a situação. A menina não voltou desde que passou pelos portões da mansão, é Miguel quem busca nosso sobrinho para que eles possam se encontrar. Eu poderia agir pela raiva e proibir, o que a obrigaria a vir até aqui, contudo, tem algum canto da minha mente que não quer ser um filho da puta de novo.

Foda!

Com cuidado, sento-me na beirada do colchão, apoiando os cotovelos nos joelhos. Tudo parece uma bagunça do caralho. Caio correndo com as denúncias contra Eleonor, Jonas com migalhas sobre a morte da minha irmã, a vida pessoal que nunca quis afetando meu equilíbrio.

Puta que pariu!

O zumbido oco do celular vibrando sobre o criado-mudo desfoca o que estou ruminando sem trégua. São muitas informações desencontradas para alinhar.

— Fala, Caio — atendo ao ver o nome na tela.

— *Apolo, precisamos conversar, cara.*

Enrugo a testa com a preocupação na sua voz.

— O que houve?

— *Eleonor fugiu.*

O quê?!

— Como sabe? — Um ruído de algo caindo retumba na ligação, seguido de um xingamento. — Vamos, homem, desembucha! — exijo nervoso, saindo para a sacada.

Essa maldita mulher tem um informante que sabe dos meus passos, porque não é possível que a infeliz tenha dado no pé agora, em cima da hora, iss... De repente, um estalo acontece, fazendo-me apertar o telefone com força.

— Alguém contou para ela, Caio! — rosno. — E apenas você e eu sabíamos disso.

Um silêncio incômodo se cria. Não acredito que há mais um abutre ao meu lado.

— *Eu jamais faria isso, Apolo. Está me ofendendo com uma acusação dessas. Minha lealdade com você e com a MV está intacta, isso posso garantir* — afirma, sério.

Mesmo com desconfiança, não rebato; se ele for um informante, quero ver até onde vai.

— Certo! Como sabe que Eleonor fugiu?

— *Ela apareceu na minha casa agora há pouco para me ameaçar.* — O ritmo da minha respiração aumenta. Que caralho! — *Ela sabe da câmera com escuta na sala, do processo que abri. Tinha um homem junto, o desgraçado me deu uma surra, acho que quebrou meu braço.*

Porra!

— *Ela falou que estava indo embora, que não ia ser presa por querer o lugar que deveria ser dela, não seu. Parecia transtornada, fora de si, Apolo. O pior não é isso...*

Esfrego o rosto a ponto de explodir.

— O que pode ser mais fodido que isso, Caio? — solto entredentes para não gritar.

— *Ela deixou um recado: prometeu matar você e o menino. Não podemos ignorar. Vou acionar a polícia, as câmeras gravaram os dois entrando e saindo daqui. Precisamos tomar precauções.*

Fecho os olhos para controlar a fúria. Não tenho mais calma para lidar com essa vagabunda.

— Ela que tente me pegar — profiro, desligando a chamada.

Se Eleonor ousar chegar perto de nós, eu a mato.

Lívia Nascimento

Subo na garupa da moto, abraçando a cintura de Miguel. Hoje é aniversário do JP, então vou até ele. Não por escolha, sim, porque foi o pedido do meu inocente sobrinho. Estou esperta com o que aquele danadinho tenta aprontar, não parar de falar do Apolo é uma dica importante da sua artimanha.

Madu ficou incumbida de fazer o bolo, ontem eu comprei bexigas coloridas com o dinheiro que ganhei por limpar a casa de um conhecido do Miguel. Além de o dia ser de festa, vou avisar JP que ele vem embora comigo. Cansei de ficar longe, Miguel aceitou alugar o flat, depois de muita briga já que não queria aceitar ser pago. Comecei ontem como diarista e tenho três casas confirmadas durante a semana, em todas deixei claro que vou levar João Pedro comigo, esperava; ouvir uma recusa, mas todos compreenderam.

Enquanto o vento bate em meu rosto, penso em como vai ser revê-lo. Faz poucos dias, mesmo assim não consigo imaginar como será a interação. O homem é insuportável, bem provável que teremos uma discussão feia porque vou trazer meu sobrinho. Sem falar na saudade que sinto dele, até o jeito birrento faz falta.

Ando sonhando com Apolo, com a gente, nós três. Bem ridículo e muito imaturo. Agora que estou a par do passado, do quanto ele sofria, do segredo guardado a sete chaves, muitas das minhas certezas balançaram, o que não anulou a mágoa por ter sido enganada. Sou orgulhosa demais para admitir que talvez Miguel tenha razão, que Apolo não mentiu durante o tempo que ficamos juntos, que ele realmente tenha mudado os planos.

Que saco!

Arrumo a alça da blusinha, que escorrega do meu ombro assim que paramos no semáforo. Anteontem, Apolo mandou uma bolsa com roupas para mim e o celular; no começo não quis aceitar, porém Miguel me azucrinou tanto que acabei dando o braço a torcer. Acho que meu amigo é um defensor do bendito ranzinza.

Adentramos os grandes portões de ferro, o ronco da motocicleta deixa um zumbido para trás. A ansiedade para chegar contradiz com o medo da primeira vez que fui arrastada para cá. Sim, eu transformei essa casa medonha em um lar na minha cabeça.

Paramos em frente à entrada, desço e tiro o capacete, arrumando o cabelo. Logo JP aparece na porta.

— Nana! — grita, descendo as escadas.

— Oi. — Seus bracinhos grudam em minha cintura, bagunço seu cabelo curto. Tiro um embrulho de dentro da mochila e me abaixo para ficar da sua altura. — Feliz aniversário, meu amor!

Entrego o pacote, assistindo a um sorriso gigante desenhar seu rosto infantil. Quatro anos, faz quatro anos que esse garotinho chegou para mudar minha vida. Eu o amo mais do que posso descrever. Não sou sua mãe, mas o sentimento é incondicional, sem dúvidas.

— Eu ganhei um presente! — murmura, alegre.

É o primeiro aniversário em que consigo lhe dar alguma coisa, meus olhos marejam. O que para uns é comum, para meu sobrinho é como ganhar na loteria. Seus dedos rasgam o papel com pressa, acabo rindo da afobação. Quando, enfim, pega o objeto nas mãos, João Pedro admira com muita atenção.

— Uau! — Ele vira de um lado para o outro, conhecendo o objeto.

— Pensei... Achei que gostaria... — Fico apreensiva por ter errado na escolha.

O abraço apertado que recebo sana minha insegurança.

— É um foguete — diz para Miguel.

— Muito maneiro, JP!

Então, sendo a criança que amo quando vem à tona, João Pedro corre para dentro.

— Olha, tio! Olha o que a Nana me deu.

— Que legal, menino!

Meu coração tropeça com a voz tão perto. Com coragem levanto, erguendo minha visão para ele. Vestido com calça jeans e camiseta cinza, as mangas enroladas até os cotovelos, cabelo desalinhado, os olhos profundos que tanto me têm cativa, a boca carnuda... Um conjunto perfeito, perigoso, fatal.

— Lívia... — sussurra.

— Apolo... — Devolvo no mesmo tom baixo.

— Vou lá ver como a Maduzinha está. — Miguel quebra minha total falta de tato.

Havia me esquecido de que não estamos sozinhos.

Ele sai, deixando um peso no ar. Eu sabia que ia ser complicado, não imaginava o quanto.

— Não comprei nada para ele, descobri sobre o aniversário não faz nem quinze minutos.

Consigo identificar contrariedade na frase.

— Eu trouxe alguns balões, posso enfeitar a parte da piscina? JP ama aquele lugar — desconverso.

Apolo percorre meu rosto com calma. Uma mania que era incômoda antes, agora parece tão natural.

— Eu te ajudo.

Ok, perdi o fio da meada aqui. Jamais esperava por isso. Apenas concordo com um aceno e sigo pela lateral do casarão.

Apolo Mendanha

Lívia se concentra em encher, amarrar, formar flores com as bexigas coloridas. Eu me limito a observar e amarrar o barbante nas quinas das paredes, nem sabia que havia pequenos pregos em lugares estratégicos, sequer me lembro de uma festa feita aqui.

Quero dizer muitas coisas. Como, por exemplo, que tive tempo para entender que realmente a amo, que fui um idiota, que ela pode voltar para casa. Seguro meus pensamentos, estou sendo tolo, infantil até. Tenho vários problemas reais e não paro de colocar essa garota à frente deles.

— Por que mandou seguranças para me vigiar, Apolo?

Ela toma à frente ao iniciar uma conversa que não quero ter. Que caralho!

Desço do banco onde subi para arrumar o barbante. Olho para ela com as pálpebras semicerradas, ponderando se explico ou não.

Foda!

— Quero te manter segura.

— Por quê? — Qual é a dessa menina? Voltou na fase dos porquês? Porra! — Por que, Apolo? — insiste ao perceber que não abro a boca.

— Você sabe o motivo, Lívia. Não me faça falar sendo que não acredita.

— Tenho algum motivo para acreditar?

Sano a pequena distância entre nós, colando meu peito ao seu e suas costas à parede. Lívia resfolega, sem deixar de me fitar. Sempre rebelde.

— Não vou pedir desculpas pelas decisões que tomei, seu irmão era o primeiro suspeito da morte da minha irmã...

— Bastava me perguntar quando foi atrás de mim! — rebate, petulante.

Minha mão aperta sua cintura, a outra apoia na parede ao lado da sua cabeça. Da última vez que ficamos assim, meus dedos terminaram enterrados em sua boceta. Um frenesi acende meu corpo com a possibilidade.

— Você me contaria? Se soubesse quem eu era e o que pretendia fazer, me contaria? — Os olhos claros se arregalam um pouco com o entendimento. — Posso ter sido um filho da puta, menina. Menti, duvidei, cedi ao desejo insano por você, depois duvidei mais uma vez. Porém, a partir do segundo em que passei a sentir, tudo ficou em segundo plano. Não sou o melhor dos homens, Lívia. Longe disso. Pode me odiar o quanto quiser, mas lá no fundo sabe que nada foi mentira. Essa... Essa bagunça que causa em mim, não é comum. Não consegui lidar com a vulnerabilidade, não era uma opção contar. Só queria pular os episódios e continuar o que começamos.

— Esse é o problema, Apolo. Era sobre mim, sobre a minha vida e suas dúvidas. Não se constrói nada bom sobre escombros. Se eu não tivesse descoberto, continuaria achando que meu irmão devia drogas a você e, por mais que estivéssemos juntos, sempre manteria um pé atrás no que diz respeito à confiança. Quais benefícios se podem enxergar nisso? A questão não é estar com raiva, é a mágoa, a sensação de traição.

— Então não me odeia? — questiono, apertado, lutando com o meu lado reservado.

Não quero ficar sem ela, sem eles. Isso é fato. E para tal feito, a saída é me abrir.

— Não odeio você... — murmura.

Com nossas respirações no mesmo embalo, lambo os lábios enquanto ela entreabre os seus.

Jamais cogitei de ter meu coração batendo tão descompassado. Ainda não decidi se gosto dessa falta de controle.

— Que bom, menina! Já é meio caminho andado.

E é. Se não há fúria nela, ainda existe esperança para mim.

CAPÍTULO 29

Apolo Mendanha

Estou sentado na espreguiçadeira observando João Pedro brincar com Miguel na piscina, fecho as mãos em punho, sentindo-me um fraco por ter medo de água, por não conseguir me divertir com um passatempo tão simples. Fobia ridícula do caralho!

A tarde começa a cair. Já cantamos parabéns, entregamos presentes, eu dei dinheiro para o menino, sequer tive tempo de comprar um brinquedo, e comemos as guloseimas que Madu preparou. Ela fez quadradinhos de doce de leite, uma receita que como de olhos fechados. O gosto, o cheiro do doce, remete-me à infância, à casa; sensação que só experimentei com a minha governanta, e que voltei a provar com Lívia e João Pedro.

Para mim, é incomum ter minha mente em branco, longe dos problemas diários e dos contratempos que ando enfrentando. Só que quando estou com eles, posso usufruir dessa rotina da qual não sabia sentir falta.

— Você está bem? — Lívia para ao meu lado.

— Sim, apenas pensando.

Uma de suas mãos apoia em meu ombro, obrigando-me a desviar a atenção dos dois interagindo, da vontade repentina que tenho de estar no lugar de Miguel. Meus olhos param nos dela, no verde que me deixou fissurado mesmo antes de admitir. Lívia parece triste, quase à beira das lágrimas. Enrugo a testa para a sua fisionomia melancólica, até me ater a uma possibilidade: ela sabe.

Porra! Miguel e sua língua grande.

— Você sabe, não é? E também contou a ele sobre o que aconteceu — afirmo, sem um pingo de dúvida.

Ela arregala um pouco os olhos.

— Sim, para as duas perguntas — acaba admitindo.

— O que mais você sabe? — bufo, descontente.

Minhas fraquezas são todas vergonhosas, tolas, mesmo assim não consigo me livrar delas.

— Fora os afogamentos — solta entredentes —, sei sobre as surras em Lisa e em você. Sei que o monstro do seu pai espancava sua mãe. Que te obrigou a cursar uma faculdade, te mandou para longe da sua irmã... — A voz embarga no final.

Penso em me levantar para fugir de sua pena exacerbada. Odeio ser visto como um coitado, odeio vulnerabilidade. Ultimamente estou lidando muito com essa merda.

Foda!

— O passado não me afeta mais — garanto.

Lívia se acomoda junto comigo, seus dedos buscam os meus, que estão em cima da perna, para uni-los. Engulo em seco por ficar descompassado com a intimidade.

— Afeta, sim, não precisa mentir. Todos temos medos, Apolo. Todos, sem exceção.

Viro o rosto para ficar de frente para o seu, a raiva começa a se alojar em meu âmago por estar em desvantagem aqui. Percebendo meu estado caótico, Lívia ergue sua outra mão para afagar minha bochecha.

— Não precisa atacar, eu me preocupo com você. Não estou aqui julgando, só quero que saiba que suas dores não te tornam fraco, elas te compõem, formando o que é.

Abro e fecho a boca a fim de buscar algumas palavras, nada vem. Acompanho a cólera se dissolver aos poucos, dando vazão a algo maior, mais bonito. Quero apenas beijá-la e pedir que volte, prometer que vou tentar melhorar, que em muitos anos não me sinto sozinho.

— Você não tem medos, não teve nem de mim — falo baixo, mais afetado do que ouso admitir.

Uma risada baixa escorrega por entre seus lábios.

— Tenho muitos medos, Apolo. Inclusive, temia-o demais e me repreendia todas as vezes que rebatia seus comandos — explica com calma. — Eu só escolhi não me deixar ser guiada pelo que me amedronta. Evitar seus receios não os força a desaparecerem; pelo contrário, te deixa suscetível a cada um.

Minha garganta seca com a verdade crua da frase. Lívia enfrentou tanto mal quanto eu, mas, em vez de ser amarga decidiu continuar sendo ela mesma sem demonstrar quão abalada estava. Eu, por outro lado, preferi ser um mimado filho da puta, louco por vingança e cego pelo reconhecimento do pai abusivo.

— Eu amo você! — revelo de novo, desta vez sem qualquer vestígio de surpresa.

É isso, eu amo essa garota. Que caralho!

Os olhos claros parecem escurecer. Lívia nem pisca, somente me encara.

— Apolo...

Deixo um selinho em seus lábios, tanto para minar suas teorias que têm fundamento, quanto para provar a textura macia que me faz falta.

— É a verdade, menina.

— Como pode ser? Você me trouxe aqui para um objetivo. Como posso acreditar que nasceu amor no meio de tanto ódio?

— Nem eu percebi, até que você quis ir embora. Até que as chances de ficar sozinho novamente nessa casa enorme cresceram. E não é por falta de pessoas, é por falta sua, menina. Fui sincero quando falei que nunca amei, pelo menos não desta forma, com essa intensidade. Não é só seu corpo ou sua beleza, é sua companhia, seu cheiro, sua voz, é você que me faz querer isso... — Indico a nós dois. — E eu nunca quis isso, Lívia.

Lívia Nascimento

Apolo consegue me deixar estarrecida, sem uma mísera linha de raciocínio. Meu olhar tremula no seu por longos segundos, até que ele segura minha nuca, levando-me para perto, com sua boca colada à minha.

— Não desmereça o que estou te entregando. Sei quais são meus piores defeitos, mesmo assim estou aqui lutando para me expor e, por Deus, é muito difícil!

Não tenho tempo de falar, porque ele me beija. E esse beijo é diferente de todos os outros. Tem saudade, fogo, ternura. Eu não sei o que houve, o que fiz para alcançar um Apolo que nem sonhava existir. Talvez as partes quebradas de cada um se reconheçam, entendam-se como peças faltantes.

Nós mal tivemos um convívio rotineiro, onde você pode perceber as manias, gostos, cismas um do outro. Apolo veio como todos os acontecimentos da minha vida: explosivo, sem aviso. Porém, dos lados ruins que conheci, ele é a escuridão que se mistura à minha sem machucar, o que é bem ilógico se levarmos em consideração o nosso histórico.

Apolo me libera do beijo aos poucos, mordendo de leve meu lábio inferior, até que nos separamos o bastante para que eu possa ver de perto seu marrom escuro clarear. Eu nunca me apaixonei, essa descoberta de prazer e sentimento me assusta justamente por não fazer ideia do que esperar. Apolo já me despertou desejo, compaixão, ansiedade para vê-lo e, por último, fez-me sofrer por ter que partir. Acho que a junção disso só pode significar amor.

Antes pensava que não podia ter motivos para amá-lo, agora vejo que amo todas as suas objeções, cada ranhura profunda que o faz ser como é. Sou a garota que se encantou com sua aura sombria.

— Eu também amo você! — admito para ele num sopro.

Apolo segura os dois lados da minha cabeça, uma infinidade de sensações parece encobrir suas feições.

— Não vou te deixar se arrepender disso, menina.

Apolo Mendanha

Ninguém jamais disse que me amava, exceto Lisandra.
É patético ficar emocionado com uma frase tão comum. Porra! Para disfarçar meu rompante, volto-me para a piscina. Não sei digerir uma situação dessas, se me colocarem em uma sala lotada de empresários, com o dever de convencê-los a virarem meus clientes, não vou titubear. Agora, fico apavorado por demonstrar meus sentimentos. Muito fodido.
— Você vai voltar? — inquiro antes que Lívia resolva me deixar ainda mais sem jeito.
— Para ser sincera, Apolo, não sei. Consegui alugar o flat do Miguel, tenho um emprego, posso finalmente ter meu canto.
Meu pescoço gira no automático em sua direção.
— A casa é enorme, pode ter seu canto aqui. E não precisa trabalhar, dinheiro não falta.
Ela balança a cabeça, o que é bem irritante.
— Esse é o problema. Quero trabalhar, quero meu dinheiro, minha independência.
Esfrego o rosto, agitado. Puta que pariu, mais essa!
— Lívia, me escut...
— Senhor Mendanha.
Paro minha tentativa de barganha para saber o que Raul quer.
— Diga.
— Preciso falar com o senhor. É urgente.
Solto Lívia e me levanto, deve ser alguma coisa relacionada à morte da minha irmã ou a Eleonor.
— Certo!
Percebo então que ele fita Lívia com real interesse, sem disfarçar. Fecho a cara, encarando-o com hostilidade. Raul limpa a garganta, retomando sua postura rígida. Dou uma última olhada para a menina antes de seguir em silêncio até meu escritório.
— O que houve? — questiono assim que a porta é fechada.
Não tenho devolutiva de imediato, o segurança fica por um tempo quieto, de cabeça baixa.
— Raul, não tenho a noite toda, fale de uma vez o que quer! — exijo, sem paciência para esperar.
Foda!
— Nós temos muitas desavenças, Apolo, mas nesse momento vou pedir que preste atenção — fala, deixando-me encucado. Que caralho esse homem tem? — Estamos definitivamente do mesmo lado.
Com agilidade, ele mexe nos olhos, não tenho reação e nem entendo o que acontece até que o filho da puta termina o que está fazendo.
— Felipo? — É inacreditável e impossível de não saber que é mesmo sem conhecê-lo. Os olhos são idênticos aos de Lívia. — Como... Você está morto! Pelo inferno!

— Tive que forjar minha morte, foi preciso para...

Não assimilo nada da sua ladainha, só fico parado, acompanhando um desejo assassino percorrer meu sistema. É muita coragem tentar justificar seus atos logo para quem queria arrancar seu couro. Sem controle sobre a bomba que Felipo armou, ergo meu punho, acertando em cheio seu rosto, levando-o ao chão. Seguro a gola da sua camisa e repito umas duas vezes o movimento, adorando ver seu pescoço tombar mais a cada golpe.

— Dá para me escutar, porra! — Ele bloqueia o próximo soco.

Solto-o no piso, meus punhos crispam para descarregar mais um pouco de adrenalina. Vou até a primeira gaveta para pegar a arma, o metal gelado se encaixa com perfeição ao ser empunhado. Minha respiração parece a de um touro dentro da arena, agitada, nervosa, louca para ver sangue. Paro aos pés de Felipo, mantendo-o na mira. Hoje eu acabo com a minha fúria, de brinde arranco esse marginal de perto.

Puta que pariu! Quando tudo começa a se ajeitar aparece uma merda dessas?

Felipo pode não ter matado Lisandra, o que tenho quase certeza levando em consideração as poucas informações que Jonas me passou, não significa que o quero perto de Lívia e do nosso sobrinho. Esse verme não vale o chão que pisa, não após abandonar os seus para se safar seja lá do quê.

Ele não se mexe. Só fica ali, atordoado, deitado com as mãos para cima. A barba grande, o cabelo também. A lente marrom que escondia os olhos claros iguais aos da menina foram retiradas. Ele é sujo, premeditou essa porra. Esperando o quê? Não sei.

— Você é um covarde, largou sua família em meio ao fogo cruzado e saiu pela tangente. Homens como você merecem a morte, Felipo. O que veio fazer aqui? Tem dois minutos para dizer antes que uma bala fure a sua testa! — rosno.

— Eu não matei Lisa, não larguei meu filho e Lívia assim. Não é o que pensa. Fiz para protegê-los...

— Protegê-los do quê? Dos estupradores que violentaram sua irmã? Da situação precária com a qual João Pedro lidava? Protegê-los do quê, seu filho da puta? — Chuto com força sua perna, ele se encolhe de dor. — Por que veio parar aqui, Felipo? O que pretendia?

— Cuidar deles. Eu os amo, Apolo, cada jogada que fiz foi pensando em livrá-los dos problemas. O que aconteceu a Lívia foi... foi horrível. Mas eu não podia me expor...

Outro chute atinge a lateral do seu corpo, ele grunhe. Não nego que seu desespero alimenta uma parte do meu consciente que ainda quer vingança.

— Claro que não! Preferiu deixar a própria irmã ser violentada, sangrar por dias, lidar com o que sentia e ainda cuidar de uma criança sem a mínima condição! — grito, meu sangue fervendo nas veias.

Felipo chora, achando que vou acreditar na sua falsa preocupação. Minha gana de apertar o gatilho só aumenta.

— Quando você os trouxe para cá, dei um jeito de entrar para a segurança, precisava continuar perto, mesmo sem me revelar. Eu sabia que ia querer machucá-los e estava pronto para te matar caso tentasse. Mas aí percebi seu interesse em Lívia...

— Pare de tentar provar que quer o bem deles, caralho! — cuspo, no limite. — Isso me parece uma desculpa esfarrapada para tirar o seu da reta.

Continuo com a arma na mira, engatilhada, meu dedo coçando para finalizar esse teatro.

— Sei que os ama também, eu vi. Não estou aqui como inimigo, Apolo. Tem trai...

Um estrondo alto bloqueia o que seria dito, viro a cabeça para trás a tempo de assistir a porta bater com brusquidão na parede e alguém armado adentrar o aposento, pronto para atirar em mim. Meus braços agem sozinhos disparando no intruso, o estopim oco caçoa em meus ouvidos, seguido do urro e o baque seco. Porra!

O indivíduo cai desacordado. Aproximo-me para ver se reconheço e gelo por dentro ao identificar um dos seguranças. Não entendo por que seu alvo era... Ah, não pode ser, caralho!

Descontrolado, corro pelo corredor em direção à saída, ansioso para chegar aos fundos e garantir que eles estão bem.

Minha mente trabalha rapidamente para chegar a um entendimento. Aquela vadia tem um cúmplice e, óbvio, que esse infeliz estaria infiltrado aqui. Como fui otário, maldição!

A culpa desse desastre é minha, não dei a devida importância para o que Eleonor fazia, não dei um basta antes, quis mostrar que não levaria uma rasteira e acabei cagando com tudo. Esfrego o rosto, fora de mim.

Nesse segundo me lembro do que Ícaro disse certa vez: o inimigo usa suas distrações para planejar como te derrubar. Não se permita ter um ponto fraco.

Esse conselho foi dado a Eleonor no dia que ambos estavam me levando ao aeroporto com o intuito de me despachar. Acabo de entender que, na verdade, Ícaro quis dizer para que ela não fosse como eu, deixando seus receios serem usados contra sua inteligência. Meu pai soube manipular minhas inseguranças ao seu favor. O pior é que, mesmo depois de anos, continuei tentando provar que era o suficiente, continuo não pensando direito.

Foda!

Passo pelo hall e estou quase alcançando as escadas quando uma voz me faz parar:

— Ora, ora! Aonde vai com tanta pressa, Apolo?

CAPÍTULO 30

Lívia Nascimento

Estou ajudando Madu a retirar as coisas da mesa, pensando que posso estar sendo precipitada em perdoar Apolo com tanta facilidade; por outro lado, não quero tornar esse segredo o foco de tudo. Ele errou, mas eu também desconfiaria de Felipo se estivesse no seu lugar, as provas apontam para meu irmão. Começo a me convencer de que talvez mereça um recomeço nosso, quando um barulho inconfundível estala pelo jardim. Tiro. Eu convivi tempo o bastante com tiroteios para saber que uma arma foi disparada.

— Apolo — balbucio perdida.

Solto os pratinhos azuis sujos de bolo que estava levando ao lixo e saio em disparada. Miguel também ouviu, porque tira meu sobrinho da piscina, manda que venha ficar com Madu e segue atrás de mim.

— Deusa, espere!

Sua mão segura meu braço, estaco perto do caminho de pedras.

— Apolo está lá dentro, o som veio de lá.

Seus olhos castanhos se fecham, nervoso.

— Tudo bem, vou ver o que houve. Fique com JP e minha mãe.

Balanço a cabeça, negando. Nem ferrando que vou deixá-lo entrar sozinho.

— Vou junto! — afirmo, agitada.

— Não posso deixar que se coloque em perigo.

— Miguel, eu...

— Que cena fofa! — Escuto uma voz cantarolada, quebrando nossa pequena discussão.

Olho para frente, dando de cara com a mulher loira que escutei transando com Apolo na sala. Naquele mesmo dia, conheci-a e soube que não gostou de mim. O nojo que fervilha em seu rosto só confirma isso.

— Eleonor? — Miguel se pronuncia.

Ele pode ter feito uma pergunta, porém, há desconfiança no seu tom, parece encaixar o problema na cabeça, solucionar alguma suspeita. Seu braço me empurra para trás de si protetoramente.

— O que quer aqui?

— Nada que seja do seu interesse. — A mulher arrogante ataca.

Permaneço em silêncio, estudando a situação. Minha mente age no automático, procurando uma rota de fuga para sairmos desse embate. Ela não apareceu aqui do nada, há um motivo e minha intuição alerta de que não é bom.

— Quero a vadiazinha aí e o bastardo, saia da minha frente!

Tento me soltar, doida para ir buscar JP e poupá-lo do ódio repentino dessa maluca que nem conheço. Miguel me aperta mais, quase nos fundindo.

— Diga-me, Eleonor, acha que vai sair dessa sem consequências? Você está mexendo com gente conhecida, que não se importa em se vingar. Sabe o que Apolo fez para buscar os culpados pela morte de Lisandra.

Meus dedos fincam em sua pele, um medo férreo aperta minhas entranhas.

— Sim, ele fez de tudo, até chegar nessa delinquente imunda! — rosna, encarando-me.

— E por que se importa tanto? — Miguel solta.

A tal Eleonor se volta para ele, dando um passo para mais perto.

— Eu tive que aguentar o incompetente ocupando um lugar que é meu por direito, não vou permitir que outro bastardo entre na jogada! — grita. Ela sabe que João Pedro é filho de Lisandra, pelo jeito só eu estava às cegas nessa bagunça. — Ícaro deixou a MV para mim, para mim! Apolo encontrou o testamento e escondeu antes que fosse legalizado. Aquele filho da puta me passou a perna, ainda queria lealdade? — continua aos berros.

— Apolo é filho de Ícaro, Eleonor. A empresa é dele, tudo da família é dele.

Uma risada amarga, desdenhosa, sai dela.

— Você não sabe da missa a metade, anjinho. A fortuna dos Mendanha é minha, a fábrica é minha, essa mansão é minha. Ícaro deixou Apolo sem nada... — Estala a língua, é revoltante o que essa bendita fala. — Sabe quantas vezes tive que transar com aquele moleque para distraí-lo enquanto outro procurava o testamento? Quantas armações planejei dentro da MV para balançar sua capacidade? Pois é, não é difícil tirar o foco do idiota, basta cutucar uma das feridas ou abrir as pernas.

Seu pescoço está vermelho pela força com que expressa sua raiva, os olhos injetados de loucura.

— Eu só precisava de uma testemunha para validar aquela merda de testamento, mas o desgraçado deu fim ao documento. Agora me diga, se o próprio pai — frisa a palavra — não dá a mínima para o filho, quão fraco ele deve ser?

— Cale a boca, sua maldita! — digo entredentes. — Você não o conhece, não sabe nada pelo que ele passou.

— Rá! Presumo que esteja falando sobre os ensinamentos de Ícaro.
— Ensinamentos? Você é doente! — exclamo, enfurecida.

A mulher torce a boca para o meu rompante e aponta para nós uma pistola que estava escondida às suas costas.

— Não, não sou. Só tenho ciência de que o topo não acolhe pessoas vulneráveis. É preciso sacrifícios por poder, queridinha. Eu estou disposta a pagar cada um sem me importar com o estrago. — Sua afirmação é gélida, sem vestígios de humanidade. — Chega dessa baboseira, tenho mais o que fazer. — Sua mira está precisa no peito de Miguel, meus pelos eriçam com as teorias de desfecho. — Ela vem comigo, Miguel.

— Nem nos seus sonhos, porra! — ele afirma.

Um sorrisinho desatinado enverga seus lábios coloridos de rosa.

— Como queira.

O dedo dela aciona o gatilho logo em seguida, o estopim dança no ar. Em câmera lenta assisto a bala fazer seu percurso com destino certo. Um grito agoniado sai da minha garganta, e o tempo para, um filme inteiro passa em frente aos meus olhos, lembrando-me do que ganhei nesse lugar e do que posso perder. Então, ele acelera, provando que não tenho poder nenhum sobre o destino, que a vida é realmente um sopro.

Miguel desaba aos meus pés, caio de joelhos ao seu lado, apoiando sua cabeça em minha coxa, estou tremendo tanto que não sou capaz de me controlar. Um filete vermelho escorrega por seu torso nu, atrás dele muitos outros brotam.

— Não, não, não! Fica comigo, Miguel. Nós vamos sair dessa. — Sufoco com o choro. Tem muito sangue, sangue demais, meu Deus! — Por favor! Por favor, não me deixa! Não faz isso...

Seus olhos marrons lindos, tão carinhosos, vão se tornando opacos. Uma dor dilacerante arrebenta cada nervo do meu corpo. Preciso fazer alguma coisa, preciso salvá-lo. Limpo as gotículas de água que ainda escorrem do seu cabelo, molhando sua bochecha. Não sei dizer se minhas lágrimas estão misturadas a elas.

— Vou deixá-la se despedir enquanto dou uma volta pelo jardim. — Eleonor dá dois tapinhas no meu ombro.

Uma pressão insuportável nos meus ouvidos distorce os sons; minha mente está em choque, não sei o que fazer.

— Deusa, tá tudo bem... — sussurra, fraco.

— Não, Miguel, não está! Não diz isso, não desiste. Aguenta firme, por favor... — soluço.

Sua mão vem até a minha, então sobe para a minha nuca, puxando-me até que nossas bocas se toquem. É um selinho demorado, que me faz chorar ainda mais.

— Quando te vi passando por esse mesmo caminho, na tarde que nos conhecemos, pensei ter encontrado uma deusa do Olimpo. Você estava linda, com um vestido florido, cabelo preso, os olhos redondos reluzentes. — Seu hálito aquece meus lábios. — Eu amei você ali, Lívia.

E continuei amando cada segundo que veio depois. Obrigado por ter me dado um pedacinho do seu coração!
— Miguel... — fungo.
— Não foi exatamente a parte que desejava, mas foi o suficiente para me aquecer. — Eu me embalo, pensando que assim posso diminuir o peso do que acontece ou o medo que sinto, não surte efeito. — Cuide deles, de todos eles, tá bom?
As lágrimas dele também descem incessantes. Miguel agoniza, eu quero me desintegrar.
— Prometa para mim, Deusa... — pede num fio de voz.
— Eu prometo, prometo! Eu amo você! Me perdoe, me perdoe...
Ele me beija de novo, é tão leve que parece nem acontecer.
Depois disso seu braço cai, inerte, seus olhos se fecham para sempre, não terei mais o sorriso sapeca que alegrava meus momentos mais desequilibrados. Não há mais vida em Miguel e com ele acaba de morrer uma parte minha. Tombo a testa no seu peito, gritando para abafar a realidade. Não é possível que isso tenha acontecido, não é!

Apolo Mendanha

Jonas me observa atentamente, com a porcaria de uma pistola empunhada.
— O que foi, Sr. Mendanha? Está putinho por ter sido traído bem debaixo do seu nariz e não ter descoberto?
Cerro as mãos ao lado do corpo. O envolvimento desse filho da puta só ficou claro há minutos atrás, assim que parei para pensar em toda a merda. Como fui burro, porra!
Percebo uma movimentação com a visão periférica, não preciso olhar para saber que é Felipo vindo em meu encalço.
— Foi inteligente, não vou negar, Jonas — confesso, aumentando um pouco o tom.
Felipo para um pouco antes do fim do corredor. Entendendo que não estou sozinho dá meia-volta, sumindo para dentro do escritório. Preciso que ele vá atrás dos outros, que os tire daqui.
— Não é difícil enganar você, Apolo. É só contar umas mentirinhas para alimentar sua patética obsessão por estar no controle e pronto.
Maldito! Não posso me deixar levar pelas provocações, preciso manter a lógica. Explodir só piora a situação.
— Você já sabia onde eles estavam. — Não é necessário especificar sobre o que falo, ele sabe.
— Por dois anos consegui te amolar, o motivo não posso dizer, não que seja relevante para você. As informações sobre Eleonor também eram falsas, até porque não podia contar que estava fodendo sua advogada durante meu horário de trabalho. — Ranjo os dentes ao ponto de incômodo. Que caralho! — Ah, espere, tem mais: enquanto você

comia Eleonor, eu revirava cada canto atrás do testamento. Ajudei a planejar o defeito nas máquinas...
— O que não surtiu efeito nenhum — grunho.
— Como não? No meio tempo em que você andou pela fábrica, tentando calcular o estrago, instalei escutas na sua sala.
Levanto as duas sobrancelhas.
— Não fique decepcionado, não deveria esperar muito de si mesmo.
Sorrio de lado.
— Na verdade, estava pensando que o esforço foi inútil. Vocês não conseguiram o testamento, até porque dei fim a todas as cópias que existiam, jamais Eleonor colocaria as mãos no dinheiro dos Mendanha. Podem ter tentado me derrubar, deixei passar os detalhes, mas eu fodi muito a mulher que você parece se preocupar, que não passa de uma vagabunda barata, e no final não pegaram o que tanto queriam.
Jonas mira meu braço e atira, uma queimação insuportável me obriga a gritar de dor. Desta vez, não foi de raspão, pegou em cheio no bíceps. Ergo a arma que seguro e faço o mesmo, sem uma mira planejada. O tiro acerta sua perna, o maldito cai guinchando como um porco.
— Desgraçado! — prageja. — Eu devia ter te matado no dia do ataque; se não fosse o imbecil do Raul ter atirado nos pneus, não teria que me preocupar agora.
Foi ele, filho da puta!
Largo o revólver, voando em sua direção. O primeiro soco pega em seu queixo, ele cambaleia. Não demora a levantar e voltar o golpe em mim, minha visão escurece com o choque. Assim nos embolamos, um tentando nocautear o outro. Meu nariz jorra sangue com o chute que levo, consigo ficar por cima, o ódio me deixa irracional. Não paro de reprisar o que ouvi, desta forma alimento minha fúria. Esse infeliz vai pagar pelo que fez, por ter colocado JP em perigo, por ter sido um olheiro daquela vagabunda. Deixo-o quase desacordado, busco a pistola, engatilho e miro em sua cara.
— Qual é a sensação, Jonas? Diga. Tentou me prejudicar e seu fim será morrer aqui, abandonado na sala da minha mansão.
Seus olhos estão inchados, a boca cortada, o supercilio aberto. Desfigurado. Uma imagem nunca me despertou tanto deleite.
— Vai se foder! — grita. — Eu mandei aqueles caras estuprarem a irmã do Felipo, fui eu que mandei. Bastou lembrá-los de que a grana não seria paga; por outro lado poderiam se vingar, que os favelados toparam! — cospe sangue para cima tentando me acertar. — Fiquei olhando da janela o que faziam, seu otário patético! Eles foderam sua protegida de todos os jeitos.
Meus nervos formigam desde o dedo do pé até o cabelo. Uma ira descomunal, que não tive nem com a morte de Lisandra, apaga meu cérebro deixando acesa somente a área que deseja vê-lo sofrer. Forço o cano da arma sobre o ferimento da perna, exercendo pressão o suficiente para me deliciar com os ganidos do filho da puta. Arrasto-o

com custo até uma das cadeiras, com minha camisa empapando de sangue, o tapete impecável manchando de vermelho, o odor de ferro adentrando minhas narinas aumenta minha insanidade. Desta vez miro onde quero, a bala craveja seu braço, sua coxa, outra no ombro.

— Desgraçado! — Jonas esperneia, sem forças para sequer se mexer direito.

— É bom, não é? — Puxo seu cabelo com força. — É bom estar indefeso, seu covarde?

— Tá bravinho porque adorei ver Lívia sendo fodida? Porque sei que a putinha é realmente muito gost...

Não o deixo terminar, descarrego o cartucho, acertando lugares aleatórios. Meus tiros acabam, pego a arma dele largada perto do aparador e descarrego também. Seus membros sem vida chacoalham a cada impacto. Respirando fora de ordem pelo esforço, largo a pistola para admirar o serviço.

— Queime no inferno, filho da puta!

Segundos depois corro para fora checar se Felipo levou todos para longe desse pandemônio. Não sei quem está do meu lado, nem se Eleonor entrou na propriedade. Não sei de nada, porra!

Piso no último degrau e uma bala passa perto da minha cabeça, atingindo a coluna atrás.

— Puta que pariu!

Eu me abaixo. Procuro o atirador a tempo de vê-lo ser alvejado. Logo Felipo aparece com mais três homens. Fico na defensiva, sem saber se posso ou não confiar neles.

— Eles estão com a gente, Apolo — esclarece.

Vou até ele, desesperado por notícias.

— Onde estão? Cadê eles?

Pressiono o ferimento do meu braço para estancá-lo.

— Tirei JP e Madu pelos fundos. Miguel está morto, infelizmente.

Fecho os olhos ao saber disso. Não acredito nessa merda!

— Lívia, cadê Lívia?

— Não a encontrei em lugar nenhum.

Travo o maxilar, apavorado com a mera possibilidade. Não é hora de baixar a guarda, preciso raciocinar.

— O celular — digo rápido. — Se ela estiver com o aparelho consigo rastrear.

Sem esperar uma resposta volto para dentro.

Eu sou um fodido que não lembra o que é rezar, sequer acredita em um ser maior, contudo, se existir algum Deus, que ele me ajude a trazer minha menina sã e salva para casa.

CAPÍTULO 31

Lívia Nascimento

Acordo com o movimento do carro. Estou no banco de trás e me sinto letárgica, grogue, minhas pálpebras pesam uma tonelada, impedindo-me de abrir os olhos. Não lembro como vim parar aqui, só que berrei muito quando tentaram me arrastar de perto do Miguel e chorei de alívio ao ouvir Eleonor bufar enfurecida que não tinha encontrado meu sobrinho. Não sei para onde ele foi, mas respirei aliviada com a notícia. Então um pano foi colocado sobre meu nariz e apaguei.

— Eu vou matar essa vadia! Apolo vai saber com quem mexeu, aquele imbecil mimado! — Escuto a voz de Eleonor ao longe.

Tento mexer meus braços, que não obedecem ao comando, o cheiro enjoativo de perfume doce me causa náuseas.

— Para onde vamos? — um homem pergunta.
— Siga para o norte, vamos até a fazenda de Ícaro.
— Certo!

Eu sei que não vou sair viva dessa, Eleonor não é Apolo. Essa maluca não tem piedade e, por algum motivo distorcido, me odeia. O motorista faz uma curva fechada, a pressão na minha cabeça parece atiçar meu estômago, sem controle acabo vomitando, engasgando no processo.

— Era só o que me faltava, favelada dos infernos! — Eleonor grita, em seguida desfere um tapa forte no meu rosto, que lança meu pescoço para o outro lado.

Acabo perdendo os sentidos novamente.

Um puxão forte em meu cabelo me faz despertar.

— Vamos logo, garota! — Sou arrastada para fora. Atordoada, tropeço antes de me estabilizar. — Onde a coloco?

— Jogue-a no porão, os ratos estão precisando de companhia. No máximo em uma hora partimos. — Eleonor aperta minhas bochechas com uma única mão, suas unhas enormes fincam na minha pele. — Não se preocupe, lindinha, você terá companhia. Acredito que vá gostar de ter dois ao mesmo tempo, não? Da última vez deu conta.

Arregalo os olhos de pavor e entendimento.

— C-como... Como... — gaguejo, débil, horrorizada com o que capto sem explicação.

— Ah, sim! Aquele fatídico dia em que abusaram da pobre favelada foi um showzinho divertido de planejar — conta como se fosse um fato que merece aplausos.

Pego impulso para voar na maldita, mas o brutamontes puxa meu cabelo com mais força. Com nojo de quão baixa ela é, cuspo na sua cara. A reação de choque é cômica, eu riria se não estivesse tão amortecida.

— Você é desprezível! — exprimo, enraivecida.

Suas unhas aumentam a pressão, não ouso reclamar mesmo querendo. Com a manga da blusa, ela limpa minha saliva.

— Com pessoas como você, nem remorso tenho em ser, sua imunda.

Faz um sinal com a mão, mandando me levar dali.

O cão de guarda sarnento coloca uma arma nas minhas costelas, descemos dois lances de escada e ele abre uma porta, jogando-me dentro do cômodo. Caio com tudo no piso, a dor nos joelhos me faz grunhir. Levanto-me devagar, com meus reflexos ainda meio embaralhados, e limpo as mãos molhadas na calça jeans. Está escuro, um odor ardido de urina com mofo queima meu nariz. Para ajudar, meu cabelo está grudado na nuca, os fios empapados de vômito.

Arrasto os pés, tateando em volta até encontrar a parede. Tento segurar as lágrimas, é impossível. A cena de Miguel morrendo nos meus braços é tão nítida que fragmenta meu corpo, a noção de que o estupro foi premeditado me corrói.

Deixo-me deslizar pela parede até estar agachada, encolhida o máximo que consigo. É muito injusto ser vítima da maldade alheia, Miguel perdeu a vida por causa de uma rixa da qual nem fazia parte, eu fui violentada para a diversão desses monstros. Para ajudar, não faço ideia de onde JP, Madu e Apolo estão. Só a possibilidade de perder mais alguém me deixa à beira da loucura.

Meus nervos tremem, meus soluços ficam descontrolados, nunca um desespero tão grande fez minhas esperanças morrerem como agora. Minha mente não encontra saída para essa situação, não tem como reverter o que aconteceu. E, mesmo que eu me safe, como será conviver com a ausência dos que amo?

— Ajude-me, Deus — rogo baixinho.

Até quando vou ter de lutar guerras das quais não quero fazer parte? Estou cansada de nunca ter sossego, de aguentar um desastre atrás do outro, não quero mais ser a menina que não desiste.

Cruzo minhas mãos na cabeça forçando-as para baixo, o choro me tira o eixo. Tem momentos em que morrer parece bem mais fácil do que tentar recomeçar, para então ver tudo desabar de novo e de novo e de novo. Queria voltar para meu barraco, João Pedro e eu, esconder-me atrás das madeiras velhas, com frestas enormes entre si; fugir desse mundo doentio do dinheiro, poder e gente sem-noção.

É irreal o quão idiota o ser humano fica por bens materiais. Se soubessem o quanto é incrível ser simples, ter amor verdadeiro, aquele que vê você, não benefícios. Dizem que a sociedade molda os homens maus, não penso assim, acho que todos convivemos com a escuridão por dentro, e que cada um decide para qual lado pender.

Não sei ao certo quanto tempo permaneço parada, só sei que a dormência e o frio abatem sobre mim. Meus dentes batem sem controle um nos outros, minhas pernas latejam por causa da posição.

Tenho um sobressalto com a porta sendo escancarada.

Ela cumpriu o que prometeu: mandou-os aqui para me machucar!

No automático me lanço para trás, até onde consigo, com meu coração prestes a parar devido ao medo do que vão fazer comigo, de imaginar homens me tocando sem permissão. Tampo a boca para não fazer barulho, aperto bastante os olhos para não ver.

De repente, meu braço é agarrado e sou içada para cima, minhas pálpebras se abrem sem permissão.

— Não, por favor... — choramingo.

— Cala a boca, garota!

— Aonde vamos? — questiono, amedrontada; não tenho resposta.

Seguimos o mesmo caminho de antes. A imensidão verde me brinda melancolicamente ao chegarmos ao topo da escadaria, com a lua iluminando a teimosa escuridão. O motor do carro é o único barulho tóxico no meio da natureza, as luzes fortes do farol incomodam minha retina.

— Anda, droga! Precisamos sair daqui. — Eleonor avisa entrando do lado do passageiro.

Registro com precisão o sorriso lunático estampado em seus lábios.

Se eu for com eles, não terei chance.

Começo a me debater, não vou morrer sem ao menos tentar escapar. Arranho o braço do infeliz que me segura, minhas unhas rasgam sua pele. Uma adrenalina bizarra queima minhas entranhas, deve ser a mistura da desistência com a vontade de ficar viva.

— Puta! — rosna ao me empurrar para o chão.

O chute que recebo nas costas me rouba todo o ar.

— Eles estão perto, pegue a garota e pare de ser molenga.

— Não entendo como nos acharam.

— Eu também não. — Ela prende o cabelo num coque, parece nervosa. — Quer saber? Vamos dar cabo dessa imprestável. Assim saem da nossa cola.

Devagar fico de barriga para cima, encarando diretamente o homem que vai me matar. Enrugo a testa ao reconhecer o sujeito, vi-o uma vez se não me engano, no entanto, sua fisionomia marcante é fácil de ser memorizada.

— Você...

Apolo Mendanha

Aperto um pouco mais o pano que amarrei no braço para estancar o ferimento do tiro que levei. Queima como o inferno, ignoro a dor focando no que preciso fazer.

Felipo dirige, concentrado. Os solavancos da estrada me irritam, a demora em chegar me coloca doido. Graças aos céus, o celular de Lívia estava com ela e consegui rastrear. Lógico que o esconderijo da maldita Eleonor seria uma das propriedades dos Mendanha. A fazenda que sequer visito está dentre os tantos imóveis que meu querido pai tem.

— Não dá para ir mais rápido?
— Estou fazendo o que posso, Apolo...
— Não é o suficiente, porra! Ela está em perigo, se...
— Eu sei, ok? Eu sei! — Felipo fala mais alto. — Ela é minha irmã, caralho!

Entreolhamo-nos sabendo que é um momento decisivo, que Lívia depende de nós. Não coloquei a polícia no meio, nessas horas eles só atrapalhariam com sua burocracia idiota e medidas de segurança. Não há espaço para estratégia. Deixamos três seguranças limpando a bagunça e cuidando do corpo de Miguel.

Foda!

Nem acredito que ele foi morto por minha culpa, que todos foram colocados em perigo por minha culpa. Puta que pariu! Juro que vou estrangular aquela vadia da Eleonor. Foda-se se é mulher, ela merece se estrepar por ter feito o que fez.

Fui muito burro e imaturo achando que estava no controle quando, na verdade, estava sendo relapso. Usando a lógica, era óbvio que Eleonor não seria fiel a mim, a infeliz idolatrava Ícaro e tinha seu total apoio, tanto que a herança dos Mendanha seria deixada para ela se eu não interviesse.

Encontrei o testamento dois dias após a morte de Lisa e Mônica, estava sobre o notebook do escritório, com a assinatura cursiva do meu pai, pronto para ser reconhecido em juízo. Tinha ido até lá pegar uma das garrafas caras de conhaque que Ícaro escondia, quando o vi. Li umas três vezes até me convencer de que não estava bêbado demais para entender o que estava escrito. Meu pai podia me odiar, não fazia diferença, eu jamais deixaria que uma qualquer assumisse o legado que era meu.

Queimei o testamento e dei fim a todas as cópias que tinha no computador. Eu sabia que era fácil imprimir e assinar outra via que os advogados, com certeza, tinham salvado. Só que Ícaro alegou insanidade no dia seguinte, suas faculdades mentais eram duvidosas, ninguém acataria um novo documento.

Felipo para um pouco antes portão de madeira que está aberto, ao longe vejo um veículo parado em frente à entrada da casa principal. Estamos acobertados pelo matagal em abundância. Meu coração palpita de ansiedade para colocar os olhos na menina.

— Tome. — Uma arma é posta no meu colo. — Sei que é esperto, Apolo. Não deixe que a raiva domine suas ações. Pense antes de agir e não hesite em atirar.

— Pode apostar que não vou — afirmo antes de descer.

Pulamos o muro pelo mesmo local por onde fugia aos dezesseis anos para encher a cara na cachoeira com um monte de drogados que não conhecia direito. Devidamente dentro, Felipo vai por um lado, eu pelo outro. Somos somente dois e não faço ideia de quantos vamos enfrentar. Não podia arriscar, não sei em quem posso confiar. Verifico o porão, nada. A porta que dá acesso ao hall está trancada, sinal de que chegaram há pouco e que, levando em consideração o cenário, Eleonor sabia que estávamos chegando. A questão é: como?

Com a pistola amparada firmemente nas mãos avanço pela lateral, estudando o terreno, tentando notar alguma movimentação. Está escuro, as únicas luzes que lampejam são as acopladas no fundo da piscina.

Eu me preparo para virar em direção à área de lazer, porém a voz dela me para.

— Você é uma vadia sem escrúpulos, Eleonor! Vocês dois são... Dois?

— Cale a boca, garota! Agora me diga, como foi ser feita de puta pelos bandidos que seu irmão servia? Hum? Vamos lá, estou curiosa para os detalhes.

Desgraçada, filha da puta!

Espio o que acontece, não consigo ver nitidamente o rosto de Lívia, mesmo assim tenho certeza de que está contorcido de fúria. Eu me preparo para correr até ela quando seu cotovelo se ergue, acertando em cheio a boca da vagabunda loira. Eleonor se contorce enquanto o sangue jorra do seu lábio.

— Imunda! — Sua mão se levanta para bater na menina, não raciocino para me mostrar.

— Não ouse! — grito.

Ela se assusta e fica atrás de Lívia, com uma arma encostada em sua cabeça. Um arrepio congela minha espinha.

— Se der mais um passo, estouro os miolos de sua adorável delinquente. — A forma como cantarola a frase é doentia. — Solte a arma, agora!

Lívia me encara, suplicante, com seus olhos exóticos transbordando pavor. Sem desviar minha atenção das duas, abaixo-me e solto o metal na grama.

— Muito bem, muito bem! Seu pai tinha uma visão ampla para os negócios, sabe? — diz, alegre; alegre demais para a situação. — Desde cedo sabia que você era incompetente, apesar de que... não dava para esperar muito de um bastardo, né?

Não consigo esconder o baque pela revelação. Que caralho é esse?

— Qual é, Apolo? Não fique surpreso. Estou tirando um peso dos seus ombros, você não precisa mais tentar ser excepcional.

Fecho as mãos em punho, o deboche desperta labaredas na minha personalidade. Decido mudar a abordagem em vez de perder as estribeiras.

— Não quero bater papo, Eleonor. Até porque você subiu no conceito do velho, porque se sentava no pau dele todos os dias. Suas visitas à clínica eram para cumprir seu papel de prostituta barata?

Meu ataque surte efeito, pois ela larga Lívia para disparar contra mim, jogo-me para a lateral da parede. Tento raciocinar rápido para não deixar tudo deslanchar. Não posso deixar a menina ali por mais tempo. A pistola está caída poucos centímetros adiante, estico o braço para pegá-la. Fiz muitas aulas de tiro enquanto estudava no exterior, tenho uma mira ótima que precisa funcionar agora. Ainda agachado, concentro-me em alinhar o alvo, respiro fundo e aperto o gatilho. Lívia e Eleonor gritam ao mesmo tempo, só relaxo ao ver que a bala acertou o ombro da vadia.

— Seu filho da puta! — rosna.

Eu me preparo para atirar de novo, não posso correr o risco dessa filha da mãe se concentrar em vingança, não com a menina ao seu alcance.

No instante em que miro direto na cabeça da infeliz, um estopim passa ao lado do meu ouvido, ricocheteando no concreto. Puta que pariu! Esqueci que tem mais um.

Eleonor parece destrambelhada ali, com uma arma nas mãos e sem um plano certo.

— Cansei dessa brincadeira! — berra. — O melhor disso é saber quais são suas fraquezas, seu mimado dos infernos! Quero ver salvar sua favelada agora.

Ela acerta uma coronhada em Lívia, que despenca dentro da piscina, e sai em disparada.

Desesperado, aproximo-me da borda, o corpo desacordado da menina afunda cada vez mais. Minha mente desliga, meus músculos retesam. Ajoelho-me ali, incapaz de entrar na água para salvá-la, a fraqueza ganha poder. Esfrego o rosto, agoniado. Caralho!

— Ela só tem a mim aqui, só a mim... — murmuro tentando me convencer do que preciso fazer.

Levanto-me, desnorteado, lutando ferrenhamente contra meus pesadelos. O medo de perdê-la começa a se agigantar sobre o medo de entrar na piscina. Travo meu maxilar ao ponto de ouvir meus dentes rangerem e mergulho.

Foda-se tudo! Nenhum foco além dela se destaca aos meus olhos, o gelo da água amortece meus ossos, não de frio, de ansiedade para tirá-la desse lugar.

No segundo em que consigo alcançá-la, boa parte da minha insegurança se dissipa. Seu corpo pequeno não pesa mais que uma pena aqui dentro. Bato os pés na base pegando impulso para subir e a deposito com cuidado no chão. Forço-me para cima e me arrasto até ela tentando desesperadamente ouvir sua respiração. Nada. Faço massagem cardíaca, boca a boca.

— Reage, menina! Por favor, reage... — Uma eternidade parece passar até que Lívia tosse, o som perfeito da sua respiração enche meu peito. — Graças a Deus!

— Apolo... — Não passa de um sussurro capaz de me deixar de quatro.

— Estou aqui, amor. Estou aqui. — Beijo seus lábios. — Vamos para casa.

— Receio que não seja possível.

Viro-me para a voz, nem surpreso fico com quem encontro parado do outro lado, com a arma apontada em minha direção.

— Caio.

— Sim, Caio — debocha. — Eu poderia te dar os parabéns por ter conseguido não ser um bundão, mas acho que não vem a calhar.

Seu olhar desce para Lívia, faço o possível para escondê-la.

— Então era encenação mais cedo? — pergunto para ganhar tempo.

Minha intuição não acreditou no relato dele sobre ter sido espancado por um capanga da Eleonor, e de novo a ignorei achando que estava no controle.

— Era encenação em todas as ocasiões, Apolo — gaba-se. — Eu precisava passar lealdade e Eleonor precisava despertar sua desconfiança. Tudo premeditado e, confesso, fácil de executar.

Respiro fundo para manter a calma. É inacreditável o quanto fui burro! No problema com as máquinas, ambos estavam juntos. As câmeras, o processo contra Eleonor. Cada um fez seu papel e eu caí direitinho.

— Percebo que não é necessário explicar. — Sorri forçado.

— Vocês sabiam que estávamos vindo, não sabiam? — mudo o assunto para não explodir de vez.

Ele estala a língua, é muito irritante.

— Rastreador, meu caro. Instalamos em todos os seus carros.

Puta que pariu!

— Estou curioso para saber o que Ícaro prometeu para que topassem embarcar nessa missão suicida. Ou esperam me matar e sair ilesos?

— Exato — afirma Caio. — Contatos, basta ter contatos e um plano.

Mesma resposta que recebia enquanto caçava os culpados pela morte de Lisandra.

— E depois? — Continuo buscando distração. Onde, caralho, Felipo se meteu?!

— Depois terá matéria chorosa no jornal por mais uma perda dos Mendanha e a volta triunfal de Ícaro. — Eleonor sai das sombras, parando às costas do outro pilantra. — Entenda que só falta tirar você do caminho.

Semicerro os olhos, pensativo, ela nem percebe que acabou de clarear muitas partes da história.

— Nossa carona chegou, acabe de uma vez com isso — diz, arrogante.

Lívia segura minha mão, que repousa em sua barriga. Em seguida algo pesado substitui seu calor: a arma.

— Antes quero tirar uma dúvida: como nos achou? — Caio lança, curioso.

Levanto as duas sobrancelhas numa afronta nada favorável e bem satisfatória.

— Rastreei o celular da Lívia, meu caro. — Devolvo sua resposta.

Ele vira a cabeça para Eleonor, repreendendo-a em silêncio. É a pausa que preciso.

Engatilho a arma, mas não tenho tempo de atirar, pois um disparo retumba. Caio grunhe, tombando devagar. Eleonor gira para todos os lados, apavorada. Então me encara e dá um passo para fugir, sequer repenso em disparar, um sorriso meio louco repuxa minha boca ao assistir a vagabunda cair.

Encaro Felipo, que apenas acena, confirmando que não há mais ninguém na propriedade, e sai. Ele não quer se mostrar para a irmã. Não aprovo seus motivos, também não julgo. Já fiz besteiras demais para ser a voz da razão.

— Eu já volto, menina.

Aviso Lívia antes de me levantar e seguir até Caio. O tiro pegou em seu peito, o marginal foi certeiro. Sua respiração rasa, custosa, prova que não vai durar muito.

— Espero que doa, Caio. Que você implore a morte e que ela brinque com você, seu desgraçado! Não vou terminar com o seu sofrimento porque merece cada parte dele. — Eu me abaixo perto do seu rosto. — Eleonor me deu uma pista preciosa sobre a morte de Lisandra, na qual aposto que vocês dois estão envolvidos.

Seus dedos seguram meu braço, solto-me com um safanão.

— Apodreça no inferno, filho da puta!

Minha próxima parada é Eleonor Vermont. Não ligo pelo prazer que sinto em vê-la agonizar. Sua camiseta fina está repleta de sangue, o ferimento na barriga parece grave. Torço para que seja.

— O que adiantou lutar tanto para ter o que nem pertencia a você, Eleonor? Se tivesse ficado quietinha em seu canto, sendo a advogada da MV, estaria bem melhor. Aposto.

— Voc... Você não é nada, Apolo. Nem um Mendanha.

— Posso não ser, mas garanto que estou em melhor posição que você.

Sem dó atiro de novo, desta vez no meio da sua testa. Algumas pessoas sentem remorso por matar, eu garanto que estou satisfeito com isso. Eleonor morre com os olhos bem abertos, encarando-me.

— Agora só falta um.

Volto-me para Lívia, que permanece deitada, de olhos fechados. Com delicadeza, pego-a no colo, sua bochecha repousa em cima do meu coração, seu calor aquece cada espaço dentro de mim.

— Acabou, menina, vamos para casa.

CAPÍTULO 32

Lívia Nascimento

Encaro o céu fechado, as nuvens cinzas parecem querer chorar como eu. O dia está de luto, assim como as pessoas que andam vagarosamente pelo gramado do cemitério. Apolo e mais três amigos de Miguel carregam seu caixão. É triste e tão doloroso.

Eu não tenho mais lágrimas, nem forças para pedir que alguém lá de cima o devolva. Ele se foi, um homem que tinha muito para viver, mais ainda para ensinar. Não me canso de pensar em como foi injusto, então lamento por não conseguir mudar os fatos. Levo o lenço branco que Apolo me deu até o rosto a fim de arrumar uma distração para essa dor insuportável que queima de dentro para fora.

Madu está um pouco à frente, de mãos dadas com JP. Sua feição angustiada não condiz com a serenidade de sua postura. Ontem nós passamos a manhã juntas, implorei tanto que ela não me odiasse por não ter lutado para manter seu filho com a gente, pedi perdão repetidas vezes por ser a principal culpada do que houve. Suas palavras de conforto foram absurdamente importantes para mim. Parecia brisa acalmando a ventania que eu enfrentava.

— Todos temos um destino traçado, menina. Não pegue para você uma responsabilidade enorme dessas. Miguel não se foi, ele apenas evoluiu.

Ela é espírita e, por mais que sofra à perda, acredita que há outro plano, um bem melhor que esse, que seu filho foi recebido nessa nova fase. Madu não acredita em morte, ela acredita em vidas. Daria tudo para ter seu entendimento porque, por Deus, não consigo.

Depois que Apolo nos tirou daquele lugar, o restante do tempo pareceu se arrastar. A pancada que levei na cabeça ainda lateja, meu corpo inteiro está dolorido, não quis ir ao hospital mesmo com Apolo insistindo, seria mais uma enrolação que não estava disposta a enfrentar. Estou fisicamente bem, o problema é meu psicológico sobrecarregado ao ponto de não me deixar relaxar. Fiquei tão no automático que nem me recordo ao certo quais palavras disse para o policial, que foi até o flat. Só sei que ele não se demorou e que me deitei abraçada com o meu sobrinho, aliviada por tê-lo comigo, por um dos seguranças ter levado Madu e ele para longe daquele inferno, sãos e salvos. João Pedro vem sendo, de novo, meu alicerce.

Eu me mantive firme durante as últimas horas, tentei ao máximo não entrar em desespero, acredito que daqui em diante não será possível. Acabamos de chegar ao destino, um quadrado de tamanho padrão, sete palmos de profundidade... É o adeus definitivo.

Minhas pernas tremem, meu coração para. Relembro-me de como me sentia feliz ao seu lado, das vezes em que Miguel dissipava minha tensão somente em sorrir. Do carinho, do apelido bobo, da sua companhia. Sem perceber caio no choro, lutando contra a vontade de abrir aquela caixa de madeira e pedir para que ele acorde, que pare de brincar.

— Menina...

Braços calorosos me cercam, deixo-me ser amparada por Apolo enquanto assisto o caixão descer. É mórbido ficar aqui vendo quem amo ser soterrado.

— Não acredito, Apolo! Não acredito!

— Eu sei, meu amor. Eu sei... — seu tom resignado demonstra que ele sente.

Ele sente.

Apolo Mendanha

As últimas quarenta e oito horas foram exaustivas. Após pegar Lívia e sair da fazenda, Felipo deu seu jeito para que as mortes parecessem um fatídico assalto às propriedades dos Mendanha. Os seguranças contaram a mesma versão que Lívia e eu. Madu também precisou prestar depoimento, como não sabia de nada acabou ajudando, porque para ela sofremos um ataque, teoria essa que não vou desmentir. Ontem saiu uma nota no principal jornal do país sobre os recentes acontecimentos, segundo os jornalistas somos uma família propícia a desastres.

Eles não imaginam como estão certos.

Felipo não apareceu mais, mas me mandou uma mensagem pedindo um único favor. Deixei-o avisado de que na hora certa entro em contato.

Dispenso os pensamentos turbulentos e me concentro no que se passa agora. Madu chora discretamente enquanto acompanha o enterro. João Pedro permanece ao lado dela, acariciando sua mão. Lívia soluça, acolhida em meus braços. Crio coragem e olho para baixo, para a madeira negra brilhosa, decorada de dourado. É uma porra de sacanagem tanto enfeite para apodrecer embaixo da terra. Sem que eu queira, uma cena de anos atrás pisca na minha memória.

— Corre, Apolo, corre! — Miguel grita em meio a uma gargalhada.

— Tô atrás de você! — garanto quase sem fôlego.
— Eu vou pegar os dois, seus sapecas!
Corremos sem parar pelo jardim fugindo de Madu. Estamos brincando de mãe pega; se ela tocar em alguém, a pessoa vira o pegador. Miguel e eu adoramos essa brincadeira, é divertida e dá um frio gostoso na barriga. De repente, tropeço em uma elevação no chão e caio rolando na grama, rindo alto. Madu se aproxima, comemorando. Já era, perdi.
Coloco o braço sobre os olhos, bloqueando o sol, feliz demais com esse dia sem meu pai em casa. Gosto quando ele viaja.
— Ele caiu, mãe, não vale — fala Miguel em minha defesa.
Balanço a cabeça rapidamente, concordando com ele. Madu para e olha de um para o outro. Suas sobrancelhas se erguem de um jeito engraçado, bate seu dedo no queixo, pensativa.
— Tem razão, filho. Apolo merece uma nova chance. Vou contar até dez para dar tempo de vocês fugirem. — Pisca para nós.
Miguel me ajuda a levantar e ao ouvirmos um, dois... saímos em disparada.
— Valeu, Miguel! — digo ao nos afastarmos o suficiente.
— Irmãos são para isso, cara.
Sorrio para ele.
— Irmãos são para isso mesmo.

Engulo o choro repentino que entala na garganta. Nós nos afastamos muito depois que meu pai começou a transformar minha vida em um inferno. Para ser sincero, eu preferi me isolar, não dar margem para qualquer aproximação. Começo a me arrepender de não ter mantido nossa amizade, contudo, não há mais nada a ser feito. Miguel morreu, arrependimentos não mudam isso.
Não desvio a atenção até que as flores sejam postas em frente à lápide, um toque de cor para disfarçar o escuro fúnebre da perda. Todos se vão, ficamos apenas Madu, Lívia, JP e eu. De soslaio vigio a senhora que perdeu seu único filho, aperto a menina com mais força para não ir abraçar minha governanta.
Sei que ela precisa, eu precisei no enterro de Lisandra, só não tive. Puxo o ar antes de soltar Lívia e caminhar lento até lá. Ela ergue a cabeça, notando-me e enruga um pouco a testa em confusão. Sem dizer uma palavra, puxo-a com cuidado, acolhendo a mulher miúda num abraço de carinho. Demonstrar afeto não é algo fácil, mesmo assim quero fazer. Desde que soube do óbito, não a vi perder a compostura, mas, no segundo em que estamos grudados, Madu desaba.
Minha mão alisa seu cabelo tentando passar conforto, querendo de verdade pegar um pouco de sua dor. Ficamos por longos minutos na mesma posição, até que ela se acalme e possamos partir. Depois daqui não sei qual é o caminho, não sei se outras vidas existem, se o céu é o

limite ou se reencarnamos. Só espero que, independentemente de onde esteja, Miguel fique em paz.

Paro o carro em frente à entrada da mansão. Uma tensão enorme recai nos meus ombros ao adentrarmos o hall. Nunca sequer cogitei a possibilidade de sair dessa casa, de largar a marca de poder onde os Mendanha cresceram. Hoje começo a criar ideias. Tantos acontecimentos ruins marcaram esse lugar, assim como me marcaram.

Vamos direto para a cozinha. Madu serve café, todos continuam em silêncio. Fico matutando coisas aleatórias: são sete funcionários que cuidam desde a jardinagem até a limpeza desse amontoado de cômodos e luxo desnecessário. No final, não conheço nenhum deles, só sei que são números na minha folha de pagamento. Ícaro não ligava de esbanjar dinheiro. Eu não me importo com essa futilidade, só não tinha necessidade de mudar.

Então por que do nada estou planejando vender isso tudo?

Fito as três pessoas que estão acomodadas em volta da mesa. Meu orgulho não se fere ao admitir que as mudanças improváveis se tornaram visíveis por conta deles. Foi aos poucos, sem que eu percebesse; quando me dei conta tinha incluído mais no meu mundo egoísta.

Volto a baixar os olhos para a xícara branca com flores azuis, eram as preferidas da minha irmã, tão caras que assustaria muita gente. Lisa não está mais entre nós, deixou seus bens mais queridos, deixou o filho, o marido, a cunhada e eu. Ela não levou nada que o dinheiro pudesse comprar, porém teve tempo de descobrir o que realmente importa.

Eu ach... acho que não quero chegar ao fim sem experimentar o que Lisandra e Miguel tiveram. Não quero ser sozinho.

— Apolo... — A mão leve de Lívia pousa sobre a minha, nem percebi que apertava com tanta força a porcelana delicada.

— Oi. — Viro-me para ela, aliviando a pressão dos meus dedos, deixando-a abrandar uma tormenta que chegou sem aviso.

Foda!

— Vai ficar tudo bem, ok? — Seu tom embargado tenta permanecer firme.

Vejo seu sofrimento, só não sei como diminuí-lo. Acho que o luto é uma fase particular, cada um lida de uma forma. Palavras de consolo não ajudam, não amortecem a ferida.

— Vai sim, menina. — Beijo seu pulso.

Ela avisa que vai subir e arrumar algumas roupas para João Pedro, eles estão ficando no flat, Lívia não quis voltar para cá. Minha personalidade quis convencê-la, mas meu coração decidiu deixá-la fazer suas próprias escolhas. O que é um caralho de guerra constante com o meu desejo de arrastá-la para perto.

Antes eu não queria admitir como Lívia me afetava, precisei quase perdê-la duas vezes para me convencer de que abrir mão do controle não é fraqueza, é somatória. Eu a amo, amo os dois. Não deve ter melhor arma contra os inimigos do que essa. Meu pai sempre esteve errado. No fundo, eu sabia; só não estava preparado para aceitar.

Sobre os meus erros, não tento justificá-los, nem poderia porque é bem provável que continue os cometendo tanto nos negócios quanto no que diz respeito a proteger os meus. Mas prometi para mim mesmo que vou ser alguém melhor, pelo menos ser o melhor para eles.

— Filho, podemos conversar? — Madu pede baixinho.

Apoio os cotovelos na mesa, prestando atenção. Ela está quebrada, as olheiras escuras e o ar desgastado deixam isso claro.

— Claro que sim...

Eu tenho mais para falar, só não consigo. Preciso desenvolver melhor meu tato em lidar com essas situações constrangedoras.

— Não sei como começar, nem se você vai me odiar por ter escondido...

Fico em alerta com o início estranho.

— Do que está falando, Madu?

Agitada, ela se levanta enquanto suas mãos se espremem uma à outra.

— Eu já perdi muito, menino. Enterrei metade de mim com Miguel, não quero ter de dar adeus à outra metade...

Quanto mais escuto, mais embaralhado o assunto fica. Que merda!

— Ei. — Vou até ela e a faço parar de andar de um lado para o outro. — É só falar que te ajudo.

Seus olhos astutos, que me acolhiam com carinho em certas ocasiões e em outras me repreendiam sem que precisasse gritar, estão indecisos.

— Só fale, Madu — peço com calma.

— Sou sua mãe, Apolo. Sua mãe biológica — revela séria.

Dou dois passos grandes para trás, até bater na banqueta, levando-a ao chão. Não é possível que seja mais fodido ainda.

Puta que pariu!

CAPÍTULO 33

Apolo Mendanha

— O quê?! Essa merda é brincadeira, né? Não é possível que as vezes em que foi obrigada a cuidar dos meus ferimentos, que precisou me escutar chorando por horas a fio por causa das dores que os machucados causavam, tivesse um significado a mais. Ela não pode ter me deixado à mercê de Ícaro sem fazer nada.

Tem de ser brincadeira, porra!

— Não é, eu... — gagueja, tentando me tocar.

— Agora não é o momento certo para isso. Se é verdade, por que não contou antes?

Madu coloca alguns fios de cabelo atrás da orelha, está nervosa. Não estou diferente.

— Você me escutaria, Apolo? Você mal me olhava, filho. Afastou-se de todo mundo...

— Talvez isso tenha acontecido porque meu pai me espancava constantemente, caralho! Porque eu tinha vergonha de aparecer todo machucado perto de você e...

Miguel.

Puta que pariu, Miguel era meu irmão!

Até onde vou aguentar tanta pancada? Sequer tenho intervalo para respirar. Eu acabei de enterrar o menino, que achava ser meu colega de infância, e esfregam na minha cara que era meu irmão. Inacreditável!

Corro os olhos por toda parte, tentando buscar lógica para essa mentira. Deve haver uma bem complicada para que tenham me deixado às cegas. A ideia que chega transtorna ainda mais meu estado.

— Ícaro te estuprou? — indago com ódio.

Não duvido de nada que venha do abusador escroto.

— Não... — Se apressa em garantir.

— Então o que aconteceu? — Minha voz soa mais como uma súplica.

Minha respiração acelera, a fúria que pensei ter sido extinta ganha espaço. Fico em total alerta, pronto para sumir daqui e cumprir minha última vingança.

— Ícaro não é seu pai — murmura baixinho, sem desviar sua atenção de mim.

Não esboço reação. Sendo sincero, acho que fico aliviado por não ter o sangue daquele filho da puta nas veias. Vendo que não me pronuncio, ela se apressa em continuar:

— Fugi da cidade onde morávamos porque, se ficasse, acabaria sendo morta... — Madu tremula na fala, segurando o choro. A história fica pior a cada linha. — Você tinha nove meses quando resolvi escapar e estava grávida de cinco do seu irmão. Fiquei um mês nas ruas, pedindo comida para te alimentar e tentar suprir pelo menos o essencial para o Miguel, que se desenvolvia no meu ventre. Quando cheguei aqui, você chorava de fome, eu não tinha mais para onde recorrer, por milagre Mônica resolveu me ajudar.

— Ainda não entendi como virei filho deles — solto entredentes.

Sinto meus olhos queimarem, não sei bem se por ira ou decepção. Tudo poderia ser diferente, eu poderia ser diferente se não tivesse sido submetido a tanta merda.

— Ícaro me viu na cozinha, comendo, e ficou te observando sem se dar ao trabalho de disfarçar, então me fez a proposta. Eles estavam doidos por um filho. Pelo que entendi, Ícaro só poderia assumir a MV após gerar um herdeiro e Mônica não conseguia engravidar. Em contrapartida, eu precisava manter vocês dois vivos.

— E aí me deu de bandeja para aquele desgraçado abusivo?

Madu cobre o rosto com meu rompante. Não quero descontar nela, porra! Não sei como lidar com essa fodida situação. Ela é minha mãe! Como, por Deus, me comporto?

— Jamais imaginei que seria assim, filho. Jamais. Ícaro me fez assinar um documento sobre quebra de sigilo, aceitei porque me deixaram ficar para cuidar de você. No começo, ele não te maltratava; as coisas saíram do controle quando Mônica engravidou. Eu tinha receio de tentar fugir, receio de que fizessem mal a vocês.

Junto as sobrancelhas mais confuso que o inferno. Que caralho!

— Não era um filho que eles queriam?

— Ícaro era infértil, Apolo. — Essa é uma notícia que me choca. O todo-poderoso machista, filho da puta, era seco. — Ele não contou para ninguém, colocava a culpa na esposa porque não aceitava sua falha. Só admitiu após ficar sabendo da gravidez. Obrigou Mônica a contar de quem era a criança, e daquele dia em diante nasceu o monstro que você infelizmente teve de conviver.

Que Ícaro descontava em mim seus problemas não é novidade. Agora, quem me colocou nisso foi ele mesmo. Que culpa um garoto de seis anos tinha? Eu sempre achei que fosse odiado pelo meu pai e esquecido pela minha mãe. Passei a vida tentando ser melhor para que ele se orgulhasse e para que ela me notasse.

Foda!

Viro as costas, louco para fazer merda.

— Apolo, aonde vai?
— Terminar o que já devia ter terminado.

Paro o carro na rua ao lado da clínica e encosto a testa no volante. Todas as bombas resolveram explodir hoje. Acabei de encontrar Felipo, ele me contou que...

— Porra! — Dou um murro na porta, deixando minha postura abrir uma brecha para que eu possa despachar a tensão.

Consigo contar nos dedos quantas vezes chorei desde os meus quinze anos, quando as surras não me causavam mais lágrimas, sim, fúria. As primeiras gotas pingam na calça escura, atrás delas vêm mais. Não foi justo, nada nesse caralho é justo. É surreal o quanto Lisa e eu fomos amaldiçoados com essa família de bosta. Minhas certezas amplificam com tanta podridão sendo despejada no ventilador, é a vingança final.

Limpo o rosto antes de descer, identifico-me na entrada e sigo até o quarto sete. Apesar de pagar uma fortuna pelos serviços desse lugar, a segurança deles é bem precária. Ícaro está sentado à uma mesa no canto, mexendo no notebook. Não aparenta nem um terço da insanidade que alegou.

— Olá, pai!

Ele ergue a cabeça devagar, o nojo habitual destacado na sua carranca enérgica.

— Vá embora! — manda, voltando para os seus afazeres.

Respiro fundo para não sair do combinado, preciso manter o foco.

— Não vai dar, temos alguns assuntos pendentes. Ou você está de luto pela morte dos seus abutres? Acho que deve ter sido avisado — caçoo.

Ele finalmente fecha o computador, pronto para a briga.

— Foi você que os matou, não foi?

— Eu? Por que faria isso com meus advogados? — Sorrio de lado.

Óbvio que Ícaro sabe o que aconteceu, seus olheiros estavam a postos. Ele apenas não tem provas concretas.

— Vejo que aprendeu bem como ser um Mendanha, Apolo. Quase fiquei orgulhoso! — debocha.

— O bom é que não sou um Mendanha, certo? — solto, apertado. Ele arregala um pouco os olhos. — Eu sei que é infértil, além disso, é corno — cuspo as palavras.

— Cale a boca, seu mimado desprezível! — profere, vermelho de raiva. — Eu vou mandar matar aquela enxerida da Madu...

Em dois passos estou à sua frente, minha mão agarra a gola da sua camiseta. Nunca vi Ícaro assustado, é bom inverter os papéis.

— Assim como fez com Lisandra e Mônica? — Aperto mais o colarinho, prendendo sua garganta. — Depois veio com o papinho de loucura para livrar sua barra. Deixe-me adivinhar: a polícia desconfiou de você, não foi?

Solto-o e volto para perto da porta, quero sua confissão acima de qualquer outra coisa. Ele tosse um pouco.

— Do que está falando? Ficou maluco, rapaz?

Se tem algo que repudio ao extremo em Ícaro é seu jeito de ser cínico, essa artimanha é usada há tempos para me fazer pensar que sou um idiota completo. É humilhante e reconfortante entender seu jogo, isso significa que as cordas não estão mais a minha volta. Se eu tivesse me tocado mais cedo, Lisandra poderia estar viva.

— Não se faça de otário, Ícaro. Eleonor me contou cada sórdido detalhe.

Não é verdade, porém, aquela vadia loira deu algumas dicas que não passaram despercebidas. Esse foi o motivo que me levou a Felipo hoje. Ele é a testemunha principal dos crimes.

Um silêncio pesado circula entre nós. Ícaro entende a enrascada na qual se encontra, sabe muito bem que não vou titubear em ferrar sua bunda milionária. Aproveito sua condição caótica para provocar mais.

— Como foi para você ser imprestável? Como foi saber que nem sua esposa te suportava? Me diga, seu filho da puta hipócrita! Quis cobrar tanto dos outros, e no final você é o inútil dos Mendanha.

Ícaro bufa, em seguida ri.

— Não interessa o que aconteceu, o importante é que coloquei aquela burra da Mônica no cabresto, que impus respeito a você e a Lisandra. Vocês me temeram, moleque. Esse é o fato relevante.

Trinco meu maxilar de ódio desse velho imbecil.

— Lisandra envergonhou os Mendanha, eu já tinha repulsa por saber que era filha de um motorista medíocre, imagina se deixaria afundar de vez a família. Nunca. Eu mataria todos que estavam na casa naquela noite se não fosse os gritos do Felipo chamando a atenção. Eu. Atirei. Eu a vi morrer, Apolo.

Dou dois passos à frente e recuo. Parece que agulhas adentram meus nervos de tão tesos que estão. Deus sabe que quero matá-lo, só não posso. Eu prometi.

— Por que matou sua esposa? — Faço o impossível para permanecer indiferente, mesmo que tenha gangrenado mais um pouco por dentro.

Desta vez, ele gargalha. É repugnante.

— Aquela sonsa foi vendida em um leilão por um preço, digamos, simbólico. Eu precisava de uma esposa, então paguei por ela. A coitada tinha verdadeiro pavor de mim. — Sorri louco.

E eu achava que Mônica o amava, a realidade era bem diferente. Ela não teve escolha, assim como Lisandra e eu.

— Felipo ousou ir até a minha casa me cobrar, Mônica ouviu os berros dele contando que matei a própria filha e resolveu ser mãe na hora errada. Ela não colocaria abaixo o que ajudei a erguer com tanto custo. Matá-la foi como riscar da lista um empecilho, você deve saber como é, não sabe?

Ele empurra meus erros, achando que me comparando a si me verá balançar. Esse filho da puta não faz ideia de como me blindou com suas torturas. Estou num estágio em que nada me faz sentir mal, pelo menos não nesse instante.

— Por que não matou Felipo naquela noite? — Continuo na rota que programei.

Acho que é a tarefa mais difícil que tenho de realizar. Acabei de encontrar o culpado pela morte de Lisandra e preciso me conter.

— O marginal e os outros dois capangas fugiram, preciso admitir que o favelado era escorregadio. O que não adiantou muito, pois morreu um ano depois — diz, satisfeito.

— Sabe, Ícaro, é bom saber que você não é tão esperto quanto pensa. — Ele fica instantaneamente sério. — Aproveite seus últimos minutos vivo.

— Não pode me matar, amanhã mesmo seria preso.

— Isso seria verdade se alguém aqui me conhecesse, afinal nunca apareci — declaro achando graça do seu temor.

O filho da puta não liga de destruir os outros, mas parece um rato indefeso ao ser ameaçado.

— Você tem de se identificar na entrada...

É minha vez de dar risada.

— Vamos lá! Cadê suas habilidades para os negócios? Documento falso.

— As câmeras...

— Foram desligadas — corto sua tentativa débil de achar uma saída. — Tudo planejado para foder você.

Sua fisionomia assustada é a cereja do bolo. O brinde que apaga qualquer caralho de afronta que sofri pelas mãos desse maldito. Eu me aproximo e abaixo um pouco para alinhar nossa visão. Não posso tocá-lo, só quero ver de perto a porcaria da sua derrota.

— No fim, o filho da empregada ficará com toda a fortuna. Qual a sensação de ser derrubado no seu próprio plano?

Ele finalmente demonstra desestabilidade.

— Você não pode... Não pode me matar.

— Posso sim, seu desgraçado! — silvo, alucinado para vê-lo sangrar. — O único motivo de não fazer é porque cheguei à conclusão de que tem uma pessoa mais sedenta por vingança que eu.

Devagar vou até a porta e a abro para que Felipo adentre o quarto.

Ícaro se joga de imediato para trás, a cadeira onde está bate na parede, suas mãos voam para a cabeça.

— Você está morto!

— Errado. Estou bem vivo e pronto para te mandar para o inferno.

O medo que exala do meu pai é como um prêmio. Estou adorando presenciar.

Bato no ombro de Felipo, pedindo em silêncio que se vingue por mim, e saio tranquilo pelo corredor. Não sei ao certo como ele planejou tudo, nem quis me envolver nessa parte. O cara tem esquemas, é esperto e estava disposto a qualquer pagamento para esse encontro. Não que eu ligue para o que vai acontecer.

O importante é que cumpri o que prometi a minha irmã, acabei com todos que estavam envolvidos na sua morte. Consciência limpa, alma lavada. Finalmente.

Lívia Nascimento

João Pedro dormiu faz mais de uma hora. Eu estou roendo minhas unhas, sentada no sofá do flat, preocupada com Apolo.

Quando voltei à cozinha para me despedir encontrei Madu chorando não fiz perguntas porque, pelo seu desespero, imaginei o que tinha acontecido. Ela contou a verdade. Deixei-a em sua casa, após acalmá-la, e vim embora. Agora estou aqui, ligando feito louca para o celular dele, e as chamadas vão direto para a caixa postal.

— Droga! — resmungo jogando o telefone ao meu lado.

Levanto-me para ir até a varanda pegar um pouco de ar, entretanto, pancadas na porta me param. Corro para abri-la, dando de cara com um Apolo descabelado e fedendo a álcool.

— Meu Deus, você está bem? — pergunto, puxando-o para dentro.

— Sim. — O tom não é amigável.

Ranzinza de uma figa! Levo-o direto para o banheiro, ele não faz nenhuma objeção. Ligo o chuveiro na água quente, corro até o quarto e pego uma roupa do Miguel. Volto achando que o infeliz está se lavando, e o encontro sentado no vaso. Largo a calça e a camiseta sobre a pia, pronta para sair.

— Foi ele, menina. Foi o Ícaro que matou Lisandra — diz de repente.

Meu Deus!

— Foi aquele filho puta doente, porra! — Um embargo incomum adiciona desgosto à sua voz. — Ele sugou minha irmã até onde pôde, depois a matou. Assim, como se não fosse nada. Tirou de Lisandra uma vida inteira, fez o mesmo com Mônica e comigo... — Enterra a cabeça nas mãos, em seguida escuto seus soluços contidos.

Jamais imaginei que veria Apolo chorar e não cogitava que meu peito doeria absurdamente por isso. Meu menino indefeso, que não tem sossego. Ajoelho-me à sua frente, passando os braços por seu pescoço, amparando-o da forma que consigo.

— Eu sinto muito, muito mesmo!

Não sou capaz de segurar meu próprio choro.

— Ele teve o que merecia.

Estremeço com o ódio da frase.

— O que você fez, Apolo? — questiono baixinho.

Não por pena daquele monstro, sim, por receio de que ele não consiga conviver com as consequências.

— Nada, menina. Eu não fiz nada. Mas queria, Lívia. Queria fazê-lo implorar pela vida, queria que o maldito sentisse o que minha irmã sentiu, o que eu senti...

Seu rosto encaixa na curva do meu pescoço. Seu descontrole é tão grande que me arrepia, deixa-me angustiada.

— Acabou, tudo bem? Acabou — asseguro.

Ficamos grudados por longos minutos, o vapor do chuveiro deixa o ambiente abafado, o barulho da água que bate no azulejo completa o choro sentido de Apolo. Seu limite extrapolou, é devastador de presenciar. Acaricio seu cabelo úmido, torcendo para ter o poder de abrandar seu sofrimento.

— Ela é minha mãe, menina. Madu, Madu é minha mãe. — A descrença é evidente, Apolo não quer acreditar. Não o julgo, é muito para absorver. — Miguel era meu irmão, caralho! Eu perdi quase tudo por causa daquele desgraçado. Porque fui burro, imaturo...

— Ei! — Faço com que me encare. — Não se cobre tanto assim, você foi vítima nisso tudo, Apolo.

— Não, eu agi como Ícaro na maioria das ocasiões.

— Sim, mas porque só conhecia o lado que lhe foi apresentado. Não estou querendo aliviar seus erros, estou sendo sincera. Pare de se punir, por favor!

Acompanho as lágrimas enchendo seus olhos de novo até transbordar. Ele se livra da sua armadura insensível, chora como uma criança assustada com os trovões e um adulto sobrecarregado de tanta porcaria. Eu me junto a ele, lamentando pelos desfechos trágicos, pelas perdas importantes, por todo o mal que precisamos dar conta.

Em dado momento, Apolo me puxa para seu colo e me beija. É tão cru, tão intenso, que meu coração quase pula para fora. Suas mãos me despem, as minhas retribuem. Sua boca escorrega dos meus lábios para os meus seios, seus dedos vão para minha bunda, amassando a carne, esfregando-me em sua ereção. Eu sei que Apolo não lida muito bem com sentimentalismo, por isso busca no sexo um jeito de não entrar no assunto.

Não vou reclamar, preciso de distração também.

— Me coloque dentro de você, Lívia.

Seus dentes mordem o bico do meu seio, contorço-me. É uma dor gostosa, não sei explicar. Seguro seu membro e encaixo em minha entrada, finco as unhas na sua nuca quando me sento de uma vez.

— Apolo...

— Isso, meu amor — sussurra perto do meu ouvido. — Rebola no meu pau, leva com você todo o juízo que eu já não tenho.

Abro meus olhos para bater com o seu castanho escurecido, ainda inundado de água. Beijo cada um deles, demonstrando com gestos que me importo. Ele resfolega, puxando-me mais contra si. Respiramos juntos enquanto nossos corpos se conectam sensualmente. Os gemidos dele se misturam com os meus. As veias do seu pescoço saltam, aumento a pressão das minhas unhas na sua pele.

Apolo se encosta na parede, fazendo seu pau ir tão fundo que uma pontada cutuca meu baixo-ventre.

— Eu vou gozar... — Meus olhos se reviram com a pressão deliciosa.

— Goza, menina — grunhe.

Lanço a cabeça para trás e gemo alto seu nome, rebolando com o frisson que me leva ao desfiladeiro.

— Ah, Lívia. Porra, como essa boceta me aperta...

Impulsiona o quadril para cima e geme aproveitando seu clímax. É sexy, afrodisíaco.

Encosto a testa no seu ombro tentando recuperar o fôlego. Não foi certo, tampouco errado. Estou dividida entre agir pela razão ou continuar nesse redemoinho que apenas esse homem me envolve.

— Eu amo você, menina! — diz entrecortado. — Não sou bom, não te mereço, sei disso. Sei também que sou egoísta o bastante para te pedir que fique comigo, porque juro que vou ser melhor. — Suas mãos amparam meu rosto, sua íris dardeja emoção. É lindo. — Não posso te perder, Lívia. Me deixa mostrar que posso ser exatamente o que você precisa.

Lembro-me com precisão do dia em que o conheci, da cólera estampada na fisionomia pesada, do seu asco por mim. Na sequência vem as vezes em que me convenci de que ele não era tão ruim, que havia mais por baixo da casca. Então me entreguei, driblei meu medo por ser tocada. Acredito que não fui a única a me espantar com algumas descobertas. No compasso que me permiti tentar, Apolo se deixou levar pelo que sentia. Ambos entramos em terreno desconhecido, apostando no escuro para chegar à luz.

— Não quero perfeição, quero você inteiro, sem tirar nem pôr. — Aliso sua barba que cresceu bastante. — Quero essa loucura que somos, os erros que cometemos, os acertos que vamos ter, tudo em uma bagagem. O mundo não é bonito, não sou tola, mas no meio de todo o inferno encontrei uma forma de não me queimar. — Assisto sua garganta engolir em seco.

— Lívia, eu...

— Você. Eu encontrei você — corto sua frase. — Não interessa como começou, Apolo. Vamos partir de onde paramos, ok?

Sorrio de leve, deixando um selinho em seus lábios.

— Isso significa que você me ama?

— Sim, eu amo você!

— Não vou te deixar se arrepender disso, menina.

— Sei que não.

CAPÍTULO 34

Lívia Nascimento

Seis meses depois...

— Onde estamos indo? — indago ao ver Apolo pegar um caminho diferente, confusa.

Acabamos de sair da sua quarta consulta com o psicólogo. Foi difícil fazê-lo aceitar, o ponto chave aconteceu no dia em que JP foi visitá-lo e pediu para que ele entrasse na água. Apolo não conseguiu; apesar de ter pulado para me salvar naquela noite, seu trauma não diminuiu.

João Pedro foi o primeiro a ir, em seguida me rendi aos apelos do Sr. Ranzinza. No fundo, eu sabia que precisava falar sobre o que aconteceu com um profissional. Não vou mentir, foi doloroso no começo; depois ficou, digamos, aceitável. Agora nós três fazemos acompanhamento. Vem sendo ótimo trabalhar minhas inseguranças, aceitar-me em alguns quesitos. Hoje JP não veio com a gente, ficou com Madu. Apolo está todo misterioso.

— É surpresa, menina. Já estamos chegando. — Sua mão repousa na minha coxa esquerda.

Apesar dos pesares estamos bem. Não voltei para a mansão, não conseguiria morar lá com tantas memórias do Miguel. Continuo no flat e meio que convenci Apolo de que deveríamos namorar, começar aos poucos. Foi muito, muito engraçado vê-lo irritado, fazendo manha para tentar me convencer. Não mudei minha decisão, eu precisava dar um rumo na minha vida antes de me envolver. Gosto de ter meu próprio dinheiro, de poder sair com o meu sobrinho para irmos ao cinema, comprar uma pizza no final de semana.

Minha parte favorita de ser independente é fazer compras. Eu amo!

Devagar estamos alinhando o caminho. Ainda dói demais me lembrar do que perdemos, acredito que não vai deixar de doer, só que com o tempo aprendemos a conviver com a ausência.

Em meio a tantos desastres, há uma notícia incrível: Apolo e Madu se aproximaram de novo. Ele ainda não a chama de mãe, mas a trata com carinho. Adoro assistir à interação deles. Meu menino mau sendo dobrado pela senhora simpática. Uma graça!

Lembro quão emocionante foi a primeira conversa deles após a verdade revelada.

─────◦◦◦─────

— Filho, graças a Deus! — Madu diz ao adentrarmos pelas grandes portas da mansão.

Depois que Apolo chorou por horas ontem à noite, coloquei-o no banho, onde permaneceu por bastante tempo, passava das duas da madrugada quando nos deitamos junto com JP. O pequeno no canto, eu no meio e ele agarrado às minhas costas, ainda abalado pelos acontecimentos.

— Estava tão preocupada, apavorada sem ter notícias. Perdoe-me por t... — continua, até que Apolo dá dois passos para perto, puxando-a para um abraço que deixa a senhora simpática sem ação. Um homão enorme acolhendo a mãe em seu peito. Meus olhos marejam.

— Desculpe por ter sido grosseiro ontem, por cada vez em que fui intolerável com você e Miguel. — O tom embargado dele me faz morder o lábio para não chorar. — Não tem justificativa para os anos que agi com indiferença, mesmo sabendo que é importante para mim. Eu não... não quer...

Madu alisa suas costas com ternura.

— Shhh... Tá tudo bem — acalenta baixinho, tentando espantar os fantasmas que o cercam. — Eu nunca duvidei que o meu Apolo estava aí dentro, só esperando para acordar. Eu te amo, filho! Amo com a minha vida você e Miguel. Deus levou meu caçula, como recompensa me deixou você para aliviar o buraco que abriu em meu peito.

Mais que comovida, coloco as mãos na boca para reter o soluço ao perceber que Apolo chora, acolhido pela mulher que lhe deu a vida.

— Eu sinto tanto, Madu! Sinto tanto... — lamenta baixinho.

─────◦◦◦─────

Disperso meus pensamentos ao perceber que adentramos uma propriedade. O carro para poucos metros à frente. Enrugo a testa confusa.

— Que lugar é esse?

Não recebo resposta. Ele simplesmente desce, dá a volta e abre a minha porta. Caminhamos pela lateral da casa. É grande, linda, acolhedora. Tem um jardim imenso, piscina, muitas árvores.

Apolo me leva até os fundos. Perco o fôlego com a vista. Há um lago ali, pedras pelo chão, um barco pequeno atracado, a pequena plataforma de madeira traz um toque romântico ao resto. O sol se põe no fundo, criando uma tela magnífica.

— É lindo demais, Apolo!

— É nosso novo lar... Se você aceitar.

Viro-me para ele. Seu sorriso nervoso desenha nos lábios convidativos, o marrom dos seus olhos parece mais claro. Apolo é uma contradição ambulante entre o domínio e o receio. Não tem combinação mais tentadora que essa.

Eu o amo, sem dúvidas. Admiro cada camada que blinda sua armadura usada com o mundo e sou loucamente apaixonada pelo modo como se livra dela para conviver na nossa bolha. Ele não é o homem mau que pensei ser, é apenas alguém que precisou aprender a lidar com temores cedo demais, como JP e eu.

— Não tem nada que eu queira mais, Apolo.

Sua mão segura minha nuca, sua boca desce na minha com força. Passo os braços por seu pescoço, aceitando o que recebo. Sua língua brinca com a minha, seus dentes mordiscam meu lábio. Estou ficando lânguida quando ele se afasta.

— Ainda bem, menina, não aguento mais essa sua teimosia. — Beija minha testa. — E eu já comprei a casa, então teríamos um problema se não aceitasse — diz rindo.

Filho da mãe!

Bato no seu peito.

— Você não presta! — resmungo.

Ele circula minha cintura, colocando-me sentada sobre o muro, e se enfia entre as minhas pernas.

— Eu não aguento mais ficar longe de vocês, amor. — Meu coração cambaleia todas as vezes que ele usa esse termo. Bobo? Eu sei. — Quero vocês comigo, todos os dias, chega de tentar saber como é sua rotina sem mim, vai que acaba gostando — solta sério.

Lanço a cabeça para trás, gargalhando.

— Larga de ser ranzinza, homem! — Fito seu rosto bonito. — Não vou a lugar algum.

Ele percorre meus traços com calma.

— Eu te amo, menina — murmura.

— Eu te amo — devolvo, emocionada.

Apolo me desce e vamos juntos conhecer o interior do imóvel. Precisa de uns ajustes básicos, que não vão mudar a essência da construção. Fico imaginando João Pedro correndo pelo espaço, o cheiro de café vindo da cozinha. Nem acredito que encontrei sossego. É surreal.

— Podemos comprar os móveis e nos mudar em breve — ele fala ao fecharmos a porta da frente.

— Podemos levar JP? O danadinho vai ficar eufórico em escolher a decoração do quarto.

— Estava pensando nisso...

Ele para no meio da frase, com sua atenção fixa às minhas costas. Gelo por dentro. Giro cautelosa esperando encontrar uma arma apontada, o que seria bem menos chocante.

Dou um passo trôpego para trás, sendo amparada por Apolo.

— Felipo?

— Oi, maninha!

Meu Deus!

— Você... Você... não pode...
Ele se aproxima mais um pouco. Está como eu me lembro: cabelo raspado, barba rala, blusa de moletom e calça jeans.
— Eu sei.
Solto-me de Apolo e corro até meu irmão, uma saudade absurda explode por cada poro do meu corpo. Felipo me recebe sorrindo, apertando-me num abraço, que me leva aos soluços instantaneamente.
Não acredito que ele está aqui!
— Como é bom te ver bem, Liv. — Sua voz calma remete à infância, às manhãs que me acordava para ir à escola.
No meio do alívio de saber que Felipo está vivo, acabo remoendo outras questões: ele fingiu sua morte e me deixou sozinha para enfrentar tudo? Não se importou com o próprio filho enquanto passávamos fome? Qual a justificativa?
Eu me desvencilho do aconchego, ganhando um pouco de espaço para pensar com clareza.
— Onde você estava todo esse tempo, Felipo? Tem ideia do que passei? Do que João Pedro passou? Por que fez isso com a gente? — Passo as costas da mão na bochecha para secar as lágrimas.
— Eu fiquei por perto, Lív...
— Ficou? Então assistiu seus amigos me estuprarem? — indago furiosa.
— Não, claro que não! — exclama rápido. — Escute, eu não sabia do abuso até Apolo levar os dois caras até o galpão e torturá-los até a morte.
Viro de supetão para Apolo. Eu sabia que ele tinha matado os dois, só não fazia ideia que tinha sido tão brutal.
— Me desculpe por ter te feito passar pelo inferno, Liv. Eu precisei sumir para te livrar de Ícaro. Ele estava no meu pé, preparado para dar um fim em todos nós. Não podia deixar nada de mau acontecer com vocês.
— Tudo de mau aconteceu, Felipo.
Ele balança a cabeça de um lado para o outro.
— Você saiu da nossa antiga casa, foi para onde eu mandei...
— Fui porque não aguentava ficar dentro do lugar onde me estupraram! — grito.
Meu irmão arregala os olhos, acho que finalmente assimilando a merda. Apolo me abraça por trás, tentando me acalmar.
— Olha, era eu que pagava o seu Mário, o dono do restaurante, lembra? Eu pagava a ele para dar comida a vocês. A mulher da loja de antiguidades também, era eu que pagava sua diária lá. Me mantive nas sombras, jamais abandonei vocês, Liv.
Rá, inacreditável!
— Você é um idiota, Felipo! — continuo gritando. — Um idiota completo! Se tivesse ficado, muitas coisas seriam diferentes. Se tivesse lutado por nós...

— Lutei, lutei mesmo, até me infiltrei na segurança para cuidar de vocês.

Junto as sobrancelhas. É mentira, eu o teria reconhecido.

— Ele era o Raul, menina — Apolo sana minha dúvida.

Raul era o cabeludo, com uma barba enorme e olhos escuros. Lembro-me dele porque, na única vez que chegou perto, senti uma conexão estranha. E era Felipo.

Não consigo desviar os olhos do meu irmão. Ele não pode achar que fez o certo, não pode. É muito ridículo.

— Sabe quantas vezes lamentei sua morte? Sabe quantas noites passei acordada com medo de que não conseguisse alimentar seu filho no outro dia? Você. É. Um. Filho. Da. Puta. Felipo! — cuspo com tanta raiva que minha garganta protesta.

Seus olhos idênticos aos meus se tornam tristes. Acho que o peso da realidade que camuflou acaba de desanuviar sua mente distorcida.

— Eu fiquei sozinha... Sozinha para lidar com uma criança, sem comida, sem roupas, sequer tínhamos onde morar direito. Ou você acha que o barraco era um lar decente?

— Não é isso... É... — gagueja, ao se ver sem desculpa.

Travo meus dentes, entendendo as entrelinhas não ditas.

— Nós dois sabemos o porquê do seu plano. Não era para nos proteger, era para se vingar.

Apolo permanece com os braços em torno de mim. Minhas mãos estão fechadas em punho, meu coração em pedaços por, de novo, ter sido deixada de lado pela família.

— Você não entende...

— Não entendo mesmo, droga! Não entendo como abandonou JP. Pior, não sei qual o significado de aparecer agora.

— Vim dizer tchau e... entregar isso. — Tira de dentro da blusa o ursinho que João Pedro ganhou da Lisa.

Engulo em seco. É o único presente que o meu menino tem da mãe. Felipo estica o braço esperando que eu pegue, não me mexo.

— No dia em que o encontrei quase morri ao ver o barraco pegando fogo. Segui os caras que fizeram aquilo e parei na mansão. Então vigiei o lugar e vi vocês. Entendi que estavam presos ali, que Apolo descobriu sobre o sobrinho, que estava prestes a julgar errado, aí me infiltrei. Eu mataria o irmão da Lisa para salvar vocês. Eu mataria, Liv.

Meus olhos se enchem de água. O desespero dele é palpável, mesmo assim não consigo entender. Quem pega o urso é Apolo, o olhar de raiva dele para o meu irmão não passa despercebido.

— Foi você que matou o Ícaro, não foi? — As peças se encaixam sozinhas na minha cabeça.

— Sim, fui eu — Felipo admite.

Encaro Apolo, que volta para o meu lado; não preciso verbalizar o que quero saber. Foram muitas as vezes que pedi para ele me contar quem matou aquele monstro.

— Fiquei sabendo dele no dia que Eleonor invadiu a mansão. Felipo me pediu para não te contar porque ia apagar Ícaro e sumir da porra do mapa, não é? — rosna.

— Ainda vou, só não consegui partir sem me despedir — diz sem deixar de me fitar. — Faz mais ou menos uma hora que dei adeus de longe ao meu filho.

— Você vai nos abandonar novamente? — Indignação escorre da pergunta.

— Não posso ficar, maninha. JP e você estão bem, encontraram o que merecem. Não precisam de mim, não agora pelo menos.

Não digo nada, não tenho o que dizer. Felipo vira as costas, caminhando para a rua. Inconformada por ele desistir tão fácil da gente, acabo lançando um ultimato:

— Se sair, saiba que nunca mais o verá.

Meu irmão cessa seus passos, a cabeça baixa em sinal de derrota. Chego a pensar que isso o fará mudar de ideia. Mero engano.

— Não pense que não amo vocês porque, por Deus, irmã, eu amo demais. Só não consigo ser o que precisam. Minha vida não é um romance daqueles que o protagonista pega qualquer fio de sanidade para se manter na superfície. João Pedro é o elo mais forte que tenho com Lisa, mas em vez de me fortalecer ele me enfraquece. Cansei de fingir, de tentar ser pai, de falhar. Quando Lisandra morreu, naufraguei e não consegui mais encontrar a borda. Prefiro sair da vida do meu filho do que dar a ele menos do que precisa. Estou quebrado, Lív. Dilacerado. Perdido. Sem chance de volta.

Com calma, ele se vira, vejo todo o luto exposto na sua fisionomia. Felipo não está apenas sofrendo, está definhando.

— Prometa que vai me perdoar um dia, não vou pedir que entenda, porque nem eu consigo entender. Só tente me perdoar, tudo bem?

Eu realmente não entendo, também não vou julgá-lo. Cada um sabe como lidar com suas dores, Felipo preferiu se isolar no seu mundo ao ter que lidar com o nosso. Não abro a boca, não tenho palavras de consolo para lhe dar, ele não fez isso por mim.

Com um último aceno, meu irmão vai embora pela segunda vez, sem que eu possa impedir.

Apolo Mendanha

Lívia mexe no urso durante toda a viagem até a mansão, um remorso tardio me incomoda por ter colocado fogo em todos os seus pertences. Infelizmente, não há o que ser feito. Sorte que Felipo conseguiu resgatar o brinquedo.

Falando nisso, estou matutando uma forma de abordar o assunto irmão sem gerar conflitos. Aquele filho da puta do Felipo prometeu que não encheria o saco. Que caralho!

— Menina...
— Por que não me contou? — rebate de imediato.
Desligo o motor e paro um pouco antes de chegar aos grandes portões.
— Você não me contou sobre Madu, Lívia.
— Não, porque foi um pedido do Miguel.
— Exato. Foi um pedido do Felipo — justifico.
Ela se vira para mim, seus olhos verdes semicerrados, a costumeira rebeldia relampejando no fundo.
— Você odeia meu irmão, Apolo. Sempre odiou.
Deixo uma das mãos esticada sobre o volante, com a outra batuco os dedos na perna.
— Não odeio Felipo. Só começamos errado e não tive tempo para criar uma imagem sobre ele. Mas esse não foi o motivo pelo qual não contei, ele me fez jurar por você e JP. — Encaro seus contornos delicados, que suavizam com meu relato. — Não vou mentir. Queria que ele não tivesse aparecido, isso pouparia seu sofrimento porque eu sabia que Felipo não tinha intenção de ficar.
— Por quê? Não entra na minha cabeça.
— Menina, seu irmão está morto por dentro e, por mais bizarro que seja, ele não quer mudar esse fato.
— Eu queria que as coisas voltassem a ser como antigamente, sabe... — sussurra.
Afasto um pouco o banco e a puxo para meu colo. O ursinho é colocado entre nós.
— Não podemos mudar os acontecimentos e, acredite, eu queria alterar muitos deles. — Deixo de observar a pelúcia para focar nela.
Os olhos exóticos, de tão perfeitos, passam-me uma sensação de paz. É louco, não sei explicar. Foi assim desde o começo.
— Precisamos parar de remoer o que passou, não estou falando em esquecer, quero apenas não estacionar. Fiz isso por longos anos, Lívia. Nós temos um mundo inteiro por detrás desses muros. Felipo optou por não permanecer nele, vamos deixá-lo com as suas escolhas, tudo bem?
Um pequeno sorriso desponta dos seus lábios.
— Tudo bem!
Ela se aconchega, suspirando, parecendo uma gatinha manhosa. Seu cheiro de mulher gostosa começa a atiçar meu pau.
Foda!
— Quem diria que a personificação do mal seria romântico desta forma? — brinca.
Respiro aliviado por tê-la distraído do que machuca.
— Personificação do mal? Que apelido mais apropriado.
Puxo a alça da blusinha para beijar seu ombro.
— Não tinha apelido melhor, acredite.
Acabo rindo alto.
— Ah, menina, eu acredito.

Dizem que a luz vence a escuridão, independente da guerra árdua que ambas tenham de travar. Eu não acreditava muito nessa teoria contada para acalmar o caos. Isso, até conhecê-la. Lívia é a claridade, o pontinho perdido que dominou cada pedaço sombrio que habitava em mim.

EPÍLOGO

Apolo Mendanha

Um ano e meio depois...

— Tudo pronto, filho? — minha mãe pergunta, colocando o bolo sobre a mesa.

Hoje é o aniversário de seis anos do JP, o primeiro comemorado na casa nova. Faz mais ou menos quatro meses que viemos para cá. Sim, Lívia me enrolou por mais um tempo. Aquela abusada!

— Está sim! — Desço da cadeira onde subi para prender a linha que havia soltado, levando alguns balões ao chão, e dou um beijo no seu rosto.

— Vou trazer os salgados então — diz, devolvendo o afeto, e volta para dentro.

A comemoração é simples, apenas nós, o que não diminuiu a ansiedade do JP. Ontem a menina e eu fomos comprar seu presente. Imagina o quanto aquele garoto me encheu para saber o que era. Porra! Estava quase sendo vencido pelo cansaço.

— Tio, posso abrir o pacote agora?

Falando nele...

— Cinco minutos, senão sua tia mata a nós dois — respondo todo sério.

— Melhor esperar, né? A Nana tá estranha, bem lelé da cuca. — Coloca a mão na boca para esconder o sorriso sapeca.

Preciso concordar, ela anda com os nervos à flor da pele. Deve ser porque está se empenhando para terminar os desenhos da primeira coleção *Libelle*. Tirei o projeto da gaveta três meses atrás; entre conversar com a menina, para ver se aceitava, e organizar a produção, foram trinta dias. Desde então nos dedicamos para terminar o mais rápido possível.

Além disso, estamos expandindo a oficina, mantendo o que Miguel deixou e que ficou para nossa mãe. Temos uma equipe dedicada para cuidar da empresa, entretanto, Lívia faz questão de acompanhar passo a passo.

Não demora para que ela e Madu apareçam. Cantamos os parabéns, tiramos algumas fotos constrangedoras e, enfim, entregamos os presentes. Nunca vi uma criança para gostar de foguete, acho até que ele sabia o que ia ganhar. Esse que compramos é com controle remoto, cheio de LEDs e barulhento. Resumindo: João Pedro adorou.

Enquanto o pestinha corre pelo gramado, ficamos os três à mesa. Minha menina olha ora ou outra enviesada para mim, começo a ficar encucado. Madu não para de sorrir. Credo, povo doido! Não aprendi a lidar com certas ocasiões ainda, essa é uma delas.

Foda!

— O que vocês têm, porra? — indago, agitado.

— Olha a boca, menino! — minha mãe me repreende.

— Preciso falar com você — Lívia fala por cima.

Puta que pariu!

Ela se levanta e caminha até o cais. Sigo-a de perto. Não me lembro de ter feito merda; para ser justo, estou andando na linha.

Lá vem bomba, eu sinto.

Lívia tira os chinelos e se senta na beirada do cais, em seguida enfia os pés na água. Faço o mesmo, sem medo. Estou aprendendo bem a como lidar com essa fobia chata do caralho. As sessões com o psicólogo ajudaram em muitos outros quesitos além desse.

— Quando te conheci, eu só conseguia pensar em como você era mau e quais minhas chances de sair viva daquela situação. — Ela começa devagar. — Depois de um período comecei a me punir por tentar encontrar justificativas para o seu lado ruim.

Suas mãos estão apoiadas ao lado do corpo, seus pés balançando de leve, criando pequenas ondas. Meus olhos não desviam dela, meus ouvidos estão atentos a cada palavra.

— Não sei ao certo em que momento decidi que você não era o que demonstrava ser, só sei que não te enxergava mais como o Apolo maldoso, eu via um homem cheio de traumas e com uma armadura bem resistente para derrubar. — Sorri serena.

E é a imagem mais perfeita. Essa menina me deixou frouxo mesmo, que merda!

— Eu amei você em algum percurso entre o ódio e o desejo. E hoje ainda me pergunto se é um sonho estarmos juntos. — Lívia finalmente vira-se para mim.

— Não é, meu amor. Isso é para sempre.

— Eu sei, mesmo assim me belisco às vezes — murmura, meio divertida meio emocionada.

Junto as sobrancelhas. Ah, porra!

— Lívia, sabe que pode me contar o que quiser, certo? Estou preocupado com você nesses últimos dias. Vamos lá, menina, fale comigo.

Seus olhos lindos derramam lágrimas grossas, quero pegá-la no colo, porém prefiro aguardar o que vem a seguir.

— Eu estou grávida, Apolo. Grávida e morrendo de medo — confessa.

Prendo a respiração por longos segundos. Ok, fui pego de surpresa, não de um jeito ruim, é só... Não faço ideia de como descrever. Seguro suas mãos geladas, esfregando-as entre as minhas.

— Escute, menina. Eu não tenho dúvidas de que será a mãe mais maravilhosa que existe. Sabe por quê? — Ela balança a cabeça, o cabelo solto ricocheteando em seu rosto bonito. — Não conheço alguém com mais senso materno que você, João Pedro vai concordar comigo.

Beijo seus lábios molhados pelo choro silencioso.

— Quanto a mim, vou dar o meu melhor para ser tudo o que essa criança merece, e sei que vou conseguir, porque faremos juntos. — Engulo em seco, meio perdido e completamente no lugar certo. — Não sei muito bem como expressar o que sinto, Lívia...

— Continue que está ótimo!

Ri em meio ao choro. Acabo rindo também.

Coloco as duas mãos sobre seu ventre liso. Emoções intensas afloram, aliviando meu medo de não ser o suficiente, permitindo-me aceitar que o futuro será muito melhor.

— Você, menina, me faz feliz. E não tem começo melhor do que uma nova vida, um filho nosso, mais um filho nosso — enfatizo.

JP já é nosso, não tem como classificar de outra forma.

— Eu errei muito com você, esses são meus maiores arrependimentos, e não faço ideia de como encontrei redenção. Mas prometo, menina, prometo com minha vida que jamais vai se arrepender de ter me dado seu coração.

Ela me fita com tanto carinho, que sou capaz de ficar de joelhos.

— Eu amo você, Apolo! — declara-se, derrubando qualquer mínima barreira que eu pudesse ter.

Sou dela, por inteiro e sem reservas.

— Também amo você, meu amor!

— Tem dois bebês aí dentro, Nana? Meu Deus! — João Pedro exclama assustado.

Olho para ele sorrindo, tive a mesma reação quando soube. Nós falamos que Lívia estava grávida, só não dissemos que era de gêmeos. A menina queria contar quando desse para saber o sexo. João Pedro parece fascinado.

— Sim, pequeno. A Nana tem dois nenéns na barriga.

— Uau, vou ter dois irmãozinhos! — murmura elétrico.

Aperto a mão de Lívia, que está atrelada à minha. Radiante, ela me fita com muitas emoções enfeitando seu verde único. JP entendeu que é nosso filho, mesmo que não seja legítimo. Conversamos muito com ele sobre isso.

— É um casal, papais — diz o médico, encarando o monitor.

A menina e eu nos entreolhamos, acho que pensando a mesma coisa.

Lisa e Miguel.

O destino nos tirou pessoas importantes e nos devolveu como partes nossas. Partes essas que juntos prometemos amar, zelar e sermos nossa melhor versão.

Cinco anos depois...

— Menina, cadê as crianças? Faz meia hora que estou procurando os danadinhos no pique-esconde e não acho — resmungo, entrando na cozinha onde encontro todo mundo rindo.

Faço uma careta de poucos amigos.

— Não acredito que tiveram a cara de pau de enganar o pai de vocês — bufo contrariado.

— Foi ideia dos gêmeos, pai — entrega JP.

Hoje, ele é nosso filho por lei. Entramos com os papéis da adoção anos atrás, quando me toquei de que a certidão arranjada pelo maldito Caio era falsa, afinal Lisandra não era minha irmã legítima. Demorou um pouco para que João Pedro começasse a chamar Lívia e eu pelos termos pai e mãe. Acho que de tanto ouvir os pequenos falando, acabou aderindo. O que é perfeito!

— Não é eu, papai! — Lisa jura.

Ela é a minha cara, a menina vive dizendo que parece um carimbo meu. Os olhinhos redondos me têm em suas mãos sem esforço. Já sua personalidade é como a da mãe. O que me fode bonito.

— Sobrou você, rapazinho — acuso na brincadeira.

Miguel olha para a irmã, depois para João Pedro, por fim me encara. Eu sei que, por mais que não tenha sido ele, jamais entregaria os irmãos. O garoto é idêntico à mãe. Olhos, cabelo, até o jeito de sorrir, contudo, no que diz respeito ao ego, herdou o meu. Estou fodido em dobro!

— Desculpa, papai, não foi por mal. A gente ia avisar depois que terminasse de comer.

Levanto as duas sobrancelhas. Eles iam me deixar procurando até que horas?

Lívia, que está levando a xícara à boca, cai na gargalhada. Desaforada, filha da mãe! Dou a volta e me sento ao seu lado, as crianças voltam a comer o bolo de chocolate que minha mãe fez e se esquecem de nós.

— À noite, você me paga, menina.

— Aguardo ansiosa, Sr. Ranzinza — cochicha no meu ouvido.

Aqui, olhando para a mulher que ontem aceitou se tornar minha esposa, chego à conclusão de que tive muita sorte.

A fúria é um dos sentimentos mais inflamáveis do ser humano, porque te faz agir sem precedentes, querendo aniquilar qualquer que seja o foco dela. No meio-termo entre senti-la e abrandá-la, pode haver

um conciliador. Lívia teve que experimentar a injustiça para tocar a paz. Eu precisei conhecer o ódio para amar.
    Não somos o tipo comum, mas somos o equilíbrio que mantêm um ao outro no prumo.

AGRADECIMENTOS

Quando comecei a escrever Fúria, eu sabia que queria um personagem diferente dos mocinhos que costumo criar, sabia também que seria um desafio e tanto desenvolver sua personalidade.

Apolo foi quem me tirou da zona de conforto e me fez entender que não precisa ser perfeito para ser certo. Lívia e ele mostraram o quanto os traumas podem moldar o ser humano, mas que as escolhas estão aí para serem feitas e só depende da gente querer ser bom ou não.

Esse livro foi o desafio mais intenso que tive até agora. Chorei de raiva, de amor, de dor. No final, quando coloquei um ponto final na trajetória deles, desabei de alívio por ter conseguido.

Então, começo agradecendo a esses personagens incríveis que me ensinaram muito, arrancaram de mim noites de sono para que sua história fosse contada. Jamais, jamais mesmo, vocês sairão do meu coração. Obrigada!

Dri Soares, não existem palavras para descrever o quanto você foi importante durante esses meses que me levaram ao limite. Cada conselho seu foi absorvido e vou levá-los pela vida. Muito, muito obrigada por ser minha guia e abraçar comigo esse livro.

Carol Kaust, Driih Lima, Ana Flávia Candeo dos Santos, Jheni Silva, Maria Augusta Farias, Anna Caroline Alves dos Reis e Bernadete Estanini, obrigada por serem as melhores betas que eu poderia ter.

Aos leitores que me fazem mais feliz do que imaginam, vários soquinhos do amor! Vocês continuam sendo o impulso que me mantém em frente.

Para quem acaba de ler Fúria, espero que possa respirar fundo e sentir tudo o que eu senti enquanto escrevia.

Em breve, nos encontramos de novo.

Com amor, Priscila Tigre.

VISITE AS PÁGINAS OFICIAIS

www.lereditorial.com

twitter@Ler_Editorial

www.facebook.com/lereditorial

www.instagram.com/lereditorial

pinterest.com/lereditorial/